R O M A

JULIA QUINN

AQUELE BEIJO

TRADUZIDO DO INGLÊS POR

HELENA RUÃO

ASA

Título: **AQUELE BEIJO**
Título original: **IT'S IN HIS KISS**

Tradução: Helena Ruão

Capa: Neusa Dias
Imagens da capa: Shutterstock
Fotografia da autora: Rex Rystedtseattlephoto.com
Paginação: LeYa
Impressão e acabamentos: Multitipo

1.ª edição: agosto de 2015
6.ª edição: outubro de 2024 (reimpressão)
ISBN 978-989-23-3209-3
Depósito legal n.º 395128/15

Edições ASA II, S.A.
Uma editora do Grupo Leya
Rua Cidade de Córdova, n.º 2
2610-038 Alfragide – Portugal
www.leya.com

Este livro segue o Novo Acordo Ortográfico de 1990.

Para Steve Axelrod, por tantos motivos diferentes.
(Mas especialmente pelo caviar!)
E também para o Paul, mesmo que ele pareça pensar que
eu sou o tipo de pessoa que gosta de partilhar caviar.

AGRADECIMENTOS

A autora gostaria de agradecer a Eloisa James e a Alessandro Vettori pelos seus conhecimentos em tudo o que é italiano.

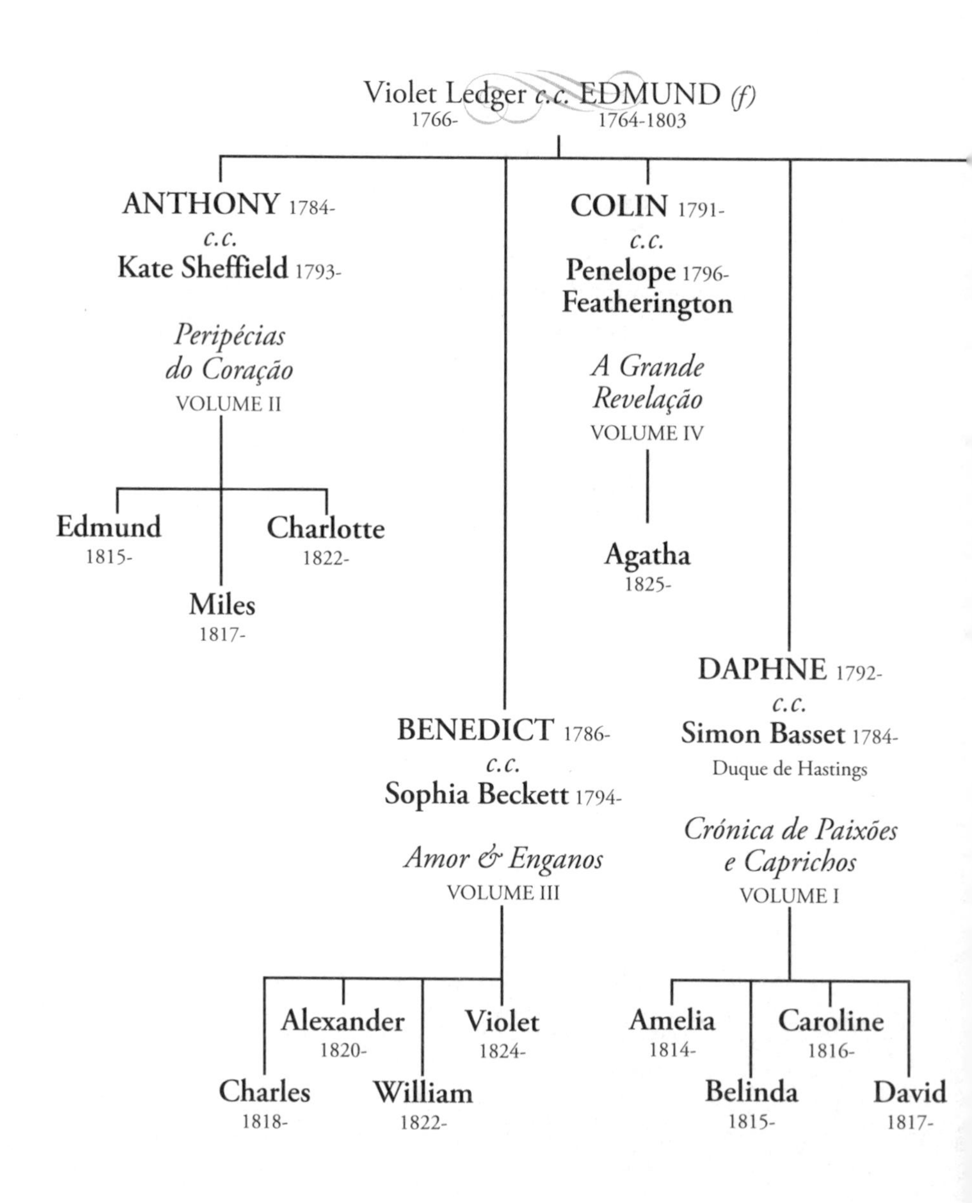
Violet Ledger c.c. EDMUND (f)
1766-
1764-1803
ANTHONY 1784-
c.c.
Kate Sheffield 1793-
Peripécias do Coração
VOLUME II
Edmund 1815-
Charlotte 1822-
Miles 1817-
COLIN 1791-
c.c.
Penelope Featherington 1796-
A Grande Revelação
VOLUME IV
Agatha 1825-
DAPHNE 1792-
c.c.
Simon Basset 1784-
Duque de Hastings
Crónica de Paixões e Caprichos
VOLUME I
BENEDICT 1786-
c.c.
Sophia Beckett 1794-
Amor & Enganos
VOLUME III
Alexander 1820-
Violet 1824-
Charles 1818-
William 1822-
Amelia 1814-
Caroline 1816-
Belinda 1815-
David 1817-

ÁRVORE GENEALÓGICA DA FAMÍLIA

Bridgerton

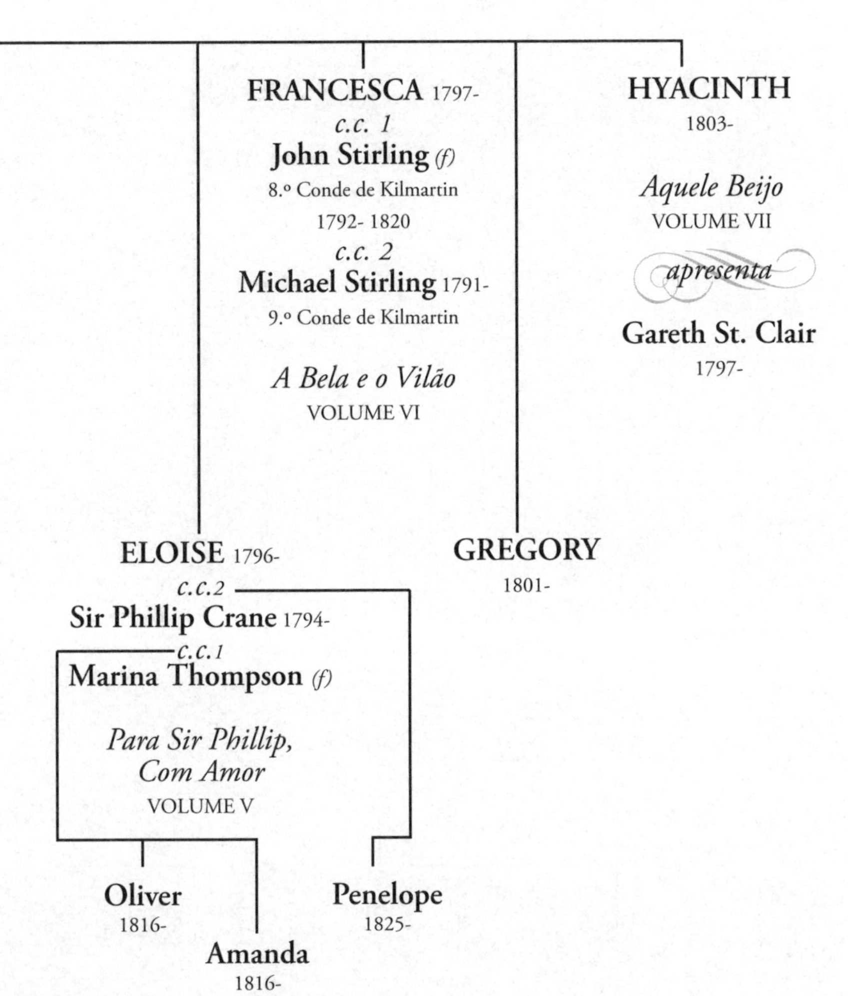

PARA VER A ÁRVORE GENEALÓGICA COMPLETA, VISITE WWW.JULIAQUINN.COM

PRÓLOGO

1815, dez anos antes de a nossa história começar verdadeiramente...

Gareth St. Clair regia-se por quatro princípios na relação com o pai, com os quais contava para manter o bom humor e a sanidade mental.

Primeiro: não conversar a menos que fosse absolutamente necessário.

Segundo: todas as conversas absolutamente necessárias deveriam ser o mais sucintas possível.

Terceiro: caso a troca de palavras exigisse mais do que uma simples saudação, era sempre preferível estar presente uma terceira pessoa.

E finalmente, quarto: com o objetivo de atingir os três primeiros princípios, Gareth devia comportar-se de maneira a angariar o maior número de convites possível para passar as férias escolares com os amigos.

Por outras palavras... nunca em casa.

Ou mais precisamente... longe do pai.

Tudo contabilizado, pensava Gareth quando se dava ao trabalho de pensar sobre o assunto, o que não acontecia muitas vezes, agora que aperfeiçoara as táticas de evasão ao ponto de as poder considerar uma ciência, tais princípios eram-lhe extremamente úteis.

Eram também úteis ao pai, uma vez que Richard St. Clair gostava tanto do filho mais novo quanto o filho mais novo gostava dele. Exatamente por isso Gareth ficara tão surpreendido ao receber na escola uma convocatória para regressar a casa.

Praticamente uma intimação, pensou Gareth com uma carranca.

A missiva do pai deixava pouco ou nenhum espaço para a ambiguidade. Gareth deveria apresentar-se em Clair Hall imediatamente.

Aquilo era extremamente irritante. A apenas dois meses de deixar Eton, a sua vida seguia a todo o vapor no colégio, uma mistura inebriante de brincadeira e estudo, e, claro, as ocasionais incursões clandestinas ao *pub* local, sempre tarde da noite e envolvendo vinho e mulheres.

A vida de Gareth era exatamente a que qualquer jovem de dezoito anos desejaria. Partira, portanto, do pressuposto que, desde que conseguisse manter-se fora da linha de visão do pai, a sua vida aos dezanove anos seria igualmente abençoada. A ideia era ir para Cambridge no outono, juntamente com todos os seus amigos mais próximos, onde pretendia prosseguir os estudos e a vida social com igual fervor.

No *foyer* de Clair Hall, olhou em volta e soltou um longo suspiro que pretendia impaciente, mas que saiu mais nervoso do que qualquer outra coisa. O que poderia o barão (como se tinha habituado a chamar ao pai) querer dele? Há muito que o pai anunciara ter lavado as próprias mãos relativamente ao filho mais novo, afirmando que apenas lhe financiaria a formação escolar, pois era o que lhe competia.

Afirmação que toda a gente sabia realmente significar: cairia muito mal aos amigos e vizinhos da família se Gareth não fosse enviado para uma escola adequada.

Quando os caminhos de Gareth e do pai *obrigatoriamente* se cruzavam, o barão insistia em discorrer sobre a tamanha deceção que era o rapaz.

O que só fazia Gareth querer azucrinar o pai ainda mais. Afinal, nada era melhor do que viver muito aquém das expectativas.

Gareth tamborilou o pé com impaciência, sentindo-se um estranho na própria casa, enquanto esperava que o mordomo avisasse o pai da sua chegada. Nos últimos nove anos, passara tão pouco tempo naquela casa que lhe era difícil ter grande apego ao lugar. Para ele, não passava de um amontoado de pedras que pertencia ao pai e que acabaria por ser herdada pelo irmão mais velho, George. Nada da casa nem da fortuna St. Clair iria parar às suas mãos, portanto ele sabia que o seu destino e caminho no mundo teriam de ser traçados sozinho. Supôs que depois de Cambridge seguiria a carreira militar; a única outra via vocacional aceitável era o clero, e Deus sabia o quanto era inadequado para *isso*.

Gareth tinha poucas memórias da mãe, que havia morrido num acidente quando ele tinha cinco anos, mas ainda se lembrava dela a despentear-lhe o cabelo e a rir-se sobre as galhofices dele.

– És o meu diabinho – costumava ela dizer, seguido do sussurro: – Nunca percas isso. Faças o que fizeres, nunca percas isso.

Ele assim fizera. Duvidava, portanto, que a Igreja Anglicana o recebesse de braços abertos.

– Menino Gareth.

Gareth levantou o olhar ao som da voz do mordomo. Como sempre, Guilfoyle falava em frases declarativas lacónicas, nunca em frases interrogativas.

– O seu pai irá recebê-lo agora – entoou Guilfoyle. – Ele está no gabinete.

Gareth dirigiu um aceno ao velho mordomo e percorreu todo o corredor em direção ao gabinete do pai, o aposento que sempre detestara mais em toda a casa. Era onde o pai lhe pregava os sermões, onde o pai afirmara que ele nunca iria ser nada na vida, onde o pai especulara com toda a frieza que nunca deveria ter tido um segundo filho, que Gareth não passava de um sorvedouro de dinheiro e uma nódoa na honra da família.

Não, não tinha memórias felizes dali, pensou Gareth ao bater à porta.

– Entre!

Gareth empurrou a pesada porta de carvalho e entrou. O pai estava sentado atrás da secretária, a rabiscar qualquer coisa numa folha de papel. Ele parecia bem, pensou Gareth com despreocupação. O pai parecia sempre bem. Teria sido mais fácil se ele se tivesse transformado numa caricatura rubicunda de si mesmo, mas não, Lord St. Clair era um homem forte que se mantinha em boa forma, aparentando ser duas décadas mais jovem do que os seus mais de cinquenta anos.

Parecia o tipo de homem que um rapaz como Gareth deveria respeitar.

O que só tornava a dor da rejeição ainda mais cruel.

Gareth esperou pacientemente que o pai levantasse os olhos do papel. Quando ele não o fez, ele pigarreou.

Nenhuma reação.

Gareth tossiu.

Nada.

Gareth sentiu os dentes a ranger. Aquela era a rotina do pai: ignorá-lo o tempo suficiente para servir de lembrete de que não considerava o filho merecedor da sua atenção.

Gareth pensou em chamar a atenção com um «*Sir*». Depois considerou um «Vossa graça». Chegou mesmo a considerar proferir a palavra «Pai», mas acabou por decidir encostar-se descontraidamente à ombreira da porta e começar a assobiar.

O pai olhou para cima imediatamente.

– Cesse! – resmungou ele.

Gareth arqueou uma sobrancelha e calou-se.

– E ponha-se direito. Pelo amor de Deus – disse o barão, irritado –, quantas vezes já lhe disse que é má-criação assobiar?

Gareth esperou um segundo e, em seguida, perguntou:

– Devo responder a isso ou foi uma pergunta retórica?

A pele do pai ruborizou-se.

Gareth engoliu em seco. Não devia ter dito aquilo. Sabia que o tom deliberadamente jocoso iria enfurecer o barão, mas às vezes era tão difícil manter a boca fechada. Passara anos a tentar conquistar o pai, até finalmente ceder e desistir.

E se lhe dava uma certa satisfação fazer o velho sentir-se tão miserável como ele o fazia sentir, pois muito bem, que assim fosse. Uma pessoa tinha de retirar prazer onde podia.

– Estou espantado por ter vindo – declarou o pai.

Gareth piscou em confusão.

– O senhor pediu-me que viesse – respondeu ele.

E a terrível verdade era que ele nunca desafiara o pai. Não verdadeiramente. Ele provocava e espicaçava, acrescentando um toque de insolência a cada frase e a cada atitude, mas nunca se comportara com declarada desobediência.

Um miserável covarde, era o que ele era.

Em sonhos, revidava. Em sonhos, dizia ao pai exatamente o que pensava dele, mas, na realidade, a sua desobediência era limitada a assobios e olhares carrancudos.

– Pois pedi – afirmou o pai, reclinando-se ligeiramente na cadeira. – No entanto, eu nunca dou uma ordem na expectativa de que a obedeça. Raramente o faz.

Gareth não respondeu.

O pai levantou-se e foi até uma mesinha próxima, onde se encontrava um *decanter* de *brandy*.

– Imagino que esteja a perguntar-se do que se trata – continuou ele.

Gareth concordou com um aceno de cabeça, mas como o pai não se preocupou em olhar para ele, acrescentou:

– Sim, senhor.

O barão bebeu um gole generoso de *brandy*, deixando Gareth à espera enquanto saboreava com prazer visível o líquido âmbar. Por fim, virou-se e, fitando-o com expressão fria e avaliadora, disse:

– Finalmente descobri uma maneira de se tornar útil à família St. Clair.

Gareth ergueu a cabeça de pasmo.

– Ai, sim? *Sir?*

O pai bebeu mais um gole e pousou o copo.

– É verdade. – Virando-se para o filho, encarou-o pela primeira vez durante a conversa. – O menino vai casar.

– *Sir?* – disse Gareth, quase se engasgando na palavra.

– Este verão – confirmou Lord St. Clair.

Gareth agarrou-se às costas de uma cadeira para não perder o equilíbrio. Pelo amor de Deus, ele tinha dezoito anos! Era jovem de mais para casar. E Cambridge? Poderia estudar sendo um homem casado? E onde poria a mulher?

E, santo Deus, com *quem* teria ele de se casar?

– É uma união excelente – continuou o barão. – O dote irá equilibrar as nossas finanças.

– As nossas finanças, *sir*? – murmurou Gareth.

Os olhos de Lord St. Clair semicerraram-se ao olhar para o filho.

– Estamos hipotecados até ao pescoço – esclareceu em tom severo. – Mais um ano e perdemos tudo o que não seja de morgadio.

– Mas... como?

– Eton não sai barato – atirou o barão.

Verdade, mas esse custo certamente não reduziria a família à miséria, pensou Gareth em desespero. Não podia ser *tudo* culpa dele.

– Embora o menino seja uma deceção – continuou o pai –, eu nunca fugi das minhas responsabilidades para consigo. Foi educado como nobre. Teve direito a cavalo, roupa e um teto sobre a cabeça. Chegou a hora de se portar como um homem.

– Quem? – sussurrou Gareth.

– Hã?

– Quem? – voltou a dizer um pouco mais alto. Com quem deveria ele casar-se?

– Mary Winthrop – respondeu o pai em tom perfeitamente casual.

Gareth sentiu o sangue fugir-lhe do corpo.

– A Mary...

– A filha do Wrotham – acrescentou o pai.

Como se Gareth não soubesse.

– Mas a Mary...

– Será uma excelente mulher – continuou o barão. – Obediente, e poderá deixá-la no campo, caso o menino deseje andar na cidade na pândega com aqueles seus amigos decadentes.

– Mas pai, a Mary...

– Eu aceitei em seu nome – declarou o pai. – Está feito. Os acordos foram assinados.

Gareth tentou respirar. Aquilo não podia estar a acontecer. Certamente um homem não podia ser obrigado a casar-se. Não nos dias de hoje.

– O Wrotham quer que o casamento seja em julho – acrescentou o pai. – Eu disse-lhe que não temos objeções.

– Mas... a Mary... – gaguejou Gareth. – Eu não posso casar-me com a Mary!

Uma das sobrancelhas espessas do pai ergueu-se.

– Pode e vai.

– Mas, pai, ela é... ela é...

– Atrasada? – completou o barão, soltando um riso por entre dentes. – Não vai fazer diferença quando a tiver debaixo de si na cama. E não precisará de ter mais nada a ver com ela de outra forma. – Avançou em direção ao filho até ambos ficarem desconfortavelmente perto. – Só tem de aparecer na igreja. Entendeu?

Gareth não respondeu. Aliás, não *fez* grande coisa. Já lhe era difícil respirar.

Ele conhecera Mary Winthrop toda a vida. Ela era um ano mais velha do que ele, e as propriedades das duas famílias faziam fronteira há mais de um século. Tinham sido companheiros de brincadeiras quando crianças, mas logo ficou evidente que Mary tinha problemas. Gareth mantivera-se sempre um guardião dela quando estava em casa; por várias vezes se envolvera em brigas com fanfarrões que achavam por bem insultá-la ou aproveitar-se da sua natureza doce e singela.

Mas não podia *casar-se* com ela. Ela era como uma criança. Devia até ser pecado. E mesmo que não fosse, era algo que lhe dava voltas ao estômago. Como poderia ela entender o conceito do que aconteceria entre eles como marido e mulher?

Ele nunca poderia dormir com ela. Nunca.

Gareth ficou a olhar para o pai, sem palavras. Pela primeira na vida, não sabia como lhe responder, nenhum comentário mordaz na ponta da língua.

Não havia palavras. Simplesmente não havia palavras para aquele momento.

– Vejo que nos entendemos – disse o barão, sorrindo perante o silêncio do filho.

– Não! – explodiu Gareth, a única sílaba rasgando-lhe a garganta. – Não! Eu não posso!

Os olhos do pai estreitaram-se.

– Vai lá estar nem que eu tenha de o levar amarrado.

– Não! – Ele sentia-se a sufocar, mas, de alguma forma, conseguiu pronunciar as palavras. – Pai, a Mary é... Bem, ela é uma criança. Nunca vai ser mais do que uma criança. O pai sabe disso. Eu não posso casar-me com ela. Seria um pecado.

O barão soltou um riso abafado, quebrando a tensão num virar de costas repentino.

– Está a tentar convencer-me de que o menino, de repente, se tornou religioso?

– Não, mas...

– Não há nada a discutir – cortou o pai. – O Wrotham foi extremamente generoso com o dote. Deus sabe que tem de o ser, ser quer tentar livrar-se da imbecil.

– Não fale assim dela – sussurrou Gareth.

Ele podia não querer casar-se com Mary Winthrop, mas conhecera-a toda a vida, e ela não merecia que se referissem a ela daquela maneira.

– É o melhor que tem a fazer – disse Lord St. Clair. – Nunca irá arranjar melhor. O contrato de casamento proposto pelo Wrotham é extraordinariamente generoso e eu vou assegurar que o menino receba uma pensão que lhe proporcione uma vida confortável.

– Uma pensão – ecoou Gareth em tom apático.

O pai soltou uma risada curta.

– Não poderia confiar-lhe o bolo todo – disse ele. – A si? Nem pensar!

Gareth engoliu em seco.

– E os estudos? – perguntou num sussurro.

– Podem continuar na mesma – respondeu o pai. – Na verdade, deve agradecer à sua nova noiva por isso. Não teria tido hipótese de o pôr a estudar sem o acordo de casamento.

Gareth ficou ali parado, a tentar forçar a respiração a transformar-se em algo que se assemelhasse remotamente a um respirar normal. O pai sabia o quanto significava para ele estudar em Cambridge. Era a única coisa em que os dois concordavam: um cavalheiro necessita de ter uma educação de cavalheiro. Não importava que Gareth ansiasse por toda a experiência, tanto social como académica, enquanto Lord St. Clair a via meramente como algo a ser feito para manter as aparências. Aliás, estava decidido há anos: Gareth iria estudar e receber o seu diploma.

Mas agora, aparentemente, Lord St. Clair chegara à conclusão de que não iria poder pagar a educação do seu filho mais novo. Quando estava ele a planear dizer-lhe? Quando Gareth estivesse a fazer as malas?

– Está feito, Gareth – disse o pai bruscamente. – E tem de ser o menino. O George é o herdeiro e não posso permitir que manche a nossa linhagem. Além do mais – acrescentou, contraindo os lábios –, eu nunca o submeteria a isso.

– Mas a mim, sim? – murmurou Gareth.

O pai odiava-o assim tanto? Tinha tanta desconsideração por ele? Olhou para o pai, para aquele rosto que já lhe trouxera tanta infelicidade. Nunca nele houvera um sorriso, nunca uma palavra de encorajamento. Nunca...

– Porquê? – ouviu-se Gareth a dizer, a palavra soando como se saída de um animal ferido, patética e queixosa. – Porquê? – voltou a perguntar.

O pai não respondeu; apenas ficou ali, agarrando o rebordo da mesa até os nós dos dedos ficarem brancos. E Gareth só conseguiu ficar a olhá-lo fixamente, como que paralisado pela visão vulgar das mãos do pai.

– Eu sou seu filho – sussurrou, ainda incapaz de desviar os olhos das mãos e encarar o pai. – O seu filho. Como foi capaz de fazer uma coisa destas ao seu próprio filho?

Foi então que o pai, mestre na retaliação destruidora e cuja raiva vinha sempre revestida de gelo em vez de fogo, explodiu. As mãos voaram da mesa e a voz ribombou pela sala como um trovão.

– Pelo amor de Deus, como é que ainda não percebeu? O menino não é meu filho! Nunca foi meu filho! Não passa de um bastardo, um cão sarnento que a sua mãe teve de outro homem enquanto eu estava para fora.

A fúria irrompeu como uma coisa desesperada e escaldante, há demasiado tempo presa e reprimida. Atingiu Gareth como uma onda, envolvendo-o de cima a baixo, apertando e sufocando até ele mal conseguir respirar.

– Não – disse ele, sacudindo a cabeça em desespero. Não era nada que não lhe tivesse passado pela cabeça, nada por que não tivesse até esperado, mas não podia ser verdade. Ele era *parecido* com o pai; tinham o mesmo nariz, não tinham? E...

– Alimentei-o – continuou o barão, a voz baixa e dura –, vesti-o e apresentei-o ao mundo como meu filho. Sustentei-o quando qualquer outro homem o teria atirado para a rua, e chegou a hora de pagar o que me deve.

– Não – voltou a dizer Gareth. – Não pode ser. Eu pareço-me consigo! Eu...

Por um momento, Lord St. Clair permaneceu em silêncio. Então disse com amargura:

– Uma infeliz coincidência, asseguro-lhe.

– Mas...

– Eu podia ter-me recusado a aceitá-lo quando nasceu – cortou Lord St. Clair –, tê-lo expulsado a si e à sua mãe. Mas não o fiz. – Avançou para Gareth e aproximou o rosto do dele. – Eu reconheci-o e, por isso, o menino é legítimo. – E acrescentou num tom baixo e raivoso: – Logo, está em dívida para comigo.

– Não – respondeu Gareth, a voz encontrando finalmente a convicção de que iria precisar para o resto da vida. – Não. Recuso-me a fazê-lo.

– Eu deserdo-o – ameaçou o barão. – Não vê mais um tostão que seja. Pode esquecer o seu sonho de ir para Cambridge, o seu...

– Não – cortou Gareth novamente, num tom que já soava diferente. Ele sentia-se diferente, mudado. Aquele era o fim, pensou. O fim da sua infância, o fim da inocência e o começo de...

Só Deus sabia de quê.

– Não quero saber mais de si – sibilou o pai (não... não mais o seu pai). – Nunca mais.

– Assim seja – respondeu Gareth.

Virou as costas e foi-se embora.

CAPÍTULO 1

Dez anos se passaram e encontramos a nossa heroína, que, é preciso dizê-lo, nunca foi conhecida por ser uma flor tímida e retraída. A cena passa-se no sarau musical anual dos Smythe-Smith, cerca de dez minutos antes de Mozart começar a dar voltas na sepultura.

– Porque será que fazemos isto a nós próprios? – interrogou-se Hyacinth Bridgerton em voz alta.

– Porque somos pessoas boas e amáveis – respondeu a cunhada, sentada (que Deus as ajudasse) na primeira fila.

– Seria de esperar que tivéssemos aprendido a lição no ano passado – insistiu Hyacinth, olhando para a cadeira vazia ao lado de Penelope com o mesmo entusiasmo que demonstraria por um ouriço-do-mar. – Ou talvez no ano anterior. Ou até mesmo...

– Hyacinth? – interrompeu Penelope.

Hyacinth virou o olhar para ela, erguendo uma sobrancelha interrogativa.

– Senta-te.

Hyacinth suspirou; mas sentou-se.

O sarau musical dos Smythe-Smith. Felizmente só acontecia uma vez por ano, porque Hyacinth tinha absoluta certeza de que precisaria de um total de doze meses para recuperar a audição.

Hyacinth deixou escapar um outro suspiro, ainda mais alto do que o anterior.

– Não estou totalmente certa de que seja boa ou amável.

– Eu também não – comentou Penelope –, mas decidi ter fé em ti, mesmo assim.

– Que magnânimo da tua parte – retorquiu Hyacinth.

– Eu também acho.

Hyacinth relanceou o olhar para os lados.

– Claro que não tiveste outra escolha.

Penelope virou-se no assento, os olhos estreitando-se.

– E isso significa...?

– O Colin recusou-se a acompanhar-te, não foi? – perguntou Hyacinth com um olhar malicioso.

Colin era irmão de Hyacinth e casara-se com Penelope no ano anterior.

Penelope estreitou a boca numa linha firme.

– Adoro quando tenho razão – declarou Hyacinth, triunfante. – O que é bom, porque isso acontece a maioria das vezes.

Penelope limitou-se a fitá-la.

– Tu sabes que és insuportável, não sabes?

– É claro! – Hyacinth inclinou-se para Penelope com um sorriso diabólico. – Mas tu gostas de mim assim mesmo, admite.

– Não admito nada até ao final da noite.

– Depois de termos ambas ficado surdas?

– Depois de te vermos a portares-te convenientemente.

Hyacinth riu-se.

– Casaste-te com um elemento desta família. Tens de gostar de mim. É uma obrigação contratual.

– Engraçado, não me lembro de isso fazer parte dos votos de casamento.

– É realmente engraçado – devolveu Hyacinth –, porque eu lembro-me perfeitamente.

Penelope olhou para ela e desatou a rir.

– Não sei como o fazes, Hyacinth, mas apesar de tão exasperante, ainda consegues ser sempre encantadora.

– É o meu maior talento – disse Hyacinth com falsa modéstia.

– O facto é que tens direito a pontos extra por teres vindo comigo esta noite – concluiu Penelope, dando-lhe uma palmadinha afetuosa na mão.

– É claro – respondeu Hyacinth. – Apesar de todos os meus modos insuportáveis, sou, na verdade, um exemplo de bondade e amabilidade.

E tinha de ser, pensou, enquanto observava a cena que se desenrolava no pequeno palco improvisado. Mais um ano, mais um sarau musical dos Smythe-Smith. Outra oportunidade para ficar a conhecer de quantas maneiras se podia arruinar uma peça musical perfeita. Todos os anos Hyacinth jurava que não ia comparecer, e todos os anos acabava, invariavelmente, por se ver no evento, abrindo um sorriso encorajador às quatro jovens no palco.

– Pelo menos no ano passado fiquei sentada lá atrás – disse Hyacinth.

– Sim, ficaste – respondeu Penelope, virando-se para ela com ar desconfiado. – Como é que conseguiste? A Felicity, a Eloise e eu ficámos todas à frente.

Hyacinth encolheu os ombros.

– Uma visita muito oportuna ao *toilette*. Aliás...

– Não te atrevas a tentar o mesmo esta noite – advertiu Penelope. – Se me deixas aqui sozinha...

– Não te preocupes – assegurou Hyacinth com um suspiro. – Estou aqui de pedra e cal. Mas quero que esta minha mostra de devoção a ti fique devidamente registada – acrescentou, apontando o dedo de uma maneira que a mãe certamente classificaria como muito pouco senhoril.

– Porque será que fico com a sensação de que guardas aí algures um registo de pontuações e que, quando eu menos esperar, vais aparecer-me de um salto e pedir algum favor? – perguntou Penelope.

Hyacinth olhou para ela e pestanejou.

– Porque hei de eu precisar de saltar?

– Ah, olha – chamou a atenção Penelope, depois de fitar a cunhada como se ela fosse lunática –, aí vem Lady Danbury.

– Mrs. Bridgerton – disse, ou melhor, bradou Lady Danbury em cumprimento. – Miss Bridgerton.

– Boa noite, Lady Danbury – respondeu Penelope à condessa idosa. – Guardámos-lhe um lugar aqui mesmo à frente.

Lady D estreitou os olhos e deu um toque leve a Penelope com a bengala.

– Sempre a pensar nos outros, não é?

– É claro – respondeu Penelope. – Eu não sonharia em...

– Bah! – exclamou Lady Danbury.

Era a sílaba preferida da condessa, refletiu Hyacinth. Essa e *pfff*.

– Chegue-se para lá, Hyacinth – ordenou Lady D. – Quero sentar-me entre as duas.

Hyacinth, obedientemente, deslocou-se uma cadeira para a esquerda.

– Estávamos ainda agora a ponderar quais as razões que nos trazem a este sarau – disse ela quando Lady Danbury se acomodou. – Eu, pelo menos, não cheguei a nenhuma conclusão.

– Não posso falar por si – disse Lady D a Hyacinth –, mas *ela* – e fez um gesto com a cabeça na direção de Penelope – está aqui pela mesma razão que eu.

– Pela música? – sugeriu Hyacinth, talvez com demasiada polidez.

Lady Danbury voltou-se para Hyacinth, o rosto vincando-se numa espécie de sorriso.

– Eu sempre gostei de si, Hyacinth Bridgerton.

– Eu também sempre gostei de si – respondeu Hyacinth.

– Imagino que seja por ir a minha casa de vez em quando ler para mim – disse Lady Danbury.

– Todas as semanas – lembrou Hyacinth.

– De vez em quando, todas as semanas... pfff! – fez Lady Danbury, a mão cortando o ar num gesto de pouco caso. – Vai dar tudo ao mesmo, se não é um esforço diário.

Hyacinth achou melhor não responder, ou Lady D certamente encontraria alguma maneira de lhe distorcer as palavras até ela prometer visitá-la todas as tardes.

– E devo até acrescentar – continuou Lady D com uma fungadela – que foi muito cruel na semana passada, indo-se embora e deixando a pobre Priscilla pendurada de um penhasco.

– O que estás a ler? – perguntou Penelope.

– *Miss Butterworth e o Barão Louco* – respondeu Hyacinth. – Ela não estava pendurada. Ainda.

– Já adiantou a leitura? – reclamou Lady D.

– Não – respondeu Hyacinth com um revirar de olhos. – Mas não é difícil de prever. Miss Butterworth já ficou pendurada de um edifício e de uma árvore.

– E ainda está viva? – questionou Penelope.

– Eu disse pendurada, não enforcada – resmoneou Hyacinth. – O que é uma pena.

– Independentemente disso, foi muito cruel ter-*me* deixado pendurada – contrapôs Lady Danbury.

– Foi onde o autor terminou o capítulo – justificou Hyacinth, impenitente. – Além disso, não dizem que a paciência é uma virtude?

– Obviamente que não – enfatizou Lady Danbury –, e se a menina pensa assim, é menos mulher do que eu pensava.

Ninguém compreendia o que levava Hyacinth a visitar Lady Danbury todas as terças-feiras e ler para ela, mas ela gostava das suas tardes com a condessa. Lady Danbury era excêntrica e absolutamente honesta, e Hyacinth adorava-a.

– Vós as duas juntas sois uma ameaça – comentou Penelope.

– O meu objetivo de vida é ser uma ameaça para a maior quantidade de pessoas possível – anunciou Lady Danbury –, portanto vou tomar isso como o mais alto dos elogios, Mrs. Bridgerton.

– Porque será que só me trata por Mrs. Bridgerton quando decide proferir uma das suas grandes tiradas? – perguntou Penelope.

– Soa melhor assim – respondeu Lady D, sublinhando a observação com um baque ruidoso da bengala.

Hyacinth sorriu. Quando fosse velha, queria ser exatamente como Lady Danbury. Verdade fosse dita, gostava mais da condessa idosa do que da maioria das pessoas que conhecia da sua própria idade. Depois de três temporadas no mercado matrimonial, Hyacinth estava a ficar um pouco cansada das mesmas pessoas dia após dia. O que antes tinha sido emocionante... os bailes, as festas, os pretendentes... bom, ainda era agradável, tinha de admitir. Hyacinth certamente não era uma daquelas jovens que se queixavam de toda a riqueza e privilégios que eram forçadas a suportar.

Todavia, já não era o mesmo. Ela já não prendia a respiração de cada vez que entrava num salão de baile. E agora uma dança era simplesmente uma dança, já não o movimento rodopiante e mágico que fora em anos transatos.

A excitação desaparecera, percebeu.

Infelizmente, sempre que mencionava esse facto à mãe, a resposta que recebia era muito simples: encontrar um marido. Isso mudaria tudo, como Violet Bridgerton nunca se cansava de apontar.

Pois sim.

A mãe de Hyacinth há muito que desistira de qualquer pretensão de subtileza quando se tratava do estado de solteira da sua quarta e última filha. No pensamento sinistro de Hyacinth, isso tinha-se transformado numa cruzada pessoal.

Qual Joana d'Arc! A mãe era Violet de Mayfair e nem a peste, nem a pestilência, nem qualquer outra sorte madrasta iria impedi-la na sua missão de ver todos os oito filhos casados e felizes.

Apenas dois restavam: Gregory e Hyacinth; mas Gregory ainda só tinha vinte e quatro anos, uma idade considerada perfeitamente aceitável para um cavalheiro permanecer solteiro (muito injustamente, na opinião de Hyacinth).

Mas Hyacinth, aos vinte e dois? O único fator que contribuía para protelar o colapso completo da mãe era o facto de a irmã mais velha, Eloise, ter esperado até à idade avançada de vinte e oito anos para finalmente ficar noiva. Por comparação, Hyacinth era praticamente uma criança.

Ninguém podia declarar que Hyacinth estava irremediavelmente na prateleira, mas até ela era obrigada a admitir que se aproximava lentamente dessa posição. Recebera algumas propostas de casamento desde o seu debute três anos antes, mas não tantas quanto seria de esperar, dada a sua aparência (não era a donzela mais bonita da cidade, mas era certamente mais bonita do que a metade, pelo menos) e a sua fortuna, embora não sendo o dote mais avultado, era certamente suficiente para fazer um caçador de fortunas prestar atenção.

E ainda a sua linhagem, que era, naturalmente, nada menos do que impecável. O irmão mais velho era, tal como o pai tinha sido antes, o visconde Bridgerton, e embora o título não fosse o mais elevado do país, a família era imensamente popular e influente. E se isso não bastasse, a irmã, Daphne, era a duquesa de Hastings e a outra irmã, Francesca, era a condessa de Kilmartin.

Se um homem quisesse associar-se às famílias mais poderosas da Grã-Bretanha, poderia fazer muito pior do que casar com Hyacinth Bridgerton.

Contudo, refletindo com mais pormenor sobre o sentido de oportunidade das propostas que recebera, algo que Hyacinth não gostava de admitir que fazia, a situação começava a parecer realmente complicada.

Três propostas na sua primeira temporada.

Duas, na segunda.

Uma, no ano anterior.

E nenhuma este ano, pelo menos até agora.

Poderia argumentar-se que a popularidade dela estava a decrescer. A menos, é claro, que alguém fosse suficientemente insensato para *partilhar* tal argumento, em cujo caso Hyacinth ver-se-ia obrigada a contra-argumentar, não obstante os factos e a lógica.

E provavelmente até ganharia. Era raro o homem (ou a mulher) capaz de suplantar Hyacinth Bridgerton em astúcia, em conversa ou em discussão.

Eventualmente isto podia ter algo a ver com o motivo pelo qual o número de propostas de casamento diminuíra a um ritmo alarmante, pensou ela num raro momento de autorreflexão.

Não importa, pensou, enquanto observava as jovens Smythe--Smith agitarem-se, impacientes, no pequeno estrado que tinha sido colocado na frente da sala. A verdade é que não teria aceitado nenhuma das seis propostas. Três dos pretendentes eram caçadores de fortunas, dois eram idiotas e um era um chato de morte.

Era melhor permanecer solteira do que ficar presa a alguém capaz de a aborrecer até às lágrimas. Até a mãe, uma casamenteira inveterada, não fora incapaz de debater esse ponto.

E quanto à atual temporada, livre de propostas... bom, se os cavalheiros da Grã-Bretanha não eram capazes de apreciar o valor inerente de uma mulher inteligente que pensa pela sua própria cabeça, isso era problema deles, não dela.

Lady Danbury bateu com a bengala no chão, quase acertando no pé direito de Hyacinth.

– Olhem cá – disse ela –, alguma de vós viu o meu neto?

– Que neto? – perguntou Hyacinth.

– Que neto – repetiu Lady D com impaciência. – Que neto? O único de que gosto, é claro.

Hyacinth nem se preocupou em esconder o choque.

– Mr. St. Clair vem cá esta noite?

– Eu sei, eu sei – casquinou Lady D. – Nem eu acredito! Continuo à espera que um feixe de luz celestial atravesse o teto.

O nariz de Penelope enrugou-se de riso.

– Julgo que esse comentário deva ser uma blasfémia, mas não tenho a certeza.

– Não é – assegurou Hyacinth, sem sequer olhar para ela. – Mas porque é que ele vem?

Lady Danbury abriu um sorriso lento; como uma cobra prestes a dar o bote.

– Porque está tão interessada?

– Eu estou *sempre* interessada em mexericos – disse Hyacinth com toda a franqueza. – Sobre quem quer que seja. Já devia saber.

– Muito bem – concedeu Lady D, um pouco irritada por ter sido contrariada. – Ele vem porque o chantageei.

Hyacinth e Penelope olharam-na com igual expressão interrogativa.

– Muito bem – admitiu Lady Danbury –, talvez não tenha sido bem chantagem, mais uma boa dose de culpa.

– É claro – murmurou Penelope, no momento exato em que Hyacinth disse: – *Isso* faz muito mais sentido.

Lady D suspirou.

– Posso eventualmente ter-lhe dito que não estava a sentir-me bem.

Hyacinth duvidou.

– *Eventualmente?*

– Disse – admitiu Lady D.

– Deve ter feito um excelente trabalho convencendo-o a vir cá esta noite – comentou Hyacinth com admiração.

Era de apreciar o sentido dramático de Lady Danbury, especialmente quando resultava numa manipulação tão impressionante das pessoas ao seu redor. Era um talento que Hyacinth também cultivava.

– Acho que nunca o vi num sarau musical – comentou Penelope.

– Pfff! – grunhiu Lady D. – Certamente porque não há mulheres dissolutas suficientes para ele.

Dita por qualquer outra pessoa, teria sido uma declaração chocante. Mas tratava-se de Lady Danbury, e Hyacinth (e o resto da alta sociedade) há muito se havia acostumado com as suas tiradas surpreendentes.

Além do mais, havia que considerar o homem em questão.

O neto de Lady Danbury era, afinal, o famoso Gareth St. Clair. Embora a culpa de ter adquirido uma reputação tão má não fosse, talvez, inteiramente dele, refletiu Hyacinth. Muitos outros homens comportavam-se com igual falta de decoro, e vários deles lindos de morrer, mas Gareth St. Clair era o único que conseguia combinar ambos os traços de forma tão perfeita.

Todavia, a sua reputação era abominável.

Estava certamente em idade casadoira, mas nunca por nunca visitara uma jovem de fino trato na sua casa. Hyacinth tinha a certeza absoluta *disso*; se alguma vez ele tivesse dado o mais pequeno sinal de cortejar alguém, os boatos já teriam corrido desenfreados. Além disso, Hyacinth tê-lo-ia ouvido de Lady Danbury, que adorava mexericos ainda mais do que ela.

E havia ainda a questão do pai, Lord St. Clair. Era do conhecimento geral que ambos estavam de relações cortadas, embora ninguém soubesse porquê. Hyacinth considerava ser um ponto a favor de Gareth não tornar públicas as suas agruras familiares, especialmente porque já conhecera o pai dele e achara-o um patego, o que a levava a pensar que se alguma coisa se passava, a culpa não era certamente do jovem St. Clair.

Mas toda a questão emprestava um ar de mistério ao já de si carismático homem, transformando-o, na opinião de Hyacinth, num certo desafio para as senhoras da alta sociedade. Ninguém parecia saber muito bem como o ver. Por um lado, as matronas afastavam as suas filhas, na certeza de que uma ligação a Gareth St. Clair não podia ser uma boa influência para a reputação de uma donzela. Por outro lado, o irmão tinha morrido tragicamente jovem, quase um ano antes, fazendo de Gareth St. Clair o herdeiro do baronato, o que apenas servira para o tornar uma figura mais romântica... e apetecível. No mês anterior, Hyacinth vira uma donzela desmaiar, ou pelo menos fingir, quando ele se dignara a comparecer ao baile dos Bevelstoke.

Fora uma cena chocante.

Hyacinth tinha *tentado* explicar à tola da catraia que ele estava lá apenas porque a avó o obrigara e, claro, porque o pai não estava na cidade. Afinal, toda a gente sabia que ele só convivia com cantoras e atrizes de ópera; nunca com qualquer uma das senhoras que poderia encontrar no baile dos Bevelstoke. Mas a donzela não se deixara convencer a sair do seu estado excessivamente emotivo, acabando por desabar de forma suspeitamente graciosa num sofá próximo.

Hyacinth tinha sido a primeira a localizar um frasquinho de sais e a enfiar-lho debaixo do nariz. Francamente, alguns comportamentos eram simplesmente impossíveis de tolerar.

Mas, enquanto ali estava, a tentar reanimar a tola da catraia com os vapores repugnantes, vira-o de relance a fitá-la com aquele ar vagamente zombeteiro tão característico dele e não conseguira afastar a sensação de que ele se ria dela.

Era um riso muito semelhante à piada que ela acharia a observar crianças ou cães de grande porte a brincar.

Escusado será dizer que não se sentira particularmente elogiada pela atenção, por mais fugaz que fosse.

– Pfff!

Hyacinth virou-se para Lady Danbury, que ainda esquadrinhava a sala à procura do neto.

– Parece-me que ele ainda não chegou – disse Hyacinth, acrescentando em voz baixa: – Ainda ninguém desmaiou.

– Hã? O que é que disse?

– Eu disse que acho que ele ainda não chegou.

Lady D semicerrou os olhos.

– Eu ouvi essa parte.

– Foi só isso que eu disse – mentiu Hyacinth.

– Mentirosa!

Hyacinth inclinou-se para olhar para Penelope.

– Ela trata-me de maneira abominável, sabias?

Penelope encolheu os ombros.

– Alguém tem de o fazer.

O rosto de Lady Danbury irrompeu num largo sorriso e, virando-se para Penelope, disse:

– Bom, eu tenho de perguntar. – Olhou para o palco, esticando o pescoço e semicerrando os olhos na direção do quarteto. – É a mesma jovem no violoncelo este ano?

Penelope assentiu num gesto de cabeça pesaroso.

Hyacinth olhou para ambas.

– Do que é que estão a falar?

– Se não sabe – disse Lady Danbury com altivez –, é porque não tem prestado atenção e devia ter vergonha por isso.

Hyacinth ficou boquiaberta.

– Bem – respondeu, sendo a alternativa não dizer nada e *isso* era algo que ela nunca gostava de fazer.

Não havia nada mais irritante do que ser deixada de fora de uma piada. Exceto, talvez, ser repreendida por algo que nem sequer compreendia. Voltou a olhar para o palco, observando a violoncelista. Não vendo nada de extraordinário, torceu-se novamente para encarar as companheiras e abriu a boca para falar, mas elas já se encontravam profundamente envolvidas numa conversa que não a incluía.

Odiava quando isso acontecia.

– Pfff! – resmungou Hyacinth, recostando-se na cadeira e voltando a fazer: – Pfff!

– Soa exatamente como a minha avó – disse uma voz divertida por cima do ombro dela.

Hyacinth ergueu o olhar. Lá estava ele: Gareth St. Clair, no pior e inevitável momento do seu desconcerto. E como não podia deixar de ser, o único lugar vazio era ao lado dela.

– Soa, não soa? – concordou Lady Danbury, olhando para o neto e batendo com a bengala no chão. – Ela está rapidamente a substituir-te como o orgulho dos meus olhos.

– Diga-me, Miss Bridgerton – perguntou Mr. St. Clair, um canto dos lábios curvando-se num meio sorriso trocista –, a minha avó anda a moldá-la à sua imagem?

Hyacinth viu-se sem resposta na ponta da língua, o que achou profundamente irritante.

– Chegue-se para lá novamente, Hyacinth – bradou Lady D. – Preciso de ficar sentada ao lado do Gareth.

Hyacinth virou-se para dizer qualquer coisa, mas Lady Danbury interrompeu com um: – Alguém tem de garantir que ele se porta devidamente.

Hyacinth soltou um suspiro alto e deslizou para a cadeira ao lado.

– Aqui tens, meu menino – disse Lady D, dando palmadinhas na cadeira vazia com alegria evidente. – Senta-te e desfruta.

Ele fitou-a um longo momento antes de finalmente dizer:

– Vai ficar a dever-me uma, avó.

– Bah! – foi a resposta dela. – Sem mim, tu não serias nada.

– Um argumento difícil de refutar – murmurou Hyacinth.

Mr. St. Clair virou-se para olhar para ela, provavelmente só porque isso lhe permitia desviar a atenção da avó. Hyacinth abriu um sorriso sereno, secretamente satisfeita por não mostrar qualquer reação.

Ele sempre a fizera lembrar um leão, feroz e rapace, cheio de energia inquieta. Até a cor do cabelo fazia lembrar a da juba de um leão, oscilando de forma intrigante entre o castanho claro e o loiro escuro, que ele usava descuidadamente e desafiando as convenções, comprido o suficiente para amarrar num rabicho curto na nuca. Era alto, embora não excessivamente, exibindo o porte forte e elegante de um atleta e um rosto apenas imperfeito o suficiente para ser atraente, em vez de bonito.

E os olhos eram azuis. Muito azuis. Desconfortavelmente azuis.

Desconfortavelmente azuis? Ela sacudiu ligeiramente a cabeça. Aquele tinha de ser o pensamento mais asinino que alguma vez lhe viera à cabeça. Os seus próprios olhos eram azuis, e nada neles era desconfortável.

– E o que a traz aqui, Miss Bridgerton? – perguntou ele. – Não a fazia tão apreciadora de música.

– Se ela apreciasse música – interveio Lady D atrás dele –, já teria fugido para França.

– Ela odeia não ser incluída numa conversa, não é? – murmurou ele, sem se virar. – Ai!

– A bengala? – inquiriu Hyacinth docemente.

– Ela é uma ameaça para a sociedade – respondeu ele baixinho.

Hyacinth observou-o com interesse inclinar-se para trás e, sem sequer virar a cabeça, agarrar na bengala e arrancá-la das mãos da avó.

– Aqui tem – disse ele, entregando-a a Hyacinth. – Pode tomar conta disto? Ela não vai precisar da bengala enquanto estiver sentada.

Hyacinth ficou de boca aberta. Nem ela alguma vez ousara mexer na bengala de Lady Danbury.

– Vejo que finalmente a impressionei – disse ele, recostando-se na cadeira com a expressão de quem ficou bastante satisfeito consigo mesmo.

– Sim – deixou Hyacinth escapar antes de conseguir conter-se. – Isto é, não. Ou melhor, não seja tonto. Certamente nunca houve um momento para eu *não* ficar impressionada por si.

– Que agradável – murmurou ele.

– O que eu quis dizer – continuou ela, rangendo os dentes – foi que na verdade nunca pensei sobre isso de uma maneira ou de outra.

Ele pousou a mão sobre o coração.

– Agora fiquei magoado – disse com irreverência. – Essa foi direita ao coração.

Hyacinth rangeu os dentes. A única coisa pior do que ser gozada era não ter a certeza se estava ou não a ser gozada. Ela conseguia ler qualquer outra pessoa em Londres como um livro aberto. Mas no caso de Gareth St. Clair, simplesmente nunca sabia. Lançou uma espreitadela a Penelope para ver se ela estava a ouvir (não que soubesse por que razão importaria ou não que ela tivesse ouvido), mas Pen estava ocupada a aplacar Lady Danbury, que ainda se queixava da perda da bengala.

Hyacinth mexeu-se inquieta no assento, sentindo-se invulgarmente enclausurada. Lord Somershall (nunca o homem mais magro da sala) sentava-se à esquerda, todo ele se derramando para a cadeira dela e obrigando-a a fugir para a direita, o que naturalmente a colocava numa ainda maior proximidade com Gareth St. Clair, que parecia literalmente irradiar calor.

Deus do céu, ter-se-ia o homem abafado em botijas de água quente antes de sair de casa?

Hyacinth pegou no programa tão discretamente quanto possível e usou-o para se abanar.

– Passa-se alguma coisa, Miss Bridgerton? – perguntou ele, inclinando a cabeça enquanto a olhava com curiosidade divertida.

– Claro que não – respondeu ela. – Está só um pouco de calor, não acha?

Ele fitou-a um segundo mais do que ela gostaria e depois virou-se para Lady Danbury.

– Está com calor, avó? – perguntou, solícito.

– De todo – foi a resposta pronta.

Voltou-se para Hyacinth com um pequeno encolher de ombros.

– Deve ser de si – sussurrou ele.

– Deve – resmoneou ela, a cabeça teimosa virada para a frente.

Talvez ainda tivesse tempo de fugir para o *toilette*. Penelope iria esquartejá-la, mas será que contaria realmente como abandono quando havia outras duas pessoas sentadas entre ambas? Além de que podia usar Lord Somershall como desculpa; ele continuava a mexer-se no assento, chocando com ela de uma maneira que fazia Hyacinth suspeitar se seria acidental.

Hyacinth desviou-se ligeiramente para a direita. Pouco mais de um centímetro. A última coisa que queria era ficar encostada a Gareth St. Clair. Ou melhor, a penúltima. Ficar encostada à corpulência de Lord Somershall era decididamente pior.

– Passa-se alguma coisa, Miss Bridgerton? – voltou a indagar Mr. St. Clair.

Ela abanou a cabeça, negando e preparando-se para se levantar; já tinha as palmas das mãos pousadas no assento da cadeira e preparadas para impulsionar o próprio corpo, quando...

Clap clap clap clap.

Hyacinth quase gemeu. Era uma das senhoras Smythe-Smith, anunciando que o concerto estava prestes a começar. Tinha perdido a sua janela de oportunidade. Já não havia forma de conseguir sair sem chamar a atenção.

Mas pelo menos podia tirar algum consolo do facto de não ser a única alma miserável. No instante em que as jovens Smythe-Smith ergueram os arcos para atacar os instrumentos, ouviu Mr. St. Clair deixar escapar um leve queixume, seguido de um sincero:

– Que Deus nos ajude.

CAPÍTULO 2

Trinta minutos mais tarde, num lugar não muito distante, um pequeno cão uiva de agonia. Infelizmente, ninguém o consegue ouvir por cima de todo aquele estardalhaço...

Havia apenas uma pessoa no mundo a quem Gareth fazia o favor de permanecer educadamente sentado a ouvir música horrível. Essa pessoa era a avó Danbury.

– Nunca mais – sussurrou-lhe ele ao ouvido, no momento em que algo levemente parecido com Mozart lhe agredia os ouvidos. Isto, depois de algo que poderia ter sido Haydn, que se seguira a algo que poderia ter sido Handel.

– Não estás sentado convenientemente – respondeu ela noutro sussurro.

– Podíamos ter ficado sentados lá atrás – resmungou ele.

– E perder toda a diversão?

Ficava muito além da sua compreensão como podia alguém chamar divertido a um sarau musical dos Smythe-Smith, mas a avó tinha o que só se poderia designar como adoração mórbida por aquele evento anual.

Como habitualmente, quatro donzelas Smythe-Smith estavam sentadas num pequeno estrado, duas com violinos, uma com um violoncelo e uma ao piano, e o ruído que faziam era de uma tal dissonância capaz de deixar qualquer um quase impressionado.

Quase.

– O que vale é o amor que eu sinto por si – disse ele por cima do ombro.

– Bah! – foi a resposta dela, não menos truculenta no seu tom sussurrado. – O que vale é o amor que eu sinto por *ti*.

E então (graças a Deus), tudo acabou, as jovens baixaram as cabeças agradecendo ao público com mesuras, três delas parecendo bastante satisfeitas consigo próprias e uma (a do violoncelo) com ar de quem gostaria de se atirar de uma janela.

Gareth virou-se quando ouviu o suspiro da avó. Ela sacudia a cabeça, com ar de estranha compaixão.

As meninas Smythe-Smith eram famosas em Londres e cada apresentação era, de alguma forma inexplicável, pior do que a anterior. Quando se pensava que não era possível escarnecer de Mozart de forma ainda mais profunda, uma nova geração de primas Smythe-Smith aparecia em cena e mostrava que sim, que podia ser feito.

Mas eram jovens simpáticas, segundo sabia, e a avó, num dos seus acessos raros de bondade imperturbável, insistia que alguém tinha de se sentar na primeira fila e bater palmas, porque, como ela dizia: «Três delas não são capazes de distinguir entre um elefante e uma flauta, mas há sempre uma que está prestes a morrer de vergonha.»

E, aparentemente, a avó Danbury, que não se ensaiava nada para dizer a um duque que ele tinha a inteligência de uma cabeça de alfinete, considerava ser de vital importância bater palmas à jovem Smythe-Smith de cada geração cujo ouvido não era de todo mau.

Todos se levantaram para aplaudir, embora ele suspeitasse que a avó o fizera só para ter uma desculpa para recuperar a bengala, que Hyacinth Bridgerton lhe entregara sem um protesto.

– Traidora – murmurou ele por cima do ombro.

– Os dedos dos pés são seus – respondeu ela.

Ele esboçou um sorriso irreprimível. Nunca conhecera ninguém como Hyacinth Bridgerton. Era vagamente divertida e vagamente irritante, mas era impossível não lhe admirar a inteligência.

Hyacinth Bridgerton tinha uma reputação interessante e original entre os colunáveis londrinos. Era a mais nova dos irmãos Bridgerton, famosos pelos nomes em ordem alfabética, de A a H, e era considerada, pelo menos em teoria e para aqueles que se preocupavam com tais coisas, uma excelente perspetiva em termos de matrimónio. Nunca se envolvera, nem tangencialmente, em escândalos, e a sua família e relações eram incomparáveis. Era muito bonita, de uma maneira salutar e sem exotismos, de cabelo castanho espesso e uns olhos azuis que não conseguiam esconder a sagacidade. E talvez o mais importante, pensou Gareth com um certo cinismo, fosse o facto de correr o boato de que o irmão mais velho, Lord Bridgerton, lhe tinha aumentado o dote no ano anterior, depois de Hyacinth ter completado a sua terceira temporada social londrina sem uma proposta de casamento aceitável.

Mas quando inquirira sobre ela (não por estar interessado, é claro, mas porque queria saber mais sobre aquela jovem que parecia gostar de passar tanto tempo com a sua avó), a reação dos amigos foi um estremecimento geral.

– Hyacinth Bridgerton? – ecoara um deles. – Certamente não para casar? Deves estar louco!

Outro classificara-a como uma pessoa assustadora.

Aparentemente, não é que não gostassem dela, ela tinha um certo charme que a mantinha nas boas graças de todos, mas o consenso geral era de que ela era melhor em pequenas doses.

– Os homens não gostam de mulheres mais inteligentes do que eles – comentara um dos seus amigos mais perspicazes – e a Hyacinth Bridgerton não é do tipo de se fingir de estúpida.

Ela era uma versão mais jovem da sua avó, já pensara Gareth em várias ocasiões. E embora não houvesse mais ninguém no mundo que ele adorasse mais do que a avó Danbury, era de opinião que o mundo só precisava de uma.

– Não estás feliz por teres vindo? – perguntou a senhora idosa em questão, a voz fazendo-se ouvir com toda a clareza por cima dos aplausos.

Nunca se viram palmas tão entusiásticas quanto as do público de um sarau musical dos Smythe-Smith. Era sempre uma imensa felicidade quando terminava.

– Nunca mais – declarou Gareth, decidido.

– Claro que não – disse a avó, com um leve traço de condescendência na voz que evidenciava bem a mentira deslavada da afirmação.

Ele virou-se e encarou-a.

– No próximo ano terá de encontrar outra pessoa para a acompanhar.

– Eu não sonharia em voltar a pedir-te – concordou a avó Danbury.

– Está a mentir.

– Que coisa terrível de se dizer à tua tão amada avó. – Ela inclinou-se ligeiramente para a frente e acrescentou: – Como é que adivinhaste?

Ele olhou de través para a bengala, adormecida na mão da avó.

– Não voltou a agitar essa coisa no ar desde que enganou Miss Bridgerton para lha devolver – comentou ele.

– Que disparate! – exclamou ela. – Miss Bridgerton é demasiado inteligente para se deixar enganar, não é, Hyacinth?

Hyacinth inclinou-se para a frente para poder ver a condessa.

– Como disse?

– Diga que sim – pediu a avó Danbury. – Só para o contrariar.

– Pois então, sim – respondeu ela, sorrindo.

– Além disso – continuou a avó, como se toda aquela ridícula troca de palavras não tivesse acontecido –, fica sabendo que eu sou a discrição em pessoa quando se trata da minha bengala.

Gareth lançou-lhe um olhar acutilante.

– É um milagre que eu ainda tenha pés.

– É um milagre que ainda tenhas orelhas, meu querido menino – retorquiu ela com imponência altiva.

– Cuidado, que eu tiro-lha outra vez – ameaçou ele.

– Não, não tiras – respondeu ela com uma gargalhada. – Vou com a Penelope em busca de um copo de limonada. Tu ficas a fazer companhia à Hyacinth.

Ele observou-a ir e, em seguida, virou-se para Hyacinth, que perscrutava a sala com olhos ligeiramente semicerrados.

– Está à procura de alguém? – perguntou ele.

– De ninguém em particular. Estou apenas a examinar a cena.

Ele olhou-a com curiosidade.

– Fala sempre como se fosse um detetive?

– Só quando me convém – respondeu ela com um encolher de ombros. – Gosto de saber o que se passa.

– E o que é que «se passa»? – indagou ele, curioso.

– Nada – declarou ela, os olhos voltando a estreitar-se ao observar duas pessoas envolvidas numa discussão acalorada no canto ao fundo da sala. – Mas nunca se sabe.

Ele lutou contra a vontade de sacudir a cabeça. Ela era a mulher *mais estranha* que já conhecera. Olhou para o palco e perguntou:

– Estamos a salvo?

Ela virou-se finalmente, os olhos azuis encontrando os dele com uma franqueza invulgar.

– Está a perguntar se o concerto já terminou?

– Sim.

Ela franziu o sobrolho e, nesse momento, Gareth reparou no levíssimo borrifo de sardas no nariz.

– Acho que sim – concluiu ela. – Não me lembro de alguma vez haver um intervalo.

– Graças a Deus! – disse ele, com grande sentimento. – Porque fazem elas isto?

– As Smythe-Smith, quer dizer?

– Sim.

Ela permaneceu um momento em silêncio, acabando por abanar a cabeça e dizer:

– Não sei. Seria de pensar...

O que ela estava prestes a dizer não chegou a sair-lhe da boca, pois terminou apenas com um:

– Não importa.

– Diga-me – insistiu ele, surpreendendo-se pela própria curiosidade.

– Não era nada – disse ela. – Apenas que seria de pensar que alguém já lhes tivesse dito alguma coisa. Mas, a verdade é que... – olhou ao redor da sala. – O público tem diminuído nos últimos anos. Só restam os de bom coração.

– Inclui-se nessa categoria, Miss Bridgerton?

Ela levantou aqueles olhos intensamente azuis.

– Não teria pensado em descrever-me como tal, mas sim, suponho que seja. A sua avó, também, embora ela seja capaz de o negar até ao último suspiro.

Gareth sentiu-se rir enquanto observava a avó espetar a bengala na perna do duque de Ashbourne.

– Sim, seria típico dela, não é assim?

Desde a morte do seu irmão, George, a avó materna era a única pessoa no mundo que ele realmente amava. Depois de o pai o ter corrido a pontapé, ele viajara até Danbury House, no Surrey, e contara à avó o que havia acontecido; menos a parte de ser um filho bastado, é claro.

Gareth sempre suspeitara que Lady Danbury se teria levantado e aplaudido se soubesse que ele não era um verdadeiro St. Clair. Ela nunca gostara do genro e, aliás, referia-se a ele assiduamente como «o idiota pomposo». Mas a verdade exporia a sua mãe (a filha mais nova de Lady Danbury) como adúltera, e ele não quisera desonrá-la dessa forma.

E curiosamente, o pai (engraçado como, mesmo depois de tantos anos, ainda o chamava assim) nunca o denunciara publicamente. A princípio, isso não surpreendera Gareth. Lord St. Clair era um homem orgulhoso e certamente não iria apreciar nada revelar-se ao mundo como um marido traído. Talvez até ainda tivesse esperança de conseguir domar Gareth e submetê-lo à sua vontade.

Ou obrigá-lo a casar com Mary Winthrop e voltar a encher os cofres da família St. Clair.

Mas George, aos vinte e sete anos, contraíra um tipo de doença debilitante e aos trinta estava morto.

Sem deixar um filho.

O que fizera de Gareth o herdeiro St. Clair; deixando-o pura e simplesmente encalacrado. Durante os últimos onze meses, parecia não ter feito mais nada senão esperar. Mais cedo ou mais tarde, o pai iria anunciar a quem quisesse ouvir que Gareth não era realmente seu filho. Certamente o barão, cujo terceiro passatempo preferido (depois da caça e da criação de cães de caça) era construir a árvore genealógica da família St. Clair até à dinastia Plantageneta, não iria tolerar que o seu título fosse para um bastardo de sangue duvidoso.

Gareth tinha quase a certeza de que a única maneira de o barão conseguir removê-lo como herdeiro seria arrastá-lo, e a um grupo de testemunhas, até diante da Comissão dos Privilégios da Câmara dos Lordes. Seria uma situação detestável e confusa, e o mais provável era não funcionar. O barão estava casado com a mãe de Gareth quando ela tinha dado à luz, e isso tornava Gareth legítimo aos olhos da lei, independentemente da sua linhagem.

Mas uma decisão dessas causaria um enorme escândalo e possivelmente seria a ruína de Gareth aos olhos da sociedade. Muitos aristocratas herdavam o sangue e o nome de dois homens diferentes, mas a alta sociedade não gostava de falar sobre isso. Pelo menos, não publicamente.

Contudo, até agora, o pai mantivera silêncio.

Metade do tempo Gareth perguntava-se se o barão guardava silêncio apenas para o torturar.

Gareth olhou de relance para a avó, que, do outro lado da sala, aceitava um copo de limonada de Penelope Bridgerton, a quem, sabe-se lá como, coagira para a servir. Agatha, Lady Danbury, era geralmente descrita como excêntrica, e isso pelas pessoas que lhe tinham algum afeto. Entre a alta sociedade ela era uma leoa, intrépida nas palavras e disposta a troçar da mais augusta das figuras e até, por vezes, dela mesma. Mas apesar dos seus modos mordazes, ela era também famosa pela lealdade que tinha àqueles que amava, e Gareth sabia que estava no topo dessa lista.

Quando fora ter com ela e lhe contara que o pai o tinha expulsado de casa, ela ficara lívida de fúria, mas nunca tentara usar o seu poder de condessa para obrigar Lord St. Clair a aceitar o filho de volta.

– Bah! – fizera a avó. – Prefiro sustentar-te eu.

E assim foi. Ela pagara as despesas de Gareth em Cambridge, e quando ele se formara (não com louvor, mas com bons resultados), informara-o de que a mãe lhe havia deixado um pequeno legado. Gareth não fazia sequer ideia de que a mãe tinha dinheiro próprio, mas Lady Danbury limitara-se a dizer com um trejeito de lábios:

– Achas realmente que eu ia deixar aquele idiota ter controlo absoluto sobre o dinheiro da tua mãe? Fui eu que redigi o contrato de casamento, sabias?

Gareth não duvidou nem por um instante.

A herança possibilitou-lhe aplicar parte num apartamento e manter uma renda mensal com a qual Gareth se sustentava. Nada de riquezas, mas o suficiente para o fazer sentir que não era um completo inútil, o que o espantou perceber ser mais importante do que teria pensado.

Aquele sentido de responsabilidade pouco característico era provavelmente uma coisa boa, porque quando viesse a herdar o título St. Clair, herdaria também uma montanha de dívidas. O barão tinha obviamente mentido quando dissera a Gareth que perderiam tudo o que não pertencesse ao morgadio se ele não se casasse com Mary Winthrop, mas ainda assim, era evidente que a fortuna St. Clair era, no mínimo, escassa. Além do mais, Lord St. Clair não parecia gerir as finanças da família melhor do que quando tentara obrigar Gareth a casar-se. Dir-se-ia até que parecia estar paulatinamente a destruir os bens familiares.

Era a única coisa que fazia Gareth duvidar se o barão tencionava denunciá-lo. Certamente a derradeira vingança seria deixar o filho bastardo enterrado em dívidas.

E Gareth sabia com cada fibra do seu ser que o barão não lhe desejava um pingo de felicidade. Gareth não queria saber de eventos sociais, mas Londres não era uma cidade assim tão grande, socialmente falando, por isso nem sempre conseguia evitar o pai. E Lord St. Clair nunca fazia o mais pequeno esforço para esconder a hostilidade.

Quanto a Gareth... bem, ele não era muito melhor a esconder os sentimentos. Parecia cair sempre nos velhos hábitos e fazer algo deliberadamente provocador só para enfurecer o barão. A última vez que estiveram ambos no mesmo espaço, Gareth fizera questão de se rir demasiado alto e depois dançar demasiado agarrado a uma viúva notoriamente alegre.

O rosto de Lord St. Clair ficara vermelho de fúria, sussurrando em seguida algo sobre Gareth não ser melhor do que deveria ser. Gareth não tinha tido bem a certeza ao que o pai se referia e, de qualquer forma, o barão estava embriagado. Mas tinha-o deixado com uma poderosa certeza...

Por fim, o inevitável iria acontecer. Quando Gareth menos esperasse ou talvez agora que andava tão desconfiado, precisamente quando mais suspeitasse. Mas assim que Gareth tentasse fazer uma mudança na sua vida, avançar, seguir em frente...

Esse seria o momento em que o barão faria a sua jogada. Gareth tinha a certeza disso.

E o seu mundo iria desmoronar.

– Mr. St. Clair?

Gareth pestanejou e virou-se para Hyacinth Bridgerton, dando-se conta com certo embaraço de que a tinha ignorado em detrimento dos próprios pensamentos.

– Peço desculpa – murmurou ele, oferecendo-lhe o sorriso lento e descontraído que parecia funcionar maravilhosamente quando precisava de aplacar uma mulher. – Estava com a cabeça nas nuvens. – Ao notar a expressão dúbia dela, acrescentou: – De vez em quando eu *penso*.

Ela sorriu, claramente sem querer, mas ele considerou a reação uma vitória. O dia em que não conseguisse fazer uma mulher sorrir era o dia em que devia desistir da vida e exilar-se nas Hébridas Exteriores.

– Em circunstâncias normais – disse ele, considerando que a ocasião parecia exigir um certo nível de conversa educada –, seria altura de lhe perguntar se gostou do sarau musical, mas de alguma forma parece-me cruel.

Ela remexeu-se ligeiramente na cadeira, facto que ele achou interessante, pois a maioria das donzelas eram treinadas desde tenra idade para manterem uma pose de quietude perfeita. Gareth deu por si a gostar ainda mais dela e da sua energia inquieta; também ele era do tipo de dar por si a tamborilar os dedos numa mesa qualquer sem se aperceber.

Observou-lhe a expressão do rosto, enquanto esperava pela resposta, mas tudo o que viu foi um vago desconforto. Por fim, ela inclinou-se para frente e sussurrou:

– Mr. St. Clair?

Ele inclinou-se também, dirigindo-lhe um erguer de sobrancelha.

– Miss Bridgerton?

– Importar-se-ia muito se déssemos uma volta pela sala?

Ele fez uma pausa e reparou no gesto subtil de cabeça que ela fez para o lado.

Lord Somershall serpeava ligeiramente na cadeira e a sua forma copiosa transbordava perigosamente para Hyacinth.

– Com certeza – acedeu Gareth, galanteador, levantando-se e oferecendo-lhe o braço. – Afinal de contas, preciso de salvar Lord Somershall – disse ele, assim que se afastaram alguns passos.

Ela ergueu os olhos para o rosto dele repentinamente.

– Perdão?

– Se eu fosse homem de apostar – continuou ele –, diria que as probabilidades são de quatro contra um a seu favor.

Durante cerca de meio segundo ela pareceu confusa, mas então a expressão abriu-se num sorriso satisfeito.

– Quer com isso dizer que não é homem de apostas? – perguntou ela.

Ele riu-se.

– Não possuo a coragem necessária para ser um apostador – confessou ele com toda a honestidade.

– Isso não parece impedir a maioria dos homens – comentou ela com impertinência.

– Ou a maioria das mulheres – revidou ele, com uma inclinação de cabeça.

– *Touché* – murmurou ela, relanceando os olhos pela sala. – Somos um povo de apostadores, não acha?

– E a Miss Bridgerton? Gosta de apostar?

– Claro – respondeu ela, surpreendendo-o com a sinceridade. – Mas só quando sei que vou ganhar.

Ele soltou um riso abafado.

– Por mais estranho que pareça, acredito em si – disse ele, guiando-a na direção da mesa de *buffet*.

– Oh, e deve! – exclamou ela alegremente. – Pergunte a qualquer pessoa que me conheça.

– Ferido novamente – disse ele, oferecendo-lhe o seu sorriso mais cativante. – *Eu* pensei que a conhecia.

Ela abriu a boca para responder, mas em choque percebeu que nada saía. Gareth compadeceu-se dela e entregou-lhe um copo de limonada.

– Beba – murmurou ele. – Está com ar sequioso.

Ele voltou a rir-se por entre dentes quando ela o encarou por cima do rebordo do copo, o que, naturalmente, só a fez redobrar os esforços para o fulminar com o olhar.

Havia algo muito divertido em Hyacinth Bridgerton, concluiu ele. Ela era inteligente... muito inteligente... mas tinha uma certa aura, como se estivesse habituada a ser sempre a pessoa mais inteligente na sala. Não era de todo desinteressante; possuía um charme particular, e ele supunha que devia ter aprendido a fazer-se ouvir no seio de uma família tão grande (sendo, para mais, a mais nova de oito irmãos), mas isto significava que ele gostava de a ver sem palavras. Era *divertido* confundi-la. Gareth não sabia porque não o fazia mais vezes.

Ele observou-a pousar o copo.

– Diga-me, Mr. St. Clair, o que lhe disse a sua avó para o convencer a vir ao concerto esta noite? – perguntou ela.

– Não acredita que vim de moto próprio?

Ela arqueou apenas uma sobrancelha desconfiada. Ele ficou impressionado: nunca conhecera uma mulher capaz de fazer tal truque.

– Confesso – disse ele –, houve uma profusão de agitar de mãos, depois algo sobre uma visita ao médico e, por fim, acho que suspirou.

– A sua avó só fez uma tentativa?

Ele respondeu-lhe com outro arquear de sobrancelha.

– Eu sou feito de uma fibra bem mais forte do que possa imaginar, Miss Bridgerton. Ela precisou de meia hora para me dar a volta.

Hyacinth anuiu.

– Mr. St. Clair, devo dizer que o senhor *é* bom.

Inclinando-se para ela com um sorriso, ele murmurou:

– Em muitas coisas.

Ela enrubesceu, o que o deixou extremamente satisfeito, mas adicionou:

– Já fui avisada sobre homens como o senhor.

– Espero bem que sim.

Ela soltou uma risada.

– Acho que não é tão perigoso como quer que as pessoas pensem.

Ele inclinou a cabeça para o lado, curioso.

– E porquê?

Ela não respondeu logo, mordiscando o lábio inferior enquanto ponderava as palavras.

– Porque é demasiado amável para a sua avó – respondeu por fim.

– Pode haver quem diga que ela é que é muito amável para comigo.

– Oh, muita gente diz isso – confirmou Hyacinth com um encolher de ombros.

Ele engasgou-se com a limonada.

– Não tem mesmo um pingo de timidez, pois não?

Hyacinth lançou uma espreitadela na direção de Penelope e Lady Danbury, do outro lado da sala, antes de se virar para ele.

– Eu bem tento, mas não, aparentemente não. Imagino que seja por isso que ainda estou solteira.

Ele sorriu.

– Tenho a certeza de que não é por essa razão.

– Oh, mas é verdade! – insistiu ela, embora fosse claro que o comentário dele fora a brincar. – Os homens precisam de ser encurralados a casar, quer se deem conta disso ou não. E parece-me que nasci completamente desprovida dessa capacidade.

Ele abriu um sorriso irónico.

– Isso quer dizer que não é uma pessoa manhosa e astuta?

– Sou as duas coisas – admitiu ela –, mas não sou subtil.

– Não – murmurou Gareth, e Hyacinth não conseguiu decidir se a concordância dele a incomodava ou não.

– Mas diga-me, estou cheio de curiosidade – prosseguiu ele –, porque é que acha que os homens devem ser encurralados a casar?

– O *senhor* caminharia voluntariamente até ao altar?

– Não, mas...

– Está a ver? Confirma-se.

Sem perceber porquê, aquela afirmação fê-la sentir-se muito melhor.

– Que vergonha, Miss Bridgerton – disse ele. – Não é justo da sua parte não me deixar terminar a resposta.

– Tinha alguma coisa de interessante a dizer? – retorquiu ela com um inclinar de cabeça.

Ele sorriu, e Hyacinth sentiu aquele sorriso da cabeça aos dedos dos pés.

– Eu sou sempre interessante – murmurou ele.

– *Agora* está apenas a tentar assustar-me.

Ela nem sabia de onde lhe vinha tal espírito louco de ousadia. Hyacinth não era tímida, nem tão recatada como deveria, mas também não era temerária. E Gareth St. Clair não era o tipo de homem com quem se devesse brincar. Ela estava a brincar com o fogo, e sabia disso, mas alguma coisa a fazia não conseguir conter-se. Era como se cada afirmação saída daqueles lábios fosse um desafio e ela tivesse de fazer uso de cada uma das suas faculdades só para não ficar atrás.

Se era uma competição, ela queria ganhar.

E se algum dos seus defeitos viesse a revelar-se fatal, seria certamente este.

– Miss Bridgerton – declarou ele –, nem o próprio diabo conseguiria assustá-la.

Ela forçou-se a cruzar o seu olhar com o dele.

– Isso não é um elogio, pois não?

Ele levou a mão dela aos lábios, depositando-lhe um beijo leve de pluma nos nós dos dedos.

– Aí está algo que vai ter de descobrir sozinha – murmurou.

Para todos os que os observassem, Gareth mostrava-se um exemplo de decoro, mas Hyacinth apercebeu-se do cintilar ousado que lhe assomou ao olhar e sentiu a própria respiração fugir-lhe do corpo no momento em que os arrepios de excitação lhe percorreram a pele. Os lábios entreabriram-se, mas ela não tinha nada para dizer, nem uma única palavra. Não havia nada além de ar, e mesmo esse parecia escasso.

Foi então que ele se endireitou como se nada tivesse acontecido e disse:

– Depois diga-me o que decidiu.

Ela limitou-se a fitá-lo.

– Acerca do elogio – acrescentou ele. – Tenho a certeza de que vai querer informar-me do que acha que eu sinto por si.

Ela ficou de boca aberta.

Ele sorriu. Um sorriso rasgado.

– Deixei-a sem palavras. Mereço um louvor.

– Mr...

– Não – disse ele, levantando uma mão e apontando para ela como se o que realmente quisesse fazer fosse pousar o dedo sobre os lábios dela para a silenciar. – Não estrague este momento. É demasiado precioso.

Ela podia ter dito alguma coisa. Devia ter dito alguma coisa. Mas só conseguiu ficar ali de pé como uma idiota, ou se não uma idiota, então como alguém inteiramente diferente.

– Até à próxima, Miss Bridgerton – murmurou ele em despedida.

E desapareceu.

CAPÍTULO 3

Três dias depois, o nosso herói descobre que nunca se pode realmente escapar ao passado.

– Está aqui uma senhora para falar consigo, *sir*.

Sentado à secretária, uma monstruosidade em mogno que ocupava quase metade do pequeno gabinete, Gareth ergueu o olhar.

– Uma senhora?

O novo criado pessoal assentiu.

– Diz que é mulher do seu irmão.

– A Caroline? – Gareth ficou em sentido num ápice. – Mande-a entrar. Imediatamente.

Ele levantou-se, aguardando a entrada dela no gabinete. Não via Caroline há meses; na verdade, desde o funeral de George. E Deus sabia que não tinha sido uma situação nada alegre. Gareth passara o tempo todo a evitar o pai, o que só servira para adicionar tensão ao profundo pesar já de si esmagador que sentia pela morte do irmão.

Lord St. Clair ordenara a George que cessasse todas as relações fraternas com Gareth, mas ele recusara-se a cortar relações com o irmão. Em tudo o resto, George tinha obedecido ao pai, exceto nisso.

E Gareth amava-o ainda mais por tal decisão. O barão não queria que Gareth comparecesse à cerimónia fúnebre, mas quando Gareth entrara à força na igreja, nem mesmo ele fora capaz de fazer uma cena e expulsá-lo.

– Gareth?

Ele afastou-se da janela, nem se tendo dado conta de que estava a olhar lá para fora.

– Caroline – disse ele afetuosamente, atravessando o aposento para cumprimentar a cunhada. – Como tens passado?

Ela encolheu os ombros com desamparo. O casamento deles tinha sido por amor, e Gareth nunca vira nada tão devastador como a expressão nos olhos de Caroline no funeral do marido.

– Eu sei – disse Gareth baixinho.

Ele também morria de saudades de George. Tinham sido uma parelha de irmãos improvável: George, sensato e sério, e Gareth, sempre um pouco selvagem. Mas foram amigos, além de irmãos, e Gareth gostava de pensar que ambos se complementavam. Ultimamente Gareth andava a pensar que devia tentar levar uma vida ligeiramente mais mansa e fazia-se valer das memórias do irmão como guia para as suas ações.

– Eu estava a mexer nas coisas dele e encontrei uma coisa – declarou Caroline. – Imagino que te pertença.

Curioso, Gareth observou-a meter a mão na bolsa e tirar um pequeno livro.

– Não estou a reconhecê-lo – disse ele.

– Não – concordou Caroline, entregando-lho. – Acredito que não. Pertencia à mãe do teu pai.

À mãe do teu pai. Gareth não conseguiu evitar um esgar irónico. Caroline não sabia que Gareth não era um verdadeiro St. Clair. Nem tinha a certeza se George alguma vez soubera a verdade. Se sabia, nunca dissera nada.

O livro era pequeno, com uma capa de couro castanha e uma presilha que vinha de trás e que podia ser apertada na frente com um botão. Gareth retirou-a com cuidado e abriu o livro, tendo especial cuidado com o papel envelhecido.

– É um diário – disse ele com surpresa. Em seguida teve de sorrir; estava escrito em italiano. – O que é que diz?

– Não sei – foi a resposta de Caroline. – Eu nem sabia que existia até o ter encontrado na secretária do George no início desta semana. Ele nunca me falou disso.

Gareth olhou para o diário, reparando na elegante caligrafia que formava palavras cujo significado não compreendia. A mãe do seu pai era filha de uma família nobre italiana. Sempre divertira Gareth saber que o pai era meio italiano; o barão era insuportavelmente orgulhoso da sua ascendência St. Clair, gostando de se vangloriar de que a família existia em Inglaterra desde a conquista normanda. Na verdade, Gareth não se lembrava de alguma vez ele ter feito referência às suas raízes italianas.

– Havia um bilhete do George – continuou Caroline – a pedir-me que to entregasse.

Gareth voltou a baixar os olhos para o livro, sentindo uma profunda tristeza. Era mais uma prova de que George nunca soubera que não eram verdadeiros irmãos. Gareth não tinha qualquer relação de sangue com Isabella Marinzoli St. Clair, portanto não tinha direito ao diário.

– Terás de encontrar alguém que o traduza – sugeriu Caroline com um pequeno sorriso melancólico. – Estou curiosa para saber o que diz. O George sempre falou com tanto carinho da vossa avó.

Gareth anuiu. Também ele se lembrava dela com carinho, embora não tivessem passado muito tempo juntos. Lord St. Clair não tinha uma boa relação com a mãe, por isso Isabella não aparecia de visita muitas vezes. Mas ela sempre adorara os seus *due ragazzi*, como gostava de chamar aos dois netos, e Gareth lembrava-se de se ter sentido destroçado quando, aos sete anos, ficara a saber que ela tinha morrido. Se a importância do afeto se assemelhasse de alguma forma à importância do sangue, então só podia concluir que o diário ficaria melhor nas mãos dele do que nas de qualquer outra pessoa.

– Vou ver o que posso fazer – disse Gareth. – Não deve ser assim tão difícil encontrar alguém que traduza do italiano.

– Eu não confiaria a tradução a qualquer pessoa – recomendou Caroline. – Afinal de contas, é o diário da tua avó. São os pensamentos mais íntimos dela.

Gareth assentiu. Caroline estava certa. Devia a Isabella encontrar alguém discreto para traduzir as suas memórias. E sabia exatamente por onde começar a sua busca.

– Vou mostrá-lo à avó Danbury – declarou Gareth de repente, balançando o diário na mão, como se lhe estivesse a tomar o peso. – Ela saberá o que fazer.

Isso era certo, pensou. A avó Danbury gostava de dizer que sabia tudo, e a incomodativa verdade era que a maioria das vezes ela tinha razão.

– Depois diz-me o que descobriste – disse Caroline, já a dirigir-se para a porta.

– Claro – respondeu ele num murmúrio, mesmo tendo ela já saído.

Olhou para o livro. *10 Settembre, 1793...*

Gareth sacudiu a cabeça e sorriu ao pensar que o seu único legado dos cofres da família St. Clair era um diário que não era sequer capaz de ler.

Ah, a ironia!

Enquanto isso, numa sala de estar não muito longe...

– Hã?! – bradou Lady Danbury. – Está a falar muito baixo!

Hyacinth deixou cair o livro que lia fechado no colo, mantendo apenas o dedo no meio a marcar a página. Lady Danbury gostava de se fingir de surda quando lhe convinha, e aproveitava-se disso sempre que Hyacinth chegava às partes mais picantes dos romances escabrosos de que a condessa tanto gostava.

– Eu disse – esclareceu Hyacinth, encarando Lady Danbury – que a nossa querida heroína estava com dificuldades em respirar...

não, deixe-me ver, ela estava *ofegante* e com *falta de ar*. – Voltou a olhar para cima. – Ofegante *e* com falta de ar?

– Pfff! – fez Lady Danbury, agitando a mão num gesto depreciativo.

Hyacinth deu uma olhadela à capa do livro.

– Pergunto-me se o inglês será a língua materna do autor.

– Continue a ler – ordenou Lady D.

– Está bem, deixe-me ver onde ia; *Miss Bumblehead correu como o vento quando viu Lord Savagewood aproximar-se.*

Lady Danbury estreitou os olhos.

– O nome dela não é Bumblehead.

– Não é, mas devia – resmoneou Hyacinth.

– Isso é verdade – concordou Lady D –, mas não fomos nós que escrevemos a história, não é?

Hyacinth aclarou a garganta e mais uma vez procurou o sítio do texto onde ia.

– *Ele aproximava-se cada vez mais* – leu ela – *e Miss Bumbleshoot...*

– Hyacinth!

– Butterworth – resmungou Hyacinth. – Seja qual for o nome, ela correu para a falésia. Fim do capítulo.

– Para a falésia?! Ainda? Ela não ia a correr no fim do capítulo anterior?

– Talvez o caminho seja longo.

Lady Danbury voltou a semicerrar os olhos.

– Não acredito em si.

Hyacinth encolheu os ombros.

– Concordo que seria capaz de lhe mentir só para escapar a ler os próximos parágrafos da vida extraordinariamente perigosa de Priscilla Butterworth, mas, neste caso particular, estou a dizer a verdade. – Notando a falta de resposta de Lady D, Hyacinth estendeu-lhe o livro e perguntou: – Quer confirmar?

– Não, não – respondeu Lady Danbury, evidenciando a aceitação com grande aparato. – Eu acredito em si, quanto mais não seja porque não tenho outra hipótese.

Hyacinth lançou-lhe um olhar penetrante.

– Além de surda, também ficou cega?

– Não. – Lady D soltou um suspiro e, num gesto trágico e vagaroso, levou as costas da mão à testa. – Estou só a praticar o meu grande sentido dramático.

Hyacinth explodiu numa gargalhada.

– Estou a falar a sério – insistiu Lady Danbury, a voz regressando ao tenor agudo habitual. – Ando a pensar em fazer uma mudança na minha vida. Eu era capaz de fazer um trabalho bem melhor no palco do que a maioria dessas tontas que se intitulam atrizes.

– Infelizmente parece não haver muita oferta de papéis para velhas condessas – retorquiu Hyacinth.

– Se fosse outra pessoa a dizer-me isso – protestou Lady D, batendo com a bengala no chão, mesmo estando sentada numa cadeira perfeitamente confortável –, tomá-lo-ia como um insulto.

– Mas não de mim? – inquiriu Hyacinth, tentando parecer desiludida.

Lady Danbury riu-se.

– Sabe porque gosto tanto de si, Hyacinth Bridgerton?

Hyacinth inclinou-se para frente, dizendo:

– Não, mas estou ansiosa por saber.

A expressão facial de Lady D abriu-se num sorriso vincado.

– Porque a menina, minha querida, é exatamente como eu.

– Sabe, Lady Danbury – devolveu Hyacinth –, se dissesse isso a qualquer outra pessoa, ela provavelmente tomá-lo-ia como um insulto.

O corpo franzino de Lady D estremeceu de riso.

– Mas a menina não?

Hyacinth sacudiu a cabeça, negando.

– Eu não.

– Ainda bem. – Lady Danbury ofereceu-lhe um incaracterístico sorriso materno de avó e, em seguida, lançou uma olhadela ao relógio pousado em cima da lareira. – Temos tempo para mais um capítulo, acho.

– Nós concordámos que seria um capítulo a cada terça-feira – protestou Hyacinth, só para ser irritante.

Os lábios de Lady D estreitaram-se numa linha amuada.

– Muito bem – disse ela, olhando para Hyacinth com um certo ar de malandrice –, vamos então falar sobre outra coisa.

Oh, meu Deus!

– Diga-me, Hyacinth – recomeçou Lady Danbury, inclinando-se para frente –, quais são as suas perspetivas de casamento?

– Parece a minha mãe – respondeu Hyacinth com doçura.

– Um elogio do mais alto nível – retorquiu Lady D –, tendo em conta que gosto da sua mãe, e geralmente não gosto de ninguém.

– Vou tentar não me esquecer de lhe dizer isso.

– Bah! Ela já sabe e a menina está a evitar a minha pergunta.

– As minhas perspetivas – respondeu Hyacinth – como tão delicadamente fraseou, são as mesmas de sempre.

– Esse é o problema, minha querida. A menina precisa de um marido.

– Tem a certeza de que minha mãe não está escondida atrás das cortinas, a fazer de ponto?

– Vê como eu *seria* uma excelente atriz de teatro? – provocou Lady Danbury com um amplo sorriso.

Hyacinth fitou-a muito séria e respondeu:

– Acho que está a endoidecer de vez, tem noção disso?

– Bah! O que tenho é idade suficiente para dizer o que bem entender. A menina também vai gostar de o fazer quando chegar à minha idade, prometo.

– Já gosto agora – disse Hyacinth.

– É verdade – concordou Lady Danbury. – E é provavelmente por isso que ainda está solteira.

– Se houvesse um único homem solteiro inteligente em Londres – justificou Hyacinth com um suspiro desanimado –, garanto-lhe que me dedicaria a conquistá-lo. – Ela deixou a cabeça inclinar-se para o lado num jeito sarcástico. – Certamente não quereria ver-me casada com um néscio.

– É claro que não, mas...

– E *pare* de mencionar o seu neto como se eu não fosse suficientemente inteligente para perceber qual é o seu plano.

Lady D bufou com toda a jactância.

– Eu não disse uma *palavra*.

– Mas ia dizer.

– Bom, ele é perfeitamente aceitável – resmoneou Lady Danbury, sem se dar ao trabalho de negar –, já para não falar que é extremamente atraente.

Hyacinth mordeu o lábio inferior, tentando não se lembrar da estranheza que sentira no sarau musical dos Smythe-Smith com Mr. St. Clair ao lado. Esse era o problema com ele, percebeu. Ela não se sentia a mesma pessoa quando ele estava por perto. E isso era muito desconcertante.

– Vejo que não discorda – comentou Lady D.

– Sobre a bela fisionomia do seu neto? É claro que não – respondeu Hyacinth, não vendo porque debater tal ponto. Havia pessoas cuja boa aparência era um facto, não uma opinião.

– E apraz-me dizer que ele herdou a inteligência do *meu* lado da família – continuou Lady Danbury em grande estilo –, algo que, lamento acrescentar, não aconteceu a toda a minha descendência.

Hyacinth lançou os olhos ao teto, numa tentativa de evitar comentários. Era famoso o episódio em que o filho mais velho de Lady Danbury tinha ficado com a cabeça presa entre as grades do portão do castelo de Windsor.

– Oh, pode dizê-lo – resmungou Lady D. – Pelo menos dois dos meus filhos são idiotas, e só Deus sabe como serão os filhos *deles*. Eu fujo a sete pés quando eles vêm à cidade.

– Eu nunca diria...

– Pode não dizer, mas pensou... e com razão. É bem feito, por me ter casado com Lord Danbury, quando sabia que ele não tinha dois dedos de testa. Mas o Gareth *é* um prémio, e a menina é uma pateta se não...

– Pois fique sabendo que o seu neto – cortou Hyacinth – não tem o mínimo interesse em mim ou em qualquer outra donzela casadoira.

– Bom, isso *é* um problema – concordou Lady Danbury – e eu não consigo conceber por que razão o rapaz foge tanto da sua espécie.

– Da minha *espécie*? – ecoou Hyacinth.

– Jovem, mulher... alguém com quem tivesse realmente de se casar se decidisse namoriscar.

Hyacinth sentiu o rosto em chamas. Normalmente, aquele seria exatamente o tipo de conversa que ela adoraria ter (era muito mais divertido ser imprópria do que o contrário, desde que dentro do razoável, é claro), mas neste caso só foi capaz de dizer:

– Não creio que esse seja um tema adequado para debater comigo.

– Bah! – exclamou Lady D, gesticulando com desdém. – Desde quando a menina se tornou tão melindrável?

Hyacinth abriu a boca, mas, felizmente, Lady Danbury não parecia desejar uma resposta.

– Ele é um malandro, é verdade – insistiu a condessa –, mas nada a que a menina não possa dar a volta se a tal se decidir.

– Eu não vou...

– É só puxar o vestido um pouco mais para baixo da próxima vez que o vir – interrompeu Lady D, agitando a mão com impaciência à frente do rosto dela. – Os homens perdem todo o bom senso à visão de uns seios avantajados. Vai conquistá-lo em...

– Lady Danbury! – protestou Hyacinth, cruzando os braços.

Sempre tinha o seu orgulho, ora essa, e não estava disposta a andar atrás de um qualquer libertino que claramente não tinha interesse em casar. Podia passar muito bem sem esse tipo de humilhação pública. Além do mais, seria necessária uma grande dose de imaginação para descrever os seios dela como avantajados. Hyacinth sabia que não era propriamente uma tábua, graças a Deus, mas também não possuía atributos capazes de fazer um homem olhar duas vezes para a região diretamente abaixo do pescoço.

– Pronto, está bem – consentiu Lady Danbury, parecendo extremamente rabugenta, o que, para ela, era de facto excessivo. – Não digo nem mais uma palavra.

– Nunca mais?

– Até que – disse Lady D com firmeza.

– Até quando? – perguntou Hyacinth, desconfiada.

– Não sei – respondeu Lady Danbury, mais ou menos no mesmo tom.

O que levou Hyacinth a pressentir que isso significava daí a cinco minutos.

A condessa ficou em silêncio um momento, mas os lábios contraídos indicavam que as engrenagens da sua mente estavam ao rubro com algum pensamento extremamente retorcido.

– Sabe o que eu penso? – perguntou ela.

– Normalmente, sim – foi a resposta pronta de Hyacinth.

Lady D fez uma carranca.

– A menina está demasiado eloquente para o meu gosto.

Hyacinth limitou-se a sorrir e a comer outro biscoito.

– Penso que devíamos escrever um livro – declarou Lady Danbury, aparentemente ultrapassando o melindre.

Surpreendentemente, Hyacinth conseguiu não se engasgar com a comida.

– Perdão?

– Estou a precisar de um desafio – disse Lady D. – Mantém a mente afiada. E certamente faríamos melhor do que o *Miss Butterworth e o Barão Manhoso.*

– *Barão Louco* – corrigiu Hyacinth automaticamente.

– Exatamente – disse Lady D. – Tenho a certeza de que somos capazes de fazer melhor.

– Acredito que sim, mas isso levanta a questão: por que motivo quereríamos fazê-lo?

– Porque *podemos.*

Hyacinth considerou a possibilidade de uma ligação de escrita criativa com Lady Danbury; passar horas e horas a...

– Não – respondeu em tom firme –, não podemos.

– Claro que podemos – contrariou Lady D, batendo com a bengala pela segunda vez apenas, o que certamente era um novo recorde de contenção. – Eu imagino a coisa toda e a Hyacinth trata de descobrir como pôr as minhas ideias em palavras.

– Não me parece como uma divisão equitativa do trabalho – observou Hyacinth.

– Ora essa, porque deveria ser?

Hyacinth abriu a boca para responder, mas decidiu que não valia a pena.

Lady Danbury franziu o sobrolho um momento e, por fim, acrescentou:

– Bom, pense na minha proposta. Faríamos uma excelente equipa.

– Tremo só de pensar no que possa estar a tentar obrigar a pobre Miss Bridgerton a fazer agora – disse uma voz profunda vinda da porta.

– Gareth! – exclamou Lady Danbury com prazer evidente. – Que bom que *finalmente* vieste visitar-me.

Hyacinth virou-se para olhar para ele. Gareth St. Clair tinha acabado de entrar na sala, alarmantemente bonito num elegante traje vespertino. Um raio de sol entrava pela janela, incidindo no cabelo como ouro refulgente.

A presença dele era uma surpresa. Há um ano que Hyacinth visitava Lady D todas as terças-feiras e esta era apenas a segunda vez que os caminhos de ambos se cruzavam. Até começara a pensar na hipótese de ele a evitar de propósito.

O que a levava a interrogar-se sobre o motivo de ele estar ali agora. A conversa que tiveram no sarau musical dos Smythe-Smith fora a primeira que tinha ido além da mais básica conversa de circunstância e, de repente, ali estava ele na sala de estar da avó, bem no meio da sua visita semanal.

– Finalmente? – repetiu Mr. St. Clair com ar divertido. – Decerto não se esqueceu da minha visita na última sexta-feira. – Virou-se para Hyacinth, o rosto assumindo uma expressão bastante convincente de preocupação. – Acha que a minha avó pode estar a começar a perder a memória, Miss Bridgerton? Afinal já deve ter uns... noventa...

A bengala de Lady D espetou-se certeira nos dedos dos pés dele.

– Nem lá perto, meu querido – bradou ela – e se dás valor aos teus apêndices, não voltas a blasfemar dessa maneira.

– O Evangelho segundo Agatha Danbury – murmurou Hyacinth.

Mr. St. Clair atirou-lhe um sorriso rápido, o que a surpreendeu, primeiro porque ela não pensara que ele fosse ouvir a observação e segundo, porque lhe dava um ar infantil e inocente, quando ela sabia perfeitamente que ele não era nem uma coisa nem outra.

Embora...

Hyacinth lutou contra a vontade de sacudir a cabeça. Havia sempre um *mas*. Pondo de parte os «finalmente» de Lady D, a verdade é que Gareth St. Clair *era* uma visita frequente de Danbury House. O que fazia Hyacinth duvidar se ele era assim tão malandro como a sociedade o pintava. Nenhum demónio seria tão dedicado à avó. Ela própria o dissera no sarau musical dos Smythe-Smith, mas ele mudara habilmente de assunto.

Gareth era um quebra-cabeças.

E Hyacinth odiava quebra-cabeças.

Isto é... não, na verdade adorava.

Desde que, evidentemente, fosse capaz de os resolver.

O quebra-cabeças em questão atravessou sem pressas o aposento, inclinando-se para depositar um beijo na face da avó. Hyacinth apanhou-se a olhar para a nuca dele, para o pequeno rabo de cavalo libertino que lhe roçava a gola do casaco verde-garrafa.

Ela sabia que ele não dispunha de uma grande quantidade de dinheiro para alfaiates e afins, e sabia também que nunca pedira nada à avó, mas... santo Deus, o casaco assentava-lhe na perfeição.

– Miss Bridgerton – disse ele, acomodando-se no sofá e descansando um tornozelo preguiçoso no joelho oposto. – Deve ser terça-feira.

– Pois deve – concordou Hyacinth.

– Como vai a Priscilla Butterworth?

Hyacinth ergueu as sobrancelhas, surpreendida por ele saber que livro elas liam.

– Está a correr para a falésia – respondeu. – Eu temo pela sua segurança, se quer saber. Ou melhor, temeria – acrescentou –, se não faltassem ainda onze capítulos para ler.

– É pena – observou ele. – O livro tomaria um rumo muito mais interessante se ela morresse.

– Já o leu? – perguntou educadamente Hyacinth.

Por um momento, pareceu que Gareth se limitaria apenas a lançar-lhe um olhar de *Está a brincar, certamente*, mas pontuou a expressão com:

– A minha avó gosta de narrar o conto quando eu a visito às quartas-feiras. O que *sempre faço* – acrescentou, lançando um olhar semicerrado e cheio de malícia na direção de Lady Danbury. – Assim como a maioria das sextas-feiras e dos domingos também.

– No último domingo, não – contrariou Lady D.

– Fui à igreja – respondeu ele sem expressão.

Hyacinth engasgou-se com o biscoito.

Ele virou-se para ela.

– Não viu o raio a atingir a torre do campanário?

Ela recuperou-se com um gole de chá e sorriu docemente.

– Estava a ouvir o sermão com atenção devota.

– Uma verborreia, na semana passada – declarou Lady D, enfática. – Acho que o padre está a ficar velho.

Gareth abriu a boca, mas antes que pudesse dizer uma palavra, a avó fez rodopiar a bengala num arco horizontal notavelmente estável.

– Não te atrevas a fazer um comentário que comece com as palavras «Vindo de si...» – advertiu ela.

– Não sonharia tal coisa – objetou ele.

– Sonharias, sim – contrariou ela. – Não serias o meu neto, se não o fizesses. – Virou-se para Hyacinth. – Não concorda?

Fazendo jus à sua pessoa, Hyacinth cruzou as mãos no colo e respondeu:

– Acredito que não há resposta certa a essa pergunta.

– Menina esperta – aprovou Lady D.

– Aprendi com o maior mestre.

Lady Danbury abriu um sorriso irradiante de alegria.

– Insolências à parte – continuou ela com determinação, apontando para Gareth como se ele fosse algum tipo de espécime zoológico –, ele realmente é um neto excecional. Não podia ter pedido mais.

Gareth observou, divertido, Hyacinth murmurar algo que estava destinado a transmitir concordância mas sem realmente o fazer.

– Bom, obviamente ele não tem grande competição – acrescentou a avó Danbury com um gesto de pouco caso. – Os outros todos juntos têm apenas três cérebros para partilhar entre eles.

Não era o maior dos avales, considerando que ela tinha doze netos vivos.

– Ouvi dizer que alguns animais comem os filhos – murmurou Gareth, para ninguém em particular.

– Sendo esta uma *terça-feira* – disse a avó, ignorando completamente o comentário –, o que te traz por cá?

Gareth apertou na mão o livro que tinha no bolso. Andava tão intrigado com a existência daquele diário desde que Caroline lho entregara que se tinha esquecido completamente da visita semanal de Hyacinth Bridgerton à avó. Se estivesse a pensar com clareza, teria esperado até ao final da tarde, depois de ela se ter ido embora.

Mas agora estava ali e tinha de lhes dar algum motivo para a sua presença. Caso contrário, Deus o livrasse, a avó diria que ele tinha vindo *por causa* de Miss Bridgerton, e precisaria de meses para a dissuadir de tal ideia.

– O que foi, meu rapaz? – perguntou a avó, no seu jeito incomparável. – Fala!

Gareth voltou-se para Hyacinth, invadido por uma leve satisfação quando a viu contorcer-se ligeiramente ao seu olhar intenso.

– Porque visita a minha avó? – perguntou.

Ela encolheu os ombros.

– Porque gosto dela.

Foi a vez de Hyacinth se inclinar para frente e perguntar:

– E o *senhor*, porque a visita?

– Porque ela é minha... – Gareth parou, retratando-se. Não a visitava apenas porque era sua avó. Lady Danbury era uma série de coisas para ele: difícil, turbulenta, a cruz da sua existência, até, eram termos que lhe vinham à mente, mas nunca um dever. – Porque eu também gosto dela – terminou ele em tom vagaroso, os olhos nunca abandonando os de Hyacinth.

Ela nem pestanejou.

– Ainda bem.

Ambos ficaram simplesmente a olhar um para o outro, como que presos em algum tipo de bizarro concurso.

– Não que eu tenha alguma reclamação particular quanto a esta via de conversação – disse Lady Danbury em voz alta –, mas de que diabo estão vocês a falar?

Hyacinth recostou-se e olhou para Lady Danbury como se nada tivesse acontecido.

– Não faço ideia – respondeu ela alegremente, passando a beberricar o chá. Voltando a pousar a chávena no pires, acrescentou: – Ele fez-me uma pergunta.

Gareth observou-a com curiosidade. Não era fácil fazer amizade com a avó e se Hyacinth Bridgerton sacrificava alegremente as suas tardes de terça-feira para estar com ela, isso era decididamente um ponto a seu favor. Sem pensar que Lady Danbury dificilmente gostava de alguém, mas falava com entusiasmo de Miss Bridgerton constantemente. Em parte isso acontecia devido à sua tentativa de emparelhar os dois, é claro, e a avó nunca fora conhecida pelo tato ou pela subtileza.

Contudo, se Gareth aprendera alguma coisa na vida, era que a avó era uma excelente avaliadora de carácter. Além do mais, o diário estava escrito em italiano. Mesmo que contivesse algum segredo indiscreto, Miss Bridgerton dificilmente descobriria.

Tomada a decisão, enfiou a mão no bolso e tirou o livro.

CAPÍTULO 4

Ponto em que a vida de Hyacinth finalmente se torna quase tão excitante como a de Priscilla Butterworth. Menos as falésias, é claro...

Hyacinth observou com interesse a hesitação de Mr. St. Clair. Ele olhou-a de viés, os olhos azul-claros estreitando-se quase impercetivelmente antes de se voltarem para a avó. Hyacinth tentou não parecer muito interessada; ele estava obviamente a tentar decidir se devia ou não mencionar o que o trouxera ali na presença dela, e ela suspeitava que qualquer interferência da sua parte o levaria a retrair-se.

Mas, aparentemente, passou a inspeção, porque após um breve momento de silêncio, ele enfiou a mão no bolso e tirou o que parecia ser um livro pequeno, com capa de couro.

– O que é isto? – perguntou Lady Danbury, pegando nele.

– O diário da avó St. Clair – respondeu ele. – A Caroline trouxe-mo esta tarde. Encontrou-o entre os pertences do George.

– Está em italiano – disse Lady D.

– Sim, estou ciente disso.

– O que eu quis dizer foi, porque o trouxeste para *mim*? – perguntou ela com certa impaciência.

Mr. St. Clair abriu um meio sorriso preguiçoso.

– Está sempre a dizer que sabe e que conhece tudo, ou se não tudo, então todos.

– Ainda esta tarde me disse isso – interveio Hyacinth para ajudar.

Mr. St. Clair virou-se para ela e dirigiu-lhe um «Obrigado» vagamente condescendente que saiu precisamente no mesmo instante que as faíscas dos olhos de Lady Danbury.

Hyacinth contorceu-se em desconforto. Não por causa do olhar faiscante de Lady D, já era bastante imune a ele, mas odiava a sensação de Mr. St. Clair a achar merecedora de condescendência.

– Eu tinha esperança de que pudesse conhecer um tradutor conceituado – disse ele à avó.

– De italiano?

– Parece ser esse o idioma requerido.

– Pfff! – Lady D começou a dar pancadinhas com a bengala no tapete, tal como uma pessoa normal tamborilaria os dedos no tampo de uma mesa. – Italiano? Não é tão generalizado como o francês, que, naturalmente, qualquer pessoa decente...

– Eu sei ler italiano – interrompeu Hyacinth.

Dois pares idênticos de olhos azuis se viraram na direção dela.

– Está a brincar – disse Mr. St. Clair, um mero meio segundo antes de a avó vociferar: – Sabe?

– Não sabe tudo sobre mim – disse Hyacinth com picardia (a Lady Danbury, é claro, já que a Mr. St. Clair não poderia fazer tal reivindicação).

– Pois claro que não – bradou Lady D –, mas, italiano?

– Eu tive uma precetora italiana quando era pequena – explicou Hyacinth com um encolher de ombros. – Ela divertia-se a ensinar-me. Não sou fluente – admitiu –, mas se ler uma ou duas páginas, consigo compreender o sentido geral.

– Isto é muito mais do que uma ou duas páginas – disse St. Clair, inclinando a cabeça para o diário, que ainda repousava nas mãos da avó.

– Claramente – respondeu Hyacinth, irritadiça. – Mas não é provável que eu tenha de ler mais do que uma ou duas páginas de uma só vez. E ela não o escreveu ao estilo dos antigos romanos, pois não?

– Isso seria latim – troçou Mr. St. Clair em tom arrastado.

Hyacinth cerrou os dentes.

– Mesmo assim – rosnou ela.

– Pelo amor de Deus, menino, dê-lhe o livro! – cortou Lady Danbury.

Mr. St. Clair absteve-se de salientar que ainda era ela que o tinha nas mãos; Hyacinth achou que isso demonstrava uma contenção notável da parte dele. Em vez disso, ele levantou-se, tirou o pequeno volume das mãos da avó e virou-se para Hyacinth. Hesitou um momento, e Hyacinth teria perdido a hesitação se não estivesse a fitá-lo com atenção.

Ele entregou-lhe o livro com um «Miss Bridgerton» suavemente murmurado.

Hyacinth aceitou, estremecendo à estranha sensação de que tinha acabado de fazer algo muito mais poderoso do que simplesmente aceitar um livro.

– Está com frio, Miss Bridgerton? – murmurou Mr. St. Clair.

Ela negou com a cabeça, usando o livro como pretexto para evitar olhar para ele.

– As páginas estão um pouco frágeis – comentou ela, ao virar uma com todo o cuidado.

– O que é que diz aí? – perguntou Mr. St. Clair.

Hyacinth rangeu os dentes. Nunca era divertido ser forçada a trabalhar sob pressão, e era quase impossível fazê-lo com Gareth St. Clair a respirar-lhe ao pescoço.

– Dá-lhe espaço! – resmungou Lady D.

Ele mexeu-se, mas não o suficiente para fazer Hyacinth sentir-se mais à vontade.

– E então? – insistiu ele.

A cabeça de Hyacinth mexia-se ligeiramente para trás e para a frente enquanto tentava interpretar o significado das palavras.

– Está a falar sobre o casamento iminente – disse ela. – Julgo que seja o casamento dela com o seu avô daí a... – Hyacinth mordeu o lábio enquanto descia os olhos pela página tentando encontrar as palavras apropriadas – três semanas. Deduzo que a cerimónia tenha sido em Itália.

Mr. St. Clair fez um aceno de cabeça antes de a incentivar com um:

– E...?

– E... – Hyacinth enrugou o nariz, como sempre fazia quando ficava muito concentrada. Não era uma expressão terrivelmente atraente, mas a alternativa era simplesmente não pensar e isso, sim, ela não achava nada atraente.

– O que disse ela? – insistiu Lady Danbury.

– *Orrendo, orrendo*... – murmurou Hyacinth. – Ah, pois! – exclamou, erguendo o olhar. – Ela não está nada contente com a situação.

– Quem *ficaria*? – interpôs Lady D. – O homem era um bruto, com as minhas desculpas para os presentes que partilham com ele o sangue.

Mr. St. Clair ignorou-a.

– O que mais?

– Eu avisei que não sou fluente – disparou Hyacinth por fim. – Preciso de tempo para interpretar.

– Leve-o para casa – sugeriu Lady Danbury. – Afinal, vai ver o meu neto amanhã à noite.

– Vou? – perguntou Hyacinth, precisamente no momento em que Mr. St. Clair disse: – Vai?

– Tu vais acompanhar-me à sessão de leitura de poesia dos Pleinsworth – informou Lady D o neto. – Ou já te esqueceste?

Hyacinth recostou-se, apreciando a vista; Gareth St. Clair abria e fechava a boca em óbvia aflição. Parecia um peixe, decidiu ela. Um peixe com a fisionomia de um deus grego, mas ainda assim, um peixe.

– Eu realmente... – começou ele. – Isto é, eu não posso...

– Podes e vais – assegurou Lady D. – Tu prometeste.

Ele fitou-a com uma expressão severa.

– Não consigo imaginar...

– Bom, se não prometeste, devias, e se me amas...

Hyacinth tossiu para encobrir o riso e, logo de seguida, tentou não abrir um sorriso escarninho quando Mr. St. Clair lhe lançou um olhar de desprezo.

– Quando eu morrer, o meu epitáfio dirá: «Amava a avó quando ninguém mais o fazia» – disse ele.

– E que mal tem isso? – quis saber Lady Danbury.

– Eu estarei lá – aceitou ele com um suspiro.

– Leve algodão para os ouvidos – avisou Hyacinth.

Ele mostrou-se horrorizado.

– Não pode ser pior do que o sarau musical de ontem à noite.

Hyacinth não conseguiu evitar que um sorriso, divertido.

– Quando solteira, Lady Pleinsworth *era* uma Smythe-Smith.

Do lado oposto da sala, Lady Danbury deu uma gargalhada de regozijo.

– É melhor eu ir para casa, então – declarou Hyacinth, levantando-se. – Vou tentar traduzir a primeira entrada antes de o ver amanhã à noite, Mr. St. Clair.

– Tem toda a minha gratidão, Miss Bridgerton.

Hyacinth assentiu e atravessou a sala, tentando ignorar a estranha sensação de felicidade que lhe crescia no peito. Era apenas um livro, pelo amor de Deus.

E ele era apenas um homem.

Era enervante, aquela estranha compulsão que sentia em impressioná-lo. Queria fazer algo que provasse como era inteligente e sagaz, algo que o forçasse a olhar para ela com outra expressão que não a de vago divertimento.

– Permita-me que a acompanhe à porta – disse St. Clair, abeirando-se dela.

Hyacinth virou-se e ficou sem fôlego. Não se tinha apercebido de que ele estava tão perto.

– Eu... hã...

Eram os olhos, concluiu ela. Eram tão azuis e tão claros que achava poder ler-lhe os pensamentos, mas, em vez disso, era ele que aparentemente podia ler os dela.

– Sim? – murmurou ele, colocando a mão dela no seu braço.

Ela sacudiu a cabeça e respondeu:

– Não é nada.

– Ora, ora, Miss Bridgerton – disse ele, conduzindo-a até ao corredor. – Acredito que é a primeira vez que a vejo sem palavras. Exceto na outra noite – acrescentou ele, com um inclinar muito ligeiro e irónico de cabeça.

Ela fitou-o, estreitando os olhos.

– No sarau musical – esclareceu ele com amabilidade. – Foi adorável. – Sorriu de forma muito irritante. – Não foi adorável?

Hyacinth apertou os lábios.

– Mal me conhece, Mr. St. Clair – disse ela.

– A sua reputação precede-a.

– Assim como a sua.

– *Touché*, Miss Bridgerton – replicou ele, mas ela não se sentiu particularmente vencedora.

Hyacinth viu a sua criada pessoal à espera na porta, por isso libertou a mão do braço de Mr. St. Clair e atravessou o átrio de entrada.

– Até amanhã, Mr. St. Clair – despediu-se.

E quando a porta se fechou atrás dela, podia jurar que o ouviu responder: – *Arrivederci.*

Hyacinth chega a casa.
A mãe tem estado à espera dela.
Não pode ser coisa boa.

– A Charlotte Stokehurst vai casar-se – anunciou Violet Bridgerton.

– Hoje? – inquiriu Hyacinth, tirando as luvas.

A mãe lançou-lhe um olhar acutilante.

– Ficou noiva. A mãe dela disse-me esta manhã.

Hyacinth olhou em volta.

– A mãe estava à minha espera no átrio de entrada?

– Do conde de Renton – acrescentou Violet. – Renton.

– Temos chá pronto? – perguntou Hyacinth. – Vim a pé para casa e estou cheia de sede.

– Renton! – exclamou Violet, parecendo prestes a erguer as mãos ao ar em desespero. – Estás a ouvir-me?

– Renton – obsequiou-a Hyacinth. – O que tem os tornozelos gordos.

– Ele... – Violet parou. – E por que artes lhe olhaste para os tornozelos?

– Seria impossível não reparar – respondeu Hyacinth. Entregou a bolsa, que continha o diário em italiano, a uma criada, pedindo: – Podes levar isto para o meu quarto, por favor?

Violet esperou até que a criada desaparecesse.

– Tenho chá pronto na sala de estar e não há nada de errado com os tornozelos de Renton.

Hyacinth encolheu os ombros.

– Para quem gosta deles inchados.

– Hyacinth!

Hyacinth suspirou de cansaço e seguiu a mãe até à sala de estar.

– Mãe, tem seis filhos casados, e todos eles muito felizes com as suas escolhas. Porque é que insiste em empurrar-*me* para uma união inconveniente?

Violet sentou-se e preparou uma chávena de chá para Hyacinth.

– Não quero empurrar-te – argumentou ela –, mas, Hyacinth, não podias pelo menos procurar?

– Mãe, eu...

– Ou fingir que sim, por minha causa?

Hyacinth não pôde evitar sorrir.

Violet estendeu-lhe a chávena, mas voltou a recolhê-la para acrescentar mais uma colher de açúcar. Hyacinth era a única na família que bebia o chá com açúcar e sempre gostara dele bem docinho.

– Obrigada – disse Hyacinth, saboreando a infusão. Não estava tão quente como ela gostava, mas bebeu-o assim mesmo.

– Hyacinth – recomeçou a mãe, naquele tom de voz que fazia Hyacinth sentir-se sempre um bocadinho culpada, embora soubesse que não fazia sentido –, tu sabes que eu só quero ver-te feliz.

– Eu sei – respondeu Hyacinth.

Esse era o problema. A mãe só queria que ela fosse feliz. Se Violet a forçasse a um casamento pelo prestígio social ou por interesse financeiro, seria muito mais fácil ignorá-la. Mas não, a mãe amava-a e realmente queria que ela fosse feliz, não apenas casada, portanto Hyacinth esforçava-se por manter o bom humor e não desesperar a cada suspiro da mãe.

– Eu nunca quereria que te casasses com alguém de cuja companhia não gostasses – continuou Violet.

– Eu sei.

– E se nunca conheceres a pessoa certa, não ficarei triste por permaneceres solteira.

Hyacinth olhou-a com ar desconfiado.

– Está bem – corrigiu Violet –, um *pouquinho* triste, sim, mas tu sabes que eu nunca te pressionaria para casares com alguém que não te conviesse.

– Eu sei – voltou a dizer Hyacinth.

– Mas, querida, nunca encontrarás alguém se não procurares.

– Eu procuro! – protestou Hyacinth. – Tenho saído quase todas as noites esta semana. Até fui ao sarau musical dos Smythe--Smith na noite passada. Um evento a que – disse ela bastante incisivamente –, devo acrescentar, *a mãe* não compareceu.

Violet tossiu.

– Estava com um pouco de tosse, infelizmente.

Hyacinth não fez comentários, mas era inegável a expressão nos seus olhos.

– Ouvi dizer que ficaste sentada ao lado de Gareth St. Clair – disse Violet, depois de um silêncio apropriado.

– A mãe tem espiões em *toda* a parte? – resmungou Hyacinth.

– Quase – respondeu Violet. – Torna a vida muito mais fácil.

– Para si, talvez.

– Gostaste dele? – insistiu Violet.

Se gostara dele? Parecia uma pergunta tão estranha. Será que gostara de Gareth St. Clair? Será que gostava de sentir sempre que ele se ria secretamente dela, mesmo depois de ter aceitado traduzir o diário da avó? Será que gostava de nunca saber o que lhe ia no pensamento, ou do facto de ele a deixar tão desassossegada, como se tivesse perdido a identidade?

– E então? – insistiu a mãe.

– Mais ou menos – esquivou-se Hyacinth.

Violet não disse nada, mas os olhos adquiriram um brilho que deixou Hyacinth aterrorizada até ao âmago.

– *Nem pense* – alertou Hyacinth.

– Ele seria um excelente companheiro para ti, Hyacinth.

Hyacinth ficou a olhar para a mãe como se lhe tivesse brotado subitamente uma outra cabeça dos ombros.

– Enlouqueceu? Conhece a reputação dele tão bem quanto eu!

Violet ignorou tal afirmação de imediato.

– A reputação dele não importa depois de estarem casados.

– Importaria, sim, se ele continuasse a relacionar-se com cantoras de ópera e afins.

– Ele não faria isso – assegurou Violet, com um gesto displicente da mão.

– Como pode saber?

Violet fez uma pausa.

– Não sei – respondeu ela. – Acho que é um pressentimento.

– Mãe – disse Hyacinth com grande demonstração de solicitude –, a mãe sabe que a amo muito...

– Porque será – ponderou Violet –, que desconfio sempre que nada de bom virá quando ouço uma frase a começar dessa maneira?

– Mas – continuou Hyacinth – vai desculpar-me se eu me recusar a casar com alguém com base num pressentimento que a mãe pode ou não ter.

Violet beberricou o chá com uma indiferença impressionante.

– É melhor do que qualquer pressentimento que *tu* possas ter. E devo dizer que os meus pressentimentos nestas coisas tendem a ser certeiros. – À expressão seca de Hyacinth, acrescentou: – Ainda não me enganei.

Bom, isso era verdade, Hyacinth era obrigada a reconhecer. Para si própria, é claro. Se o admitisse em voz alta, a mãe iria assumi-lo como uma *carte blanche* para perseguir Mr. St. Clair até ele fugir a gritar para as montanhas.

– Mãe – disse Hyacinth, fazendo uma pausa um pouco mais longa do que o normal e aproveitando o tempo para organizar os pensamentos –, eu não vou correr atrás de Mr. St. Clair. Ele não é de todo o homem certo para mim.

– Eu não sei se serias capaz de reconhecer o homem certo para ti, mesmo se ele te aparecesse à porta montado num elefante.

– Eu acho que o elefante seria uma boa indicação de que eu deveria procurar noutro sítio.

– *Hyacinth.*

– Além do mais – acrescentou Hyacinth, pensando em como Mr. St. Clair parecia sempre olhá-la daquela maneira vagamente condescendente –, não me parece que ele goste muito de mim.

– Que disparate! – exclamou Violet, com toda a indignação de uma mãe-coruja. – Toda a gente gosta de ti.

Hyacinth refletiu sobre a afirmação um momento.

– Não – respondeu –, eu não acho que isso seja verdade.

– Hyacinth, eu sou tua mãe, e eu sei...

– A mãe é a *última* pessoa a quem alguém iria confessar que não gosta de mim.

– Mesmo assim...

– Mãe! – cortou Hyacinth, pousando a chávena no pires com vigor. – Isso não é de todo importante. Não me preocupa nada que não seja universalmente adorada. Se eu quisesse que toda a gente gostasse de mim, teria de ser uma pessoa amável, encantadora, insípida e chata, e que graça haveria nisso?

– Pareces Lady Danbury a falar – comentou Violet.

– Eu gosto de Lady Danbury.

– Eu também, mas isso não significa que a queira como filha.

– Mãe...

– Não queres tentar conquistar Mr. St. Clair porque ele te assusta – declarou Violet.

Hyacinth literalmente arquejou de choque.

– Isso não é verdade.

– Claro que é – retorquiu Violet, parecendo muito satisfeita consigo mesma. – Não sei porque não me ocorreu antes. E ele não é o único.

– Eu não sei do que está a falar.

– Porque é que ainda não te casaste? – perguntou Violet.

Hyacinth pestanejou à brusquidão da pergunta e só conseguiu balbuciar:

– Perdão?!

– Porque é que não te casaste? – repetiu Violet. – Será que queres mesmo fazê-lo?

– Claro que sim.

Era verdade. Queria até mais do que jamais seria capaz de admitir, provavelmente mais do que alguma vez tinha pensado até agora. Olhava para a mãe e via uma matriarca, uma mulher que amava a família com uma ferocidade que lhe trazia lágrimas aos olhos. Naquele momento, Hyacinth percebeu que queria amar com a mesma ferocidade. Queria ter filhos. Queria uma família.

Mas isso não significava que estivesse disposta a casar-se com o primeiro homem que aparecesse. Hyacinth era apenas pragmática; ficaria feliz em casar-se com alguém que não amava, desde que combinassem em quase todos os outros aspetos. Mas, francamente, era pedir muito conseguir arranjar um homem com o mínimo de inteligência?

– Mãe – disse, suavizando o tom de voz, pois sabia que Violet tinha boas intenções –, eu quero casar. Eu juro que sim. E é óbvio que tenho procurado.

Violet ergueu as sobrancelhas.

– É óbvio?

– Tive seis propostas – continuou Hyacinth, com certo tom defensivo. – Não tenho culpa se nenhum deles era adequado.

– Concordo.

Hyacinth ficou boquiaberta com o tom da mãe.

– O que quer dizer com isso?

– É *claro* que nenhum daqueles homens era adequado. Metade estava atrás da tua fortuna e a outra metade... ora, terias reduzido qualquer um deles às lágrimas no espaço de um mês.

– Tanto carinho pela filha mais nova – ironizou Hyacinth num murmúrio. – Estou sensibilizada.

Violet soltou um resmungo muito senhoril.

– Oh, *poupa-me*, Hyacinth, sabes perfeitamente o que quero dizer e sabes que tenho razão. Nenhum daqueles homens era certo para ti. Tu precisas de alguém que seja teu igual.

– Isso é exatamente o que tenho tentado dizer-lhe.

– Mas a minha pergunta é: *porque é que* são os homens errados a pedir-te em casamento?

Hyacinth abriu a boca, mas não teve resposta.

– Dizes que queres encontrar um homem que combine contigo – prosseguiu Violet –, e eu acho que tu pensas que sim, mas a verdade, Hyacinth... é que sempre que encontras alguém capaz de te enfrentar, tu afasta-lo.

– Não afasto nada – contrariou Hyacinth, de forma pouco convincente.

– Bem, certamente não os incentivas – corrigiu Violet. Inclinou-se para a frente, os olhos enchendo-se de preocupação e reprimenda. – Sabes que te amo muito, Hyacinth, mas tu gostas de ter sempre o domínio em qualquer conversa.

– Quem não gosta? – murmurou Hyacinth.

– Qualquer homem que seja teu igual não vai permitir que faças dele gato-sapato a teu bel-prazer.

– Mas não é isso que eu quero – protestou Hyacinth.

Violet suspirou; um som nostálgico, cheio de carinho e amor.

– Eu gostaria de saber explicar-te como me senti no dia em que nasceste – disse ela.

– Mãe? – perguntou Hyacinth suavemente.

A mudança de assunto foi súbita e, de alguma forma, Hyacinth sabia que tudo o que a mãe lhe dissesse naquele momento ia ser mais importante do que qualquer outra coisa que já tivesse ouvido na vida.

– Foi logo depois de o teu pai morrer. E eu estava tão triste. Nem consigo explicar-te a tristeza que sentia. Há um tipo de dor que parece corroer-nos por dentro, que nos arrasta para as profundezas. E não somos capazes de... – Violet interrompeu-se, os lábios mexeram-se, os cantos apertando-se como quando se tenta engolir em seco e... não chorar. – Bem, não conseguimos fazer nada. Não há maneira de o explicar a menos que o tenhamos sentido.

Hyacinth assentiu, embora soubesse nunca poder realmente entender.

– Durante todo aquele último mês de gravidez, eu não sabia o que sentir – continuou Violet, a voz suavizando-se. – Eu não sabia como me sentir em relação a ti. Eu já tinha sete bebés; seria de pensar que já era uma especialista. Mas, de repente, tudo era novo. Tu não terias um pai, e eu estava tão assustada. Eu teria de ser tudo para ti. Pensando bem, eu teria de ser tudo para os teus irmãos e irmãs, também, mas, de alguma forma, parecia-me diferente. Contigo...

Hyacinth limitou-se a fitá-la, incapaz de tirar os olhos do rosto da mãe.

– Eu tinha medo – retomou Violet –, um medo terrível de te dececionar de alguma maneira.

– Não dececionou – sussurrou Hyacinth.

Violet sorriu com melancolia.

– Eu sei. Basta ver a pessoa extraordinária que te tornaste.

Hyacinth sentiu a boca tremelicar, sem saber se estava prestes a rir ou a chorar.

– Mas não é isso que estou a tentar dizer-te – disse Violet, os olhos assumindo uma expressão um pouco mais determinada. – O que estou a tentar dizer é que quando nasceste e te puseram nos meus braços... é tão estranho, porque, por alguma razão, eu estava convencida de que irias ser parecida com o teu pai. Eu tinha a certeza de que iria olhar para ti e ver o rosto dele, e de que isso seria uma espécie de sinal dos céus.

Hyacinth ficou de respiração suspensa enquanto a observava, perguntando-se por que razão a mãe nunca lhe tinha contado aquela história. E porque é que ela nunca tinha querido saber.

– Mas não – continuou Violet. – Eras até parecida comigo. E então... céus, lembro-me como se fosse hoje... olhaste-me nos olhos e pestanejaste. Duas vezes.

– Duas vezes? – repetiu Hyacinth, pensando porque seria isso importante.

– Duas vezes. – Violet olhou para ela, os lábios curvando-se num sorriso cómico. – Lembro-me porque pareceu um piscar de olhos *deliberado*. Foi estranhíssimo. Olhaste-me como se dissesses: «Eu sei exatamente o que estou a fazer.»

Uma leve rajada de ar fugiu dos lábios de Hyacinth e ela percebeu que era uma risada. Uma daquelas curtas, que parecem irromper do corpo de repente.

– E então tu soltaste um *vagido* – disse Violet, sacudindo a cabeça. – Meu Deus, foi tão lancinante que parecia capaz de arrancar a tinta das paredes. E eu sorri. Foi a primeira vez desde a morte do teu pai que eu sorri.

Violet respirou fundo e estendeu a mão para o chá. Hyacinth viu a mãe recompor-se, querendo desesperadamente pedir-lhe para continuar, mas apercebendo-se, no entanto, que o momento pedia silêncio.

Hyacinth aguardou um minuto inteiro, até que, por fim a mãe disse baixinho:

– E a partir desse momento, foste-me tão querida. Eu amo todos os meus filhos, mas tu... – Ergueu o olhar capturando o de Hyacinth. – Tu salvaste-me.

Hyacinth sentiu um aperto no peito. Não conseguia mexer-se, não conseguia respirar. Só foi capaz de olhar para o rosto da mãe, ouvir-lhe as palavras e sentir-se muito, muito grata por ter a sorte de ser sua filha.

– De certa forma eu protegi-te demasiado – disse Violet, os lábios formando o mais ínfimo dos sorrisos – e, ao mesmo tempo, demasiado branda. Tu sempre foste tão exuberante, tão completamente segura de quem és e de como te encaixas no mundo ao teu redor. Sempre foste uma força da natureza, e eu não queria cortar-te as asas.

– Obrigada – murmurou Hyacinth, mas as palavras saíram tão baixas que ela não teve a certeza se as dissera em voz alta.

– Mas às vezes pergunto-me se isso te deixou demasiado desatenta às pessoas em redor.

De repente, Hyacinth sentiu-se horrivelmente mal.

– Não, não – apressou-se Violet a explicar, vendo a expressão aflita no rosto de Hyacinth –, tu és amável e carinhosa, e muito mais atenciosa do que eu acho que os outros se dão conta. Mas, oh, querida, eu não sei como explicar. – Respirou fundo e franziu o nariz, tentando encontrar as palavras certas. – Estás tão acostumada a sentir-te completamente confortável contigo própria e com aquilo que dizes...

– E qual é o problema em ser assim? – perguntou Hyacinth; não defensiva, apenas num sussurro.

– Nenhum. Quem me dera que mais pessoas tivessem esse talento. – Violet entrelaçou os dedos, esfregando o polegar da mão esquerda na palma da mão direita. Era um gesto que Hyacinth já vira na mãe vezes sem conta, sempre que estava perdida em pensamentos. – Mas o que eu acho que acontece – continuou Violet – é que quando *não* te sentes assim, quando acontece alguma coisa que te causa um certo desassossego... não pareces saber como lidar com isso. E foges. Ou decides que não vale a pena. – Olhou para a filha, a expressão franca e talvez ligeiramente resignada. – E é por isso – concluiu – que eu receio que nunca encontres o homem certo. Ou melhor, vais encontrá-lo, mas não vais saber. Não te vais permitir descobrir.

Hyacinth olhou para a mãe, sentindo-se muito quieta, muito pequenina e muito insegura. Como tinha aquilo acontecido? Como era possível ter entrado naquela sala, à espera da conversa habitual sobre maridos e casamentos e sobre a falta de ambos, e acabar completamente exposta e desnuda até deixar de estar certa de quem era?

– Vou pensar sobre isso – disse ela à mãe.

– Não te posso pedir mais.

Ela também não podia prometer mais.

CAPÍTULO 5

Na noite seguinte, na sala de visitas da respeitável Lady Pleinsworth. Por alguma estranha razão, há pequenos galhos presos ao piano. E uma menina com um chifre na cabeça.

– As pessoas vão pensar que está a cortejar-me – referiu Hyacinth, quando Mr. St. Clair se dirigiu imediatamente para junto dela assim que chegou, sem qualquer pretensão de observar primeiro o ambiente.

– Isso é um disparate – respondeu ele, sentando-se na cadeira vazia ao lado. – Toda a gente sabe que eu não cortejo mulheres respeitáveis; além disso, imagino que ajude a melhorar a sua reputação.

– E eu que pensava que a modéstia era uma virtude sobrevalorizada.

Ele lançou-lhe um sorriso doce.

– Não que eu queira dar-lhe lenha que mais tarde sirva para me queimar, mas a triste realidade é que... os homens são como carneiros. Onde um vai, o resto vai atrás. E não disse que queria casar?

– Não com alguém que me siga como um carneiro – respondeu ela.

Ele sorriu ao comentário, um sorriso diabólico que deu a Hyacinth a sensação de ser o que ele usava para seduzir legiões de mulheres. Então, ele olhou em volta, como se pretendesse envolver-se em algo sub-reptício, e inclinou-se para a frente.

Hyacinth não conseguiu conter-se. Inclinou-se, também.

– Sim? – murmurou.

– Estou *quase* a balir.

Hyacinth tentou engolir o riso, o que foi um erro, pois saiu deselegantemente cuspido.

– Que sorte não estar a beber um copo de leite – disse Gareth, recostando-se na cadeira e mantendo aquela imagem de perfeita compostura, raios partissem o homem.

Hyacinth tentou lançar-lhe um olhar fulminante, mas tinha uma grande desconfiança de que não seria capaz de afastar o humor dos olhos.

– Ter-lhe-ia saído pelo nariz – concluiu ele com um encolher de ombros.

– Nunca lhe disseram que esse não é o tipo de coisa que se diga para impressionar uma mulher? – perguntou ela, assim que recuperou a capacidade de falar.

– Não estou a tentar impressioná-la – foi a resposta pronta dele, olhando de relance para a frente da sala. – Cruzes, canhoto! – exclamou, piscando os olhos de surpresa. – O que é *aquilo*?

Hyacinth seguiu-lhe o olhar. Vários elementos da progenitura Pleinsworth, um dos quais aparentemente vestido de pastora, passeavam-se pela sala.

– Ora aqui está uma coincidência interessante – murmurou Gareth.

– Talvez seja hora de começar a balir – concordou ela.

– Pensei que isto ia ser um recital de poesia.

Hyacinth fez uma careta e abanou a cabeça.

– Uma alteração inesperada ao programa, receio eu.

– Passando de pentâmetro iâmbico a Little Bo Peep? – perguntou ele, desconfiado. – Parece-me um exagero.

Hyacinth olhou-o com ar pesaroso.

– Acredito que mesmo assim haverá pentâmetro iâmbico.

Ele ficou de boca aberta.

– A partir das histórias da pastorinha?

Ela assentiu, pegando no programa que estava pousado no colo.

– É uma obra original – disse, como se isso explicasse tudo. – Da autoria de Harriet Pleinsworth. *A Pastorinha, o Unicórnio e Henrique VIII.*

– Todos eles? Ao mesmo tempo?

– Não estou a brincar – disse ela, balançando a cabeça.

– Claro que não. Nem a Hyacinth seria capaz de inventar tal coisa.

Hyacinth decidiu aceitar o comentário como um elogio.

– Porque não recebi um destes? – inquiriu ele, pegando no programa dela.

– Imagino que tenha sido decidido não os entregar aos homens – disse Hyacinth, passando os olhos pela sala. – É de admirar a antevisão de Lady Pleinsworth, na verdade. Certamente teria fugido a sete pés se soubesse o que lhe estava reservado.

Gareth torceu-se no assento.

– Já trancaram as portas?

– Não, mas a sua avó já chegou.

Hyacinth não estava certa, mas teve a sensação de que ele emitiu algo muito parecido com um queixume.

– Não parece estar a vir para cá – acrescentou Hyacinth, vendo Lady Danbury sentar-se várias filas atrás.

– Pois claro que não – resmungou Gareth e Hyacinth soube que ele estava a pensar o mesmo que ela.

Casamenteira.

Bom, a verdade é que Lady Danbury nunca fora especialmente subtil sobre o assunto.

No momento em que Hyacinth começou a virar-se para a frente, parou, pois avistou a mãe, para quem estava a guardar uma cadeira vazia à sua direita. Violet fingiu não a ver (bastante mal, na opinião de Hyacinth) e sentou-se ao lado de Lady Danbury.

– Ora bolas – disse Hyacinth por entre dentes.

A mãe também nunca fora conhecida pela sua subtileza, mas depois da conversa da tarde anterior, esperava que Violet não fosse *tão* óbvia.

Alguns dias para refletir sobre tudo aquilo talvez pudesse ter sido bom.

O facto é que Hyacinth tinha passado os últimos dois dias a matutar na conversa que tivera com a mãe. Tentou pensar em todas as pessoas que conhecera durante os seus anos no Mercado Matrimonial. Na sua maior parte, tinham sido bons tempos e divertira-se muito. Sempre dissera o que lhe aprouvera, fizera as pessoas rir e sempre gostara de ser admirada pela sua inteligência.

Mas havia algumas pessoas com quem não se sentira completamente confortável. Não muitas, mas algumas. Tinha havido um cavalheiro durante a sua primeira temporada diante do qual ela fora absolutamente incapaz de dizer uma palavra. Houve ainda outra altura, há cerca de um ano, que o irmão, Gregory, a apresentara a um dos seus amigos de escola, e Hyacinth tinha de admitir que ele era uma pessoa com um sentido de humor cáustico e perfeitamente à sua altura. Mas ela convencera-se de que não gostava dele e depois dissera à mãe que ele lhe parecia o tipo de pessoa que seria cruel com os animais, mas a verdade era que...

Bem, ela não sabia qual era a verdade. Ela não sabia tudo, por mais que tentasse dar a impressão do contrário.

Mas tinha evitado esses homens. Tinha dito que não gostava deles, mas talvez não fosse exatamente isso. Talvez não gostasse de si mesma quando estava com eles.

Olhou para cima. Mr. St. Clair estava recostado na cadeira, a expressão do rosto em parte entediada, em parte divertida... aquele tipo de expressão sofisticada e urbana que os homens de toda a Londres procuravam emular. Mr. St. Clair, contudo, fazia-o melhor do que a maioria.

– Está com um ar bastante sério para uma noite de pentâmetros bovinos – comentou ele.

Hyacinth olhou para o palco com ar surpreendido.

– Também estamos à espera de vacas?

Ele devolveu-lhe o programa e suspirou.

– Estou a preparar-me para o pior.

Hyacinth sorriu. Ele *era* realmente divertido. E inteligente. E muito, muito atraente, embora isso certamente nunca tivesse estado em dúvida.

De repente deu-se conta de que ele era tudo o que ela sempre dissera a si mesma que procurava num marido.

Santo Deus!

– Está tudo bem? – perguntou ele, endireitando-se subitamente na cadeira.

– Perfeitamente – resmungou ela. – Porquê?

– Parecia-me... – Ele pigarreou. – Bem, parecia-me... hã... Peço desculpa. Não posso dizê-lo a uma senhora.

– Nem a uma que não está a tentar impressionar? – gracejou Hyacinth. Mas o tom soou um pouco forçado.

Ele fitou-a um momento e depois disse:

– Muito bem. Estava com um ar de quem parecia prestes a vomitar.

– Eu nunca vomito – disse ela, olhando em frente com ar resoluto. Gareth St. Clair *não* era tudo o que sempre quisera num marido. Não podia ser. – E também não desmaio – acrescentou. – Nunca.

– *Agora* está com ar zangado – murmurou ele.

– Não estou nada – disse ela, muito contente consigo mesma pelo tom que lhe saíra tão alegre.

Ele tinha uma reputação péssima, não podia esquecer-se. Quereria ela associar-se a um homem que tinha relações com tantas mulheres? E, ao contrário da maioria das mulheres solteiras, Hyacinth realmente sabia o que a palavra «relações» implicava. Não em primeira mão, entenda-se, mas tinha conseguido arrancar os pormenores fundamentais às suas irmãs mais velhas já casadas. E embora Daphne, Eloise e Francesca lhe tivessem assegurado que todo o processo era extremamente agradável com o tipo certo de marido, era bom lembrar que o tipo certo de marido era aquele que permanecia fiel à sua esposa. Mr. St. Clair, pelo contrário, tinha tido relações com *dezenas* de mulheres.

Certamente que um tal comportamento não podia ser saudável.

E mesmo que «dezenas» fosse um certo exagero, e que o verdadeiro número fosse mais modesto, como poderia ela competir? Sabia que a última amante dele tinha sido a grande Maria Bartolomeo, a soprano italiana, famosa tanto pela sua beleza como pela sua voz. Nem a sua mãe poderia reivindicar que a beleza de Hyacinth lhe fosse comparável.

Como devia ser horrível chegar à noite de núpcias sabendo que se iria sofrer por comparação.

– Acho que está a começar.

Ouviu Mr. St. Clair suspirar.

Lacaios espalhavam-se pela sala, apagando velas para reduzir a luminosidade. Hyacinth virou-se e teve uma visão rápida do perfil de Mr. St. Clair. Um candelabro havia sido deixado aceso um pouco acima do ombro dele e, à luz bruxuleante, o cabelo dele parecia ter madeixas douradas. Usava-o preso num rabo de cavalo, pensou ela preguiçosamente, o único homem na sala a fazê-lo.

Ela gostava disso. Não sabia porquê, mas gostava.

– Seria muito mau se eu fugisse porta fora? – ouviu-o ela sussurrar.

– Agora? – respondeu Hyacinth também num sussurro, tentando ignorar a sensação de formigueiro que a percorria quando ele se inclinava para mais perto. – Muito mau.

Ele recostou-se com um suspiro infeliz e concentrou-se no palco, exibindo todo o ar de homem cortês e apenas muito ligeiramente entediado.

Contudo, nem um minuto se passou, quando Hyacinth ouviu o som suave, apenas para os seus ouvidos:

– Mééé... méééééééé.

Noventa minutos de torpor mental mais tarde; infelizmente, o nosso herói tinha razão quanto às vacas.

– Bebe vinho do Porto, Miss Bridgerton? – perguntou Gareth, mantendo os olhos no palco ao levantar-se e aplaudir a prole Pleinsworth.

– Claro que não, mas sempre quis provar, porquê?

– Porque ambos merecemos uma bebida.

Ouviu-a sufocar uma gargalhada e, em seguida, dizer:

– Ora, o unicórnio era amoroso.

Ele emitiu um riso desdenhoso. O unicórnio não podia ter mais de dez anos de idade. O que estaria muito bem se Henrique VIII não tivesse insistido, de improviso, em dar um passeio nele.

– Fiquei espantado por não terem de mandar chamar o cirurgião – murmurou ele.

Hyacinth estremeceu, condoída.

– Ela realmente pareceu ficar a mancar ligeiramente.

– Quase não me contive de relinchar de dor por ela. Valha-me Deus, quem... Oh! Lady Pleinsworth – disse Gareth, estampando um sorriso na cara ao que julgou ser uma velocidade admirável. – Que bom vê-la!

– Mr. St. Clair – cumprimentou Lady Pleinsworth com efusividade. – Fico tão feliz por ter vindo!

– Não teria perdido por nada.

– E Miss Bridgerton – acrescentou Lady Pleinsworth, claramente a tentar tirar nabos da púcara. – É a si que devo agradecer a presença de Mr. St. Clair?

– Infelizmente, a culpa é da avó dele – respondeu Hyacinth. – Ela ameaçou-o com a bengala.

Lady Pleinsworth não pareceu saber muito bem como reagir a tal resposta, por isso virou-se para Gareth, aclarando a garganta algumas vezes antes de perguntar:

– Já conhece as minhas filhas?

Gareth conseguiu não fazer uma careta. Era exatamente por aquele motivo que procurava evitar este género de eventos.

– Hum… não, acho que ainda não tive o prazer.

– A pastorinha – disse Lady Pleinsworth cheia de amabilidade.

Gareth assentiu com um gesto de cabeça.

– E o unicórnio? – perguntou com um sorriso.

– Sim – respondeu Lady Pleinsworth, piscando, confusa e, possivelmente, perturbada –, mas ela é um pouco novinha.

– Tenho a certeza de que Mr. St. Clair terá todo o prazer em conhecer Harriet – interveio Hyacinth, antes de se virar para Gareth com um elucidativo –, a pastorinha.

– É claro – disse ele. – Será um prazer.

Hyacinth virou-se novamente para Lady Pleinsworth com um sorriso inocente de mais.

– Mr. St. Clair é um especialista em tudo o que é ovino.

– Onde está a *minha* bengala quando preciso dela? – murmurou ele.

– Como disse? – perguntou Lady Pleinsworth, inclinando-se para a frente.

– Será uma honra conhecer a sua filha – disse ele, já que parecia ser a única via aceitável naquele momento.

– Maravilhoso! – exclamou Lady Pleinsworth, batendo palmas. – Eu sei que ela ficará muito contente por conhecê-lo.

Em seguida, disse algo sobre a necessidade de falar com o resto dos presentes e afastou-se.

– Não fique tão aborrecido – aconselhou Hyacinth, assim que ficaram sozinhos. – É um excelente partido.

Ele olhou-a com ar apreciativo.

– É habitual fazer-se esse género de declarações de forma tão direta?

Ela encolheu os ombros.

– Não aos homens a quem se está a tentar impressionar.

– *Touché*, Miss Bridgerton.

Ela soltou um suspiro feliz.

– As minhas três palavras preferidas!

Disso, ele não tinha dúvida.

– Diga-me, Miss Bridgerton, já começou a ler o diário da minha avó? – perguntou ele.

Ela assentiu com a cabeça.

– Espanta-me que não tenha perguntado antes.

– Distraído pela pastora – justificou ele –, mas, por favor, não diga à mãe, ou ela certamente irá interpretar mal.

– As mães fazem-no sempre – concordou Hyacinth, passando os olhos pela sala.

– O que *procura*? – perguntou ele, curioso.

– Hum? Oh, nada. Só estou a ver.

– O quê? – insistiu ele.

Ela encarou-o sem pestanejar, os olhos incrivelmente azuis arregalados.

– Nada em especial. Não gosta de saber tudo o que acontece?

– Só se me disser respeito.

– A sério? – Ela fez uma pausa. – Eu gosto de saber tudo.

– Estou a ver. E, falando nisso, o que ficou a saber ao ler o diário?

– Ah, sim – disse ela, a expressão iluminando-se diante dos olhos dele.

Parecia um género muito estranho de metáfora, mas era verdade: Hyacinth Bridgerton cintilava quando tinha a oportunidade de falar com autoridade. E o mais estranho era que Gareth achava isso encantador.

– Só li doze páginas, infelizmente – disse ela. – A minha mãe precisou que a ajudasse com a correspondência, esta tarde, e não tive o tempo de que gostaria para trabalhar na tradução. A propósito, não lhe contei sobre o diário; não tinha a certeza se era para ser um segredo.

Gareth pensou no pai, que provavelmente quereria o diário, quanto mais não fosse porque se encontrava na posse de Gareth.

– É segredo – respondeu ele. – Pelo menos até eu dizer o contrário.

Ela concordou com um gesto de cabeça.

– Talvez seja melhor não dizer nada até que saiba o que ela escreveu.

– O que descobriu?

– Bem...

Ele observou-a a fazer uma careta.

– O que foi? – perguntou.

Os cantos da boca de Hyacinth adquiriram aquela expressão que se tem quando se está a tentar não dar más notícias.

– Infelizmente acho que não há uma maneira delicada de dizer isto – disse ela.

– Raramente há, quando se trata da minha família.

Ela fitou-o com curiosidade, dizendo:

– Ela não queria casar-se com o seu avô.

– Sim, já me tinha dito isso esta tarde.

– Não, o que quero dizer é que ela *realmente* não queria casar-se com ele.

– Mulher inteligente – murmurou ele. – Os homens da minha família são uns idiotas obstinados.

Ela sorriu. Ligeiramente.

– O senhor incluído?

Ele devia ter previsto a provocação.

– Não conseguiu resistir, não é? – murmurou ele.

– O *senhor* conseguiria?

– Imagino que não – admitiu ele. – O que mais diz ela?

– Não muito mais – explicou Hyacinth. – Tinha apenas dezassete anos, no início do diário. Os pais obrigaram-na a casar e ela escreveu três páginas sobre como ficou preocupada.

– Preocupada?

Ela fez uma careta.

– Na verdade, preocupada é um eufemismo, devo dizer, mas...

– É melhor deixarmos ficar o «preocupada».

– Sim – concordou ela –, é melhor.

– Como é que eles se conheceram? – perguntou. – Ela disse?

Hyacinth sacudiu a cabeça.

– Não. Ela parece ter começado o diário já depois de o ter conhecido. Embora tenha feito referência a uma festa em casa do tio, por isso talvez tenha sido aí.

Gareth assentiu distraidamente.

– O meu avô fez uma grande viagem – disse ele. – Eles conheceram-se e casaram-se em Itália, mas isso é tudo o que sei.

– Bem, não acho que ele a tenha comprometido, se é isso que quer saber – adiantou Hyacinth. – Julgo que ela mencionaria *isso* no diário.

Ele não conseguiu resistir a uma pequena provocação verbal.

– A *senhora* fá-lo-ia?

– Perdão?!

– Escreveria sobre isso no seu diário, se alguém a tivesse comprometido?

Ela corou, deixando-o deliciado.

– Eu não mantenho um diário – respondeu ela.

Oh, ele estava a adorar!

– Mas se o fizesse...

– Mas *não faço* – resmungou ela.

– Covarde – disse ele baixinho.

– E o senhor, Mr. St. Clair, registaria todos os seus segredos num diário? – devolveu ela.

– Claro que não – respondeu ele. – Se alguém o encontrasse, não seria justo para com as pessoas que eu lá mencionasse.

– As pessoas? – provocou ela.

Ele abriu um sorriso.

– As mulheres.

Hyacinth voltou a corar, um rubor mais suave desta vez, e ele duvidou que ela sequer se tivesse dado conta de que o fizera. Aquele tom rosado parecia brincar com o leve salpico de sardas no nariz. A esta altura, a maioria das mulheres teria expressado a sua indignação, ou pelo menos fingido, mas não Hyacinth. Ele observou-lhe o leve franzir dos lábios, talvez a esconder a expressão embaraçada ou talvez a retrair uma resposta incisiva, não sabia bem qual.

Percebeu o quanto se divertia. Era difícil de acreditar, já que estava de pé ao lado de um piano coberto de galhos e bem ciente de que ia ter de passar o resto da noite a evitar uma pastora e a respetiva mãe ambiciosa, mas estava a divertir-se.

– É assim tão mau quanto o pintam? – perguntou Hyacinth.

Ele sobressaltou-se. Não esperava a pergunta.

– Não – admitiu –, mas não diga a ninguém.

– Era o que eu pensava – disse ela, pensativa.

Algo no tom da voz dela o assustou. Não queria que Hyacinth Bridgerton pensasse tanto sobre ele. Tinha a estranha sensação de que, se ela o fizesse, seria capaz de ver através dele.

E não tinha a certeza do que ela iria encontrar.

– A sua avó está a vir nesta direção – avisou ela.

– Pois está – disse ele, aliviado pela distração. – Vamos tentar fugir?

– É muito tarde para isso – respondeu Hyacinth, com um leve esgar de lábios. – Ela traz a minha mãe a reboque.

– Gareth! – ouviu-se a voz estridente da avó.

– Avó – cumprimentou ele, depositando-lhe um beijo galante na mão quando ela se aproximou. – É sempre um prazer vê-la.

– Pois claro que é – respondeu ela com insolência.

Gareth virou-se para encarar uma versão mais velha e um pouco mais loira de Hyacinth.

– Lady Bridgerton.

– Mr. St. Clair – cumprimentou Lady Bridgerton em tom caloroso. – Há muito que não o via.

– Eu não costumo vir a estas récitas – explicou ele.

– Sim, a sua avó disse-me que teve de o obrigar a vir – disse Lady Bridgerton com toda a franqueza.

Ele virou-se para a avó de sobrancelhas erguidas.

– Vai destruir a minha reputação.

– A responsabilidade disso é toda tua, meu caro rapaz – devolveu Lady D.

– Eu acho que o que ele quer dizer – ajudou Hyacinth – é que deixará de ter a fama de homem garboso e perigoso se o mundo souber o quanto a adora.

Um silêncio algo embaraçoso caiu sobre o grupo quando Hyacinth se deu conta que todos tinham percebido perfeitamente a observação dele. Gareth compadeceu-se dela e preencheu o silêncio, dizendo:

– Infelizmente tenho ainda outro compromisso esta noite, por isso vou ter de me despedir.

Lady Bridgerton sorriu.

– Vê-lo-emos na terça à noite, certo?

– Na terça? – inquiriu ele, percebendo que o sorriso de Lady Bridgerton estava longe de ser tão inocente quanto parecia.

– O meu filho e a mulher vão dar um grande baile. Tenho a certeza de que recebeu o convite.

Gareth também tinha a certeza que sim, mas a verdade é que a maioria das vezes punha-os de lado sem um segundo olhar.

– Prometo-lhe que não haverá unicórnios – continuou Lady Bridgerton.

Caíra direitinho na armadilha. E lançada pela mão de um mestre.

– Nesse caso – respondeu ele com toda a cortesia –, como poderia recusar?

– Excelente. Estou certa de que a Hyacinth gostará imenso de o ver.

– Estou exultante de alegria – resmoneou Hyacinth.

– Hyacinth! – censurou Lady Bridgerton e virando-se para Gareth em tom conciliador: – Ela não quis dizer aquilo.

Ele não se deixou ficar e virou-se para Hyacinth, dizendo:

– Sinto-me esmagado de tristeza.

– Porque estou exultante ou porque não estou? – quis ela saber.

– O que preferir. – E dirigindo-se a todo o grupo, Gareth despediu-se num murmúrio respeitoso: – Minhas senhoras.

– Não se esqueça da pastorinha – lembrou Hyacinth, o sorriso doce e um pouco perverso. – Afinal, *prometeu* à mãe.

Raios! Ele tinha-se esquecido. Relanceou o olhar pela sala. A pastorinha Little Bo Peep tinha começado a apontar o cajado na sua direção e Gareth teve a sensação perturbadora de que se se aproximasse o suficiente, ela era capaz de o prender pelo pescoço com o arco do cajado.

– Não são amigas? – perguntou ele a Hyacinth.

– Oh, não – respondeu ela. – Eu mal a conheço.

– E não gostaria de a *conhecer*? – resmungou ele por entre dentes.

Ela tamborilou um dedo no queixo.

– Hum... não. – Abriu um sorriso brando. – Mas ficarei a observá-lo de longe.

– Traidora – murmurou ele, esbarrando nela a caminho da pastora.

E durante o resto da noite, ele não conseguiu esquecer o aroma do perfume dela.

Ou talvez fosse o som suave da sua risada.

Ou talvez não fosse nenhuma dessas coisas. Talvez fosse apenas ela.

CAPÍTULO 6

Terça-feira seguinte, no salão de festas da Bridgerton House. Os candelabros refulgem de luz, a música enche o ar e a noite parece feita para o romance.

Contudo, não para Hyacinth, que começa a dar-se conta de que os amigos conseguem ser tão irritantes quanto a família.

Às vezes mais.

– Sabes com quem acho que te devias casar? Com o Gareth St. Clair!

Hyacinth olhou para Felicity Albansdale, a sua melhor amiga, com uma expressão que pairava algures entre a incredulidade e o pânico. Recusava-se categoricamente a dizer que devia casar-se com Gareth St. Clair, mas, por outro lado, começava a perguntar-se se devia considerar a hipótese.

Mas que aborrecimento, seria ela assim tão transparente?

– Enlouqueceste?! – exclamou, não tendo a mínima intenção de dizer a ninguém que podia estar a desenvolver uma certa *afeição* por aquele homem. Não gostava de fazer nada se não fosse para fazer bem, e tinha a impressão de que não saberia como conquistar um homem com algo que se assemelhasse a graça ou dignidade.

– Claro que não – respondeu Felicity, observando o cavalheiro visado que se encontrava do outro lado do salão. – Ele seria perfeito para ti.

Como Hyacinth tinha passado os últimos dias sem pensar noutra coisa que não em Gareth, na avó dele e no diário da outra avó, não teve outra hipótese senão dizer:

– Que disparate! Mal o conheço.

– Ninguém conhece – contrapôs Felicity. – Ele é um enigma.

– Bem, eu não diria *tanto* – murmurou Hyacinth.

Enigma soava demasiado romântico e...

– É claro que é – contrariou Felicity, cortando-lhe os pensamentos. – O que sabemos sobre ele?

Nada. Logo...

– Logo, nada – revidou Hyacinth. – E asseguro-te que não vou casar-me com ele.

– Bom, vais ter de te casar com alguém – argumentou Felicity.

– É o que acontece quando as pessoas se casam – disse Hyacinth, ultrajada. – Passam a querer ver toda a gente casada também.

Felicity, que se casara com Geoffrey Albansdale seis meses antes, limitou-se a encolher os ombros.

– É um objetivo nobre.

Por cima do ombro, Hyacinth lançou uma olhadela a Gareth, que dançava com a lindíssima e loiríssima e muito *petite* Jane Hotchkiss. Ele parecia não conseguir desviar a atenção dela.

– Eu *não* vou tentar conquistar Gareth St. Clair – protestou Hyacinth, virando-se para Felicity com determinação renovada.

– Parece-me que a senhora protesta de mais – disse Felicity alegremente.

Hyacinth rangeu os dentes e revidou:

– A senhora protestou *duas vezes.*

– Se parasses para pensar melhor...

– O que não vou fazer – interrompeu Hyacinth.

– ... verias que é uma combinação perfeita.

– Como? – perguntou Hyacinth, embora soubesse que só serviria para incentivar Felicity.

Felicity virou-se para a amiga e fitou-a com firmeza.

– Ele é a única pessoa que consigo imaginar não seres capaz de destruir com argumentos.

Hyacinth olhou-a demoradamente, sentindo-se inexplicavelmente aferroada.

– Não sei se devo ou não sentir-me elogiada.

– Hyacinth! – exclamou Felicity. – Sabes bem que não pretendia insultar-te. Pelo amor de Deus, o que se passa contigo?

– Não é nada – murmurou Hyacinth.

Mas entre aquela conversa e a da semana anterior com a mãe, ela começava a interrogar-se sobre como, exatamente, o mundo a via. Porque começava a duvidar se correspondia à forma como se via a si própria.

– Eu não estava a dizer que quero que mudes – asseverou Felicity, pegando na mão de Hyacinth num gesto de amizade. – Meu Deus, não! Só que precisas de alguém que seja capaz de te acompanhar. Até tu tens de admitir que a maioria das pessoas não consegue.

– Desculpa – pediu Hyacinth, sacudindo ligeiramente a cabeça. – Eu exagerei. Eu só... não me tenho sentido bem nos últimos dias.

E era verdade. Escondia-o bem, ou pelo menos julgava que sim, mas sabia que o seu íntimo estava em tumulto. Fora a conversa com a mãe. Não, fora a conversa com Mr. St. Clair.

Não, fora tudo. Tudo de uma só vez. E acabara a sentir-se como se tivesse deixado de saber quem era, algo quase impossível de suportar.

– Deve ser um resfriado – disse Felicity, passando os olhos pelo salão. – Toda a gente parece andar assim esta semana.

Hyacinth não a contradisse. Teria sido bom se fosse apenas um resfriado.

– Eu sei que te dás bem com ele – continuou Felicity. – Ouvi dizer que se sentaram juntos, tanto no sarau musical dos Smythe--Smith como no recital dos Pleinsworth.

– Era uma récita – corrigiu Hyacinth distraidamente. – Eles mudaram à última da hora.

– Pior ainda. Julguei que terias conseguido escapar pelo menos a um.

– Não foram assim tão horríveis.

– Porque estavas sentada ao lado de Mr. St. Clair – disse Felicity com um sorriso malicioso.

– És terrível – respondeu Hyacinth, recusando-se a olhar para a amiga. Se o fizesse, Felicity certamente veria a verdade nos seus olhos. Hyacinth era boa a mentir, mas não assim tão boa, e não com Felicity.

E o pior de tudo era que se conseguia ouvir nas palavras de Felicity. Quantas vezes fizera troça da amiga exatamente da mesma maneira antes de Felicity se ter casado? Uma dúzia? Mais?

– Devias dançar com ele – aconselhou Felicity.

Hyacinth manteve os olhos postos no salão.

– Eu não posso fazer nada se ele não me convidar.

– É claro que te vai convidar. Só tens de te pôr do outro lado da sala, onde seja mais provável que ele te veja.

– Eu não vou *persegui-lo*.

Felicity abriu um grande sorriso.

– Tu gostas dele! Oh, isso é adorável! Nunca te vi...

– Eu não gosto dele – cortou Hyacinth. E então, apercebendo-se de como soava infantil e de que Felicity nunca acreditaria nela, acrescentou: – Só acho que talvez deva tentar perceber se *posso* gostar dele.

– Bem, isso é mais do que alguma vez disseste sobre qualquer outro homem – salientou Felicity. – E não precisas de andar atrás dele. Ele nunca se atreveria a ignorar-te. És irmã do anfitrião e, além disso, não achas que a avó lhe daria um sermão se ele não te convidasse para dançar?

– Obrigada por me fazeres sentir como um verdadeiro prémio.

Felicity soltou uma risada.

– Nunca te vi assim e, devo dizer que estou a adorar!

– Ainda bem que uma de nós está – resmungou Hyacinth, mas as palavras ficaram perdidas no suspiro de choque da amiga.

– O que foi? – perguntou Hyacinth.

Felicity inclinou a cabeça ligeiramente para a esquerda, fazendo sinal para o outro lado da sala.

– O pai dele – anunciou em voz baixa.

Hyacinth virou-se bruscamente, sem tentar esconder o interesse. Santo Deus, Lord St. Clair estava ali. Toda a Londres sabia que pai e filho não se falavam, mas os convites para festas ainda eram enviados para ambos. Os homens St. Clair pareciam ter um talento notável para não aparecerem onde o outro poderia estar, e assim as anfitriãs eram geralmente poupadas ao constrangimento de ter ambos no mesmo evento.

Mas, obviamente, algo tinha corrido mal esta noite.

Será que Gareth sabia que o pai estava ali? Hyacinth voltou a olhar rapidamente para a pista de dança. Ele ria-se de alguma coisa que Miss Hotchkiss dizia. Não, ele não sabia. Hyacinth já tinha presenciado um encontro dele com o pai. Assistira ao encontro do outro lado da sala, mas não tivera dúvidas da expressão tensa no rosto de Gareth.

Ou da forma como ambos se tinham precipitado, a deitar fumo pelas ventas, para saídas separadas.

Hyacinth observou Lord St. Clair relancear os olhos pela sala. Ao ver o filho, toda a sua expressão endureceu.

– O que vais fazer? – sussurrou Felicity.

Fazer? Hyacinth olhou de Gareth para o pai, boquiaberta. Lord St. Clair, inconsciente do olhar dela, girou nos calcanhares e foi-se embora, possivelmente em direção à sala de jogo.

Mas nada garantia que ele não voltasse.

– Vais tomar alguma atitude, não vais? – insistiu Felicity. – Tens de o fazer.

Hyacinth tinha quase a certeza de que *isso* não era verdade. Ela nunca tomara uma atitude antes. Mas agora era diferente. Gareth era... Bem, supunha que ele era seu amigo, de uma forma estranha e inquietante. Além disso, precisava de falar com ele. Passara toda a manhã e grande parte da tarde no quarto, a traduzir o diário da avó dele. Certamente ele iria querer saber o que ela descobrira.

E se conseguisse evitar uma altercação ao fazê-lo... ora, sabia sempre bem ser a heroína do dia, mesmo que ninguém, exceto Felicity, estivesse ciente disso.

– Vou convidá-lo para dançar – anunciou Hyacinth.

– Vais? – perguntou Felicity de olhos esbugalhados.

Hyacinth era certamente conhecida por ser uma Incomparável, mas nem ela alguma vez tinha ousado convidar um homem para dançar.

– Não vou fazer uma cena – disse Hyacinth. – Ninguém vai saber, exceto Mr. St. Clair. E tu.

– E quem quer que esteja com ele. E a quem *essas pessoas* disserem; e quem...

– Sabes o que é bom nas amizades de longa data como a nossa? – interrompeu Hyacinth.

Felicity abanou a cabeça.

– Saber que não ficas ofendida quando eu virar as costas e me for embora.

E então Hyacinth fez exatamente isso.

Mas o dramatismo da sua saída ficou consideravelmente diminuído quando ouviu Felicity rir-se e dizer:

– Boa sorte!

Trinta segundos mais tarde. Afinal não demora muito tempo atravessar um salão de baile.

Gareth sempre gostara de Jane Hotchkiss. A irmã dela era casada com um primo dele e por essa razão encontravam-se de tempos a tempos em casa da avó Danbury. Mais importante, porém, era saber que podia convidá-la para dançar sem que ela se pusesse a imaginar se havia segundas intenções em termos matrimoniais.

Por outro lado, ela conhecia-o bem. Ou, pelo menos, o suficiente para perceber quando ele se comportava de forma atípica.

– O que procuras? – perguntou ela, quando a quadrilha se aproximava do fim.

– Nada – respondeu ele.

– Muito bem – disse ela, as sobrancelhas muito loiras unindo-se numa expressão levemente exasperada. – De *quem* estás à procura, então? E não respondas «de ninguém», porque estiveste durante toda a dança a esticar o pescoço.

Ele virou bruscamente a cabeça fixando o olhar no rosto dela e respondeu:

– Jane, a tua imaginação não tem limites.

– Agora eu sei que estás a mentir.

Obviamente, ela tinha razão. Ele procurava Hyacinth Bridgerton desde que entrara no salão, vinte minutos antes. Tivera a impressão que a vira antes de encontrar Jane, mas acabara por ser uma das suas numerosas irmãs. Todos os Bridgerton pareciam diabolicamente iguais. Do outro lado da sala, eram praticamente indistinguíveis.

Quando a orquestra tocou as últimas notas da dança, Gareth deu o braço a Jane e conduziu-a até à lateral do salão.

– Eu nunca te mentiria, Jane – declarou ele, dando-lhe um meio sorriso brincalhão.

– É claro que mentirias – devolveu ela. – Mas, seja como for, é tão claro como a água. Os teus olhos não mentem. A única altura em que ficam sérios é quando estás a mentir.

– Isso não pode ser...

– É verdade, sim – terminou ela. – Acredita em mim. Oh, boa noite, Miss Bridgerton.

Gareth virou-se bruscamente para ver Hyacinth diante deles como uma visão em seda azul. Estava especialmente bonita naquela noite. O cabelo também estava diferente. Ele não sabia exatamente o que havia mudado, raramente era observador o suficiente para perceber tais minúcias. Mas algo fora alterado. Emoldurava-lhe o rosto de outra maneira, talvez, porque algo na sua aparência não era exatamente igual.

Talvez fossem os olhos. Tinham um brilho decidido, mesmo para Hyacinth.

– Miss Hotchkiss – cumprimentou Hyacinth com um aceno educado. – Que bom vê-la de novo.

Jane sorriu calorosamente.

– Lady Bridgerton organiza sempre umas festas maravilhosas. Por favor, transmita-lhe os meus cumprimentos.

– Claro! A Kate está ali, junto do champanhe, caso queira fazê-lo pessoalmente – disse Hyacinth, referindo-se à cunhada, a atual Lady Bridgerton.

Gareth sentiu as sobrancelhas erguerem-se de curiosidade. Tinha a certeza de que aquilo era uma manobra de Hyacinth, para poder falar com ele a sós.

– Estou a ver – murmurou Jane. – Então talvez seja melhor ir falar com ela. Desejo a ambos a continuação de uma noite agradável.

– Muito inteligente – comentou Hyacinth, assim que ficaram sozinhos.

– A senhora não foi propriamente subtil – retorquiu Gareth.

– Não – respondeu ela –, mas a verdade é que raramente sou. Infelizmente é um talento que tem de nascer connosco.

Ele sorriu.

– Agora que me tem só para si, o que quer fazer comigo?

– Não gostaria de saber mais sobre o diário da sua avó?

– É claro – respondeu ele prontamente.

– Dançamos? – sugeriu ela.

– Está a convidar-*me*? – inquiriu ele, muito agradado.

Ela lançou-lhe um olhar carrancudo.

– Ah, agora sim, a verdadeira Miss Bridgerton – brincou ele. – A revelar o seu mau génio...

– Gostaria de dançar comigo? – resmoneou ela, fazendo-o perceber com surpresa que aquele pedido não era algo fácil para ela. Hyacinth Bridgerton, que quase nunca dava a impressão de estar desconfortável com nada do que fazia, estava com medo de o convidar para dançar.

Que divertido!

– Será uma honra – apressou-se ele a responder. – Posso conduzi-la até à pista, ou esse é um privilégio reservado apenas a quem convida?

– Pode conduzir-me – disse ela, com toda a altivez de uma rainha.

No entanto, quando chegaram à pista, ela pareceu ficar um pouco mais insegura. E embora o escondesse muito bem, os olhos não paravam quietos, esquadrinhando o salão.

– Está à procura de alguém? – perguntou Gareth, deixando escapar uma fungadela divertida quando percebeu que repetia as mesmas palavras que Jane lhe dissera a ele.

– Não – disse Hyacinth rapidamente, voltando a fixar o olhar no dele com uma rapidez que quase o deixou tonto. – O que é tão engraçado?

– Nada – respondeu ele –, e tenho a certeza de que estava à procura de alguém, embora deva elogiar-lhe a capacidade de fazer parecer que não.

– A razão disso é porque eu não estava – insistiu ela, descendo numa reverência elegante quando a orquestra deu início aos primeiros acordes de uma valsa.

– É uma boa mentirosa, Hyacinth Bridgerton – murmurou ele, tomando-a nos braços –, mas não tão boa quanto se julga.

A música flutuou no ar, uma melodia suave, delicada, num compasso ternário. Gareth sempre gostara de dançar, principalmente com uma parceira atraente, mas tornou-se evidente ao primeiro, não, justiça seja feita, só talvez ao sexto passo que aquela não seria uma valsa normal.

Hyacinth Bridgerton, notou bastante divertido, não tinha jeito nenhum para dançar.

Gareth não conseguiu esconder um sorriso.

Não sabia porque achava aquilo tão divertido. Talvez porque ela era tão capaz em tudo o mais que fazia; ouvira dizer que ela tinha desafiado recentemente um jovem para uma corrida a cavalo em Hyde Park e vencera. E tinha a certeza de que, se ela encontrasse alguém disposto a ensiná-la a esgrimir, não demoraria muito para trespassar o coração de qualquer adversário.

Mas quando se tratava de dança...

Ele deveria ter adivinhado que ela ia tentar conduzir.

– Diga-me, Miss Bridgerton – começou ele, na esperança de que um pouco de conversa a distraísse, uma vez que sempre lhe parecera que as pessoas dançavam com mais graça quando não estavam demasiado concentradas nos passos –, já avançou muito no diário?

– Só consegui ler mais dez páginas desde a nossa última conversa – respondeu ela. – Pode não parecer muito...

– Parece-me uma grande quantidade – disse ele, exercendo um pouco mais de pressão no fundo das costas dela. Um pouco mais e talvez ele conseguisse forçá-la... a... virar... para... a...

Esquerda.

Ufa!

Era a valsa mais laboriosa que ele alguma vez dançara.

– Bem, eu não sou fluente – continuou ela. – Como lhe disse. Por essa razão leva muito mais tempo do que se eu pudesse simplesmente sentar-me e lê-lo como um livro.

– Não precisa de arranjar desculpas – disse ele, arrastando-a para a direita.

Ela pisou-lhe o pé, algo que ele normalmente teria assumido ser um gesto de retaliação, mas nas circunstâncias atuais, ficou convencido de ter sido um acidente.

– Desculpe – murmurou ela, enrubescendo ligeiramente. – Normalmente não sou tão desajeitada.

Ele mordeu o lábio. Não podia rir-se dela. Deixá-la-ia completamente mortificada. Começava a perceber que Hyacinth Bridgerton não gostava de fazer nada se não fosse para fazer bem. E suspeitava que ela não fazia ideia que era uma dançarina tão atroz, não se considerava pisar o pé do seu par como uma aberração.

Isso também explicava o facto de ela sentir necessidade de lhe lembrar constantemente de que não era fluente em italiano. Ela não suportava a ideia de ele poder pensar que era lenta, sem uma boa razão.

– Eu tive de fazer uma lista de palavras que não conheço – continuou ela. – Vou enviá-la por correio para a minha antiga preceptora. Ela ainda vive no Kent, e eu tenho a certeza de que não se importará de fazer o favor de a traduzir. Mas mesmo assim...

Ela resmungou baixinho quando ele a girou para a esquerda, um pouco contra a sua vontade.

– Mesmo assim – continuou ela, com obstinação –, sou capaz de perceber a maior parte. É notável o que se pode deduzir com apenas três quartos do total.

– Acredito – comentou ele, principalmente porque achou ser necessário algum tipo de assentimento, e, em seguida, perguntou: – Porque não compra um dicionário de italiano? Eu assumo a despesa.

– Eu tenho um – disse ela –, mas acho que não é muito bom. Faltam metade das palavras.

– Metade?

– Bem, algumas – corrigiu ela. – Mas, na verdade, esse não é o problema.

Ele pestanejou, esperando que ela continuasse a explicação.

E é claro que ela o fez.

– Acho que o italiano não é a língua nativa do autor – disse ela.

– Do autor do dicionário? – inquiriu ele.

– Sim. Não é muito idiomático. – Fez uma pausa, aparentemente imersa em quaisquer estranhos pensamentos que lhe passavam pela mente. Depois encolheu os ombros (o que a fez falhar um passo na valsa, sem que se desse conta) e prosseguiu: – Na verdade não tem grande importância. Estou a progredir bem, mesmo se um pouco lenta. Já atingi o momento da chegada dela a Inglaterra.

– Em apenas dez páginas?

– Vinte e duas no total – corrigiu Hyacinth –, mas ela não escrevia todos os dias. Na verdade, muitas vezes salta várias semanas. Só dedicou um parágrafo à travessia marítima... apenas o suficiente para expressar o prazer que sentiu ao ver o seu avô ser acometido por enjoos.

– Temos de encontrar felicidade onde é possível – murmurou Gareth.

Hyacinth assentiu.

– E ela também... hã... se escusou de mencionar a noite de núpcias.

– Acredito que podemos considerar isso uma pequena bênção – disse Gareth.

A única noite de núpcias de que tinha ainda menos vontade de saber do que a da avó St. Clair, teria sido a da avó Danbury.

Santo Deus, isso seria o bastante para o fazer ter vontade de se atirar de um precipício.

– O que o fez ficar com um ar tão aflito? – perguntou Hyacinth.

Ele limitou-se a sacudir a cabeça, respondendo:

– Há coisas que nunca devemos saber sobre os nossos avós.

Hyacinth mostrou a sua concordância com um sorriso aberto.

Gareth ficou sem fôlego um momento e, em seguida, viu-se a devolver o sorriso na mesma medida. Havia algo de contagiante nos sorrisos de Hyacinth, algo que obrigava quem estivesse por perto a parar o que estivesse a fazer, ou até o que estivesse a pensar, apenas para retribuir o sorriso.

Quando Hyacinth sorria... quando realmente sorria, não um daqueles meios sorrisos artificiais que esboçava quando tentava mostrar a sua inteligência... todo o seu rosto sofria uma transformação. Os olhos iluminavam-se, as faces ficavam radiantes e...

Ela era linda.

Curioso como ele nunca reparara nisso antes. Curioso como nunca ninguém notara. Gareth frequentava os eventos sociais londrinos desde que ela fizera o seu debute há vários anos, e embora nunca tivesse ouvido ninguém comentar a aparência dela de forma pouco lisonjeira, também nunca tinha ouvido ninguém dizer que ela era linda.

Perguntou-se se seria pelo facto de toda a gente estar sempre tão ocupado a tentar acompanhar o que ela dizia para conseguir parar e olhá-la com olhos de ver.

– Mr. St. Clair? Mr. St. Clair?

Ele baixou o olhar para ela, vendo que o fitava com uma expressão impaciente, e ficou a pensar quantas vezes ela o teria chamado.

– Tendo em conta as circunstâncias, o melhor é acabarmos com os formalismos e começares a tratar-me pelo nome próprio – disse ele.

Ela assentiu com a cabeça em aprovação.

– Uma excelente ideia! E também podes, claro, usar o meu.

– Hyacinth – disse ele. – Combina contigo.

– Era a flor preferida do meu pai – explicou ela. – Jacintos-das-uvas. Florescem como loucos na primavera perto da nossa casa, no Kent. São as primeiras flores a despontar a cor todos os anos.

– E são da cor exata dos teus olhos – disse Gareth.

– Uma feliz coincidência – admitiu ela.

– Ele deve ter ficado encantado.

– Ele nunca soube – declarou ela, desviando o olhar. – Morreu antes de eu nascer.

– Sinto muito – disse Gareth em tom suave. Não conhecia bem os Bridgerton, mas ao contrário dos St. Clair, eles pareciam realmente gostar uns dos outros. – Eu sabia que ele tinha morrido, mas não estava ciente de que não chegaste a conhecê-lo.

– Não devia ter importância – disse ela em voz baixa. – Eu não devia ter saudades do que nunca tive, mas às vezes... confesso... que tenho.

Ele escolheu as palavras com cuidado.

– É difícil... imagino, não conhecer o próprio pai.

Ela anuiu, baixando o olhar, mas, em seguida, espreitou por cima do ombro dele. Era estranho, pensou ele, mas ainda assim cativante, o facto de ela não querer encará-lo num momento como aquele. Até à data as conversas entre ambos tinham sido um tanto superficiais, sempre com brincadeiras maliciosas e bisbilhotices.

Aquela era a primeira vez que diziam algo com substância, algo que revelava verdadeiramente a pessoa que existia escondida debaixo da sagacidade pronta e do sorriso fácil.

Ela manteve os olhos fixos em qualquer coisa atrás dele, mesmo depois de ele a ter habilmente feito rodopiar para a esquerda. Gareth não pôde deixar de sorrir ao notar que se tornara uma dançarina muito melhor agora que estava distraída.

Então Hyacinth voltou a fixar os olhos no rosto dele, com uma força e determinação consideráveis. Estava pronta para mudar de assunto, era óbvio.

– Gostarias de saber o resto do que traduzi? – perguntou ela.

– Claro que sim – respondeu ele.

– Acho que a dança está a acabar – disse ela –, mas parece-me que temos um espacinho ali. – Hyacinth fez sinal com a cabeça para o canto mais distante do salão de baile, onde várias cadeiras se encontravam perfiladas para aqueles com os pés cansados. – Devemos conseguir alguns momentos de privacidade antes que alguém se intrometa.

A valsa chegou ao fim e Gareth, dando um passo atrás, curvou-se numa pequena vénia.

– Vamos? – murmurou, oferecendo-lhe o braço para que ela pudesse pousar a mão na dobra do cotovelo.

Ela assentiu e, desta vez, ele deixou que *ela* liderasse.

CAPÍTULO 7

Dez minutos mais tarde e a nossa cena muda-se para o corredor.

Gareth geralmente tinha pouca paciência para grandes bailes; eram sítios abafados a abarrotar de gente e, por mais que gostasse de dançar, descobrira que acabava por passar a maior parte do tempo em conversa ociosa com pessoas em quem não estava particularmente interessado. Mas esta noite estava a divertir-se imenso, pensou enquanto se dirigia para o corredor lateral de Bridgerton House.

Depois de dançar com Hyacinth, ambos se encaminharam para o canto do salão, onde ela o informara do seu trabalho com o diário. Apesar das desculpas, ela tinha avançado bem, tendo já alcançado o momento da chegada de Isabella a Inglaterra. Não tinha sido auspicioso. A avó tinha escorregado ao sair do pequeno bote que a levara até à margem e, portanto, o seu primeiro contacto com o solo britânico tinha sido feito com o traseiro no lodo da costa de Dover.

O novo marido, é claro, não levantara um dedo para a ajudar.

Gareth sacudira a cabeça. Era um milagre que ela não tivesse dado meia-volta e fugido para Itália naquele instante. A questão era que, de acordo com Hyacinth, a avó também não tinha grande coisa a que regressar. Isabella tinha implorado várias vezes aos pais que não a obrigassem a casar com um inglês, mas eles não tinham arredado pé da decisão, daí se depreendendo que a receção não teria sido particularmente acolhedora, se ela tivesse fugido de volta para casa.

Gareth sabia que o tempo que poderia passar num canto afastado do salão de baile com uma jovem solteira sem provocar burburinho era limitado, por isso, assim que Hyacinth terminou o relato, ele despediu-se e entregou-a ao cavalheiro seguinte inscrito no seu cartão de danças.

Tendo cumprido já os objetivos para aquela noite (saudar a anfitriã, dançar com Hyacinth e descobrir o progresso dela na tradução do diário), decidiu que o melhor a fazer era ir-se embora. A noite ainda era quase uma criança; não havia motivo para não ir ao clube ou a uma casa de jogo.

Ou até, pensou com um pouco mais de entusiasmo, há algum tempo que não visitava a sua amante. Bem, não amante, no sentido exato do termo. Gareth não tinha dinheiro suficiente para manter uma mulher como Mary no estilo a que ela estava acostumada, mas felizmente um dos seus antigos benfeitores oferecera-lhe uma pequena e elegante casa em Bloomsbury, eliminando a necessidade de Gareth fazer o mesmo. Uma vez que não lhe pagava as contas, ela não sentia necessidade de se manter fiel a ele, mas isso também não tinha importância, já que ele também não o fazia.

Há algum tempo que não estava com ela. Aparentemente, a única mulher com quem passava algum tempo ultimamente era Hyacinth, e Deus sabia que aquele era território proibido.

Gareth murmurou as suas despedidas a alguns conhecidos que se encontravam perto da porta do salão e, em seguida, escapuliu-se para o átrio. Surpreendentemente estava vazio, dada a quantidade de pessoas presente na festa. Dirigia-se já para a frente da casa, quando, de repente, parou. O caminho até Bloomsbury era longo, especialmente num cabriolé de aluguer, veículo de que iria precisar, já que tinha vindo de boleia com a avó. Os Bridgerton tinham disponibilizado um aposento nas traseiras da casa para atender a qualquer necessidade fisiológica dos cavalheiros e Gareth decidiu fazer uso dele.

Rodou nos calcanhares e regressou pelo mesmo caminho; ignorou a porta do salão de baile e seguiu pelo corredor. Quando chegou ao aposento em questão, dois homens saíam a rir e Gareth dirigiu-lhes um aceno como cumprimento antes de entrar.

Era um daqueles aposentos de dois espaços, com uma pequena antecâmara e um aposento privado. A porta para esse segundo aposento estava fechada, por isso Gareth pôs-se a assobiar baixinho enquanto esperava a sua vez.

Ele gostava de assobiar.

My Bonnie lies over the ocean...

Cantava sempre a letra da música para si próprio enquanto assobiava.

My Bonnie lies over the sea...

Aliás, metade das canções que assobiava tinha letras que ele não podia cantar em voz alta.

My Bonnie lies over the ocean...

– Eu devia ter suspeitado que era o menino.

Gareth parou, dando de caras com o pai e percebendo ser ele a pessoa pela qual aguardara tão pacientemente que se aliviasse.

– *So bring back my Bonnie to me* – cantou Gareth em voz alta, dando à última palavra um floreado musical dramático.

Observou o maxilar do pai cerrar-se numa linha constrangida. O barão detestava cantorias ainda mais do que assobios.

– Espanta-me que o tenham deixado entrar – disse Lord St. Clair, o tom enganosamente sereno.

Gareth encolheu os ombros com insolência.

– Curioso como o sangue de uma pessoa permanece tão convenientemente escondido, mesmo quando não é exatamente azul. – Ofereceu ao velhote um sorriso provocador. – Toda a gente pensa que sou seu filho. Não é a coisa mais...

– Basta! – silvou o barão. – Santo Deus, já chega ter de olhar para si. Ser obrigado a ouvi-lo, põe-me doente.

– Que estranho, a mim, é-me indiferente.

Mas por dentro, Gareth sentia o início da transformação. O coração batia mais depressa e uma sensação estranha e trémula tomava-lhe conta do peito. Sentia a agitação, a visão turvar-se, e precisou de todo o seu sangue-frio para manter os braços caídos e encostados ao tronco.

Seria de pensar que já se teria habituado àquilo, no entanto, ainda era apanhado de surpresa sempre que acontecia. Insistia em tentar convencer-se de que aquela seria a vez em que veria o pai e isso simplesmente não teria importância, mas não...

Isso nunca acontecia.

Lord St. Clair nem sequer era o seu verdadeiro pai. Esse era o busílis da questão. O homem tinha a capacidade de o transformar num idiota imaturo e nem sequer era realmente o seu pai. Gareth já dissera a si mesmo inúmeras vezes que isso não importava. Que *ele* não importava. Não tinham parentesco de sangue, portanto o barão não devia significar mais para ele do que um estranho por quem passasse na rua.

Mas significava. Gareth não queria a sua aprovação, há muito que desistira disso; além do mais, por que motivo quereria a aprovação de um homem que nem sequer respeitava?

Era outra coisa. Algo bem mais difícil de definir. Ele via o barão e de repente sentia um impulso enorme de afirmação, de impor a sua presença.

De se fazer notado.

Ele tinha de *incomodar* o homem. Porque Deus sabia o quanto aquele homem o incomodava.

Sentia-se sempre assim quando o via. Ou, pelo menos, quando eram forçados a trocar algumas palavras. Gareth sabia que tinha de terminar o encontro imediatamente, antes que fizesse algo de que se viesse a arrepender.

Porque isso acabava sempre por acontecer. De todas as vezes, Gareth jurava a si mesmo que ia aprender a lição, que iria comportar-se de forma mais madura, mas não, o resultado era sempre o mesmo. Via o pai e voltava a sentir-se com quinze anos, não conseguindo evitar os sorrisos escarninhos e o mau comportamento.

Mas desta vez ia esforçar-se. Estava em Bridgerton House, pelo amor de Deus, e o mínimo que podia fazer era tentar evitar uma cena.

– Se me dá licença – disse ele, tentando passar por ele.

Mas Lord St. Clair deu um passo para o lado, forçando uma colisão de ombros.

– Ela não o vai querer – provocou ele, rindo-se por entre dentes.

Gareth manteve-se muito teso.

– Do que está a falar?

– A garota Bridgerton. Eu vi-o a arfar como um cão atrás dela.

Por um momento, Gareth não se mexeu. Não se apercebera sequer que o pai tinha estado no salão. O que o deixava incomodado. Não que devesse. Apre, ele devia era dar pulos de alegria por finalmente conseguir desfrutar de um evento sem sentir a alfinetada da presença de Lord St. Clair.

Mas em vez disso, sentia-se como se tivesse sido enganado. Como se o barão tivesse andado a esconder-se dele.

A espioná-lo.

– Não tem nada a dizer? – provocou mais uma vez o barão.

Gareth limitou-se a erguer uma sobrancelha e a olhar pela porta aberta para o pote.

– Não, a menos que pretenda que eu faça pontaria daqui – respondeu ele em tom vagaroso.

O barão virou-se, percebeu o que ele quis dizer e então disse com repulsa:

– Sei bem que seria capaz de o fazer.

– Acredito que saiba, sim – disse Gareth.

Na verdade não lhe tinha ocorrido até àquele momento, o comentário tinha sido mais uma ameaça do que qualquer outra coisa, mas estava disposto a assumir um comportamento mais ordinário se isso significasse ver as veias do pai quase explodirem de fúria.

– É revoltante.

– Foi o senhor que me criou.

Um ataque direto. O barão ferveu visivelmente antes de revidar:

– Não por vontade minha. E certamente nunca imaginei que fosse obrigado a passar-lhe o meu título.

Gareth calou-se. Podia dizer um monte de coisas para irritar o pai, mas nunca seria capaz de fazer pouco caso da morte do irmão. Nunca.

– O George deve estar a dar voltas no túmulo – disse Lord St. Clair em voz baixa.

Foi aí que Gareth não aguentou mais. Num instante estava ali de pé no meio da saleta, com os braços rigidamente encostados ao tronco e no seguinte tinha o pai encostado à parede, prendendo-o com uma mão no ombro e a outra no pescoço.

– Ele era meu irmão – sibilou Gareth.

O barão cuspiu-lhe no rosto.

– Ele era meu filho.

Os pulmões de Gareth começaram a vibrar. Era como se não conseguissem obter ar suficiente.

– Ele era meu irmão – repetiu, procurando com cada cantinho da sua força de vontade manter a voz calma. – Talvez não através de si, mas através da nossa mãe. E eu amava-o.

De alguma forma a perda que Gareth sentia era ainda mais profunda. Lamentara a morte de George desde o dia em que ele partira, mas agora sentia como que um gigantesco abismo a escancarar-se dentro dele e não sabia como preenchê-lo.

Tudo se resumia a uma pessoa agora. A avó. Na sua vida existia agora apenas uma pessoa que podia dizer honestamente amar.

E que retribuía o seu amor.

Não se tinha apercebido disso antes. Talvez não tivesse querido fazê-lo. Mas agora, diante do homem que sempre chamara «pai», mesmo depois de descobrir a verdade, deu-se conta da sua solidão.

E ficava revoltado consigo próprio. Revoltado pelo seu comportamento, por aquilo em que se transformava na presença do barão.

De repente, largou-o e recuou, ficando a ver o barão recuperar o fôlego.

A respiração de Gareth também não era estável.

Devia ir-se embora. Precisava de sair dali, de se afastar, de estar em qualquer lugar, menos ali.

– Nunca a terá, meta isso na cabeça – ouviu a voz escarninha do pai.

Gareth dera um passo em direção à porta. Nem se tinha apercebido de que se movera até as palavras do barão o fazerem congelar.

– Miss Bridgerton – esclareceu o pai.

– Eu não quero Miss Bridgerton – disse Gareth com cuidado.

Isso fez o barão soltar uma risada.

– Mas é claro que quer. Ela é tudo o que o menino não é. Tudo o que jamais poderá esperar ser.

Gareth forçou-se a relaxar, ou pelo menos a aparentar que sim.

– Bem, para começar – disse ele, com o sorriso arrogante que sabia provocar ódio no pai – ela é do sexo feminino.

O pai debochou da fraca tentativa de humor.

– Ela nunca se casará consigo.

– Não me lembro de a ter pedido.

– Balelas! Anda a cheirar-lhe as saias há uma semana. Toda a gente comenta.

Gareth sabia que dedicar uma atenção incaracterística a uma jovem donzela tinha erguido algumas sobrancelhas, mas também sabia que os mexericos não eram tão fortes como o pai insinuava.

Ainda assim, causou-lhe uma espécie de satisfação doentia saber que o pai estava tão obcecado por ele e pelas suas ações como o contrário.

– Miss Bridgerton é uma boa amiga da minha avó – disse Gareth com leveza, apreciando o retorcer de lábios do pai à menção de Lady Danbury. Eles sempre se tinham detestado e quando ainda falavam, Lady D recusara-se sempre a deixá-lo levar a melhor. Ela era mulher de um conde e Lord St. Clair um mero barão, e nunca o deixava esquecer-se disso.

– É claro que tinha de ser amiga da condessa – retorquiu o barão, recuperando-se rapidamente. – Deve ser por isso que ela tolera as atenções do menino.

– Isso terá de perguntar a Miss Bridgerton – contrapôs Gareth com ligeireza, tentando não dar importância ao assunto.

Obviamente não ia revelar que Hyacinth estava a traduzir o diário de Isabella. Lord St. Clair provavelmente exigiria que lho entregasse, e isso era uma coisa que Gareth se recusava terminantemente a fazer.

Não apenas porque isso significava ter em seu poder algo que o pai poderia desejar. Gareth queria realmente saber que segredos se escondiam naquelas frágeis páginas manuscritas. Ou talvez não contivessem segredos, apenas o quotidiano monótono de uma nobre casada com um homem que não amava.

Fosse como fosse, ele queria saber o que ela tinha a dizer.

Por essa razão, fechou-se em copas.

– Pode tentar – continuou Lord St. Clair de mansinho –, mas eles nunca o aceitarão. O sangue fala mais alto. Não há nada a fazer.

– O que quer dizer com isso? – perguntou Gareth, o tom cuidadosamente indiferente.

Era sempre difícil perceber se o pai o estava a ameaçar ou apenas a discorrer sobre o seu tema preferido: linhagem e nobreza.

Lord St. Clair cruzou os braços.

– Os Bridgerton – esclareceu. – Eles nunca vão permitir que ela se case consigo, mesmo que ela seja tola o suficiente para se imaginar enamorada de si.

– Ela não...

– É um canhestro! – explodiu o barão. – É estúpido...

As palavras saíram-lhe cuspidas da boca antes que Gareth pudesse impedir:

– Eu *não* sou...

– Comporta-se estupidamente – interrompeu o barão –, e certamente não serve para alguém como uma Bridgerton. Em breve eles vão perceber.

Gareth obrigou-se a controlar a respiração. O barão adorava provocá-lo, retirava prazer em dizer coisas que fariam Gareth barafustar como uma criança.

– De certa forma – continuou Lord St. Clair, um sorriso lento de satisfação a espalhar-se pelo rosto –, é uma questão interessante.

Gareth limitou-se a encará-lo, demasiado irritado para lhe dar a satisfação de perguntar qual o significado daquela afirmação.

– Elucide-me lá, afinal – perguntou o barão com ar pensativo –, quem é o seu pai?

Gareth ficou sem ar. Era a primeira vez que o barão lhe fazia a pergunta diretamente. Já insultara Gareth de muitas maneiras, chamando-o bastardo, rafeiro, cão sarnento. Insultara a mãe de Gareth usando muitos outros nomes, ainda menos lisonjeiros. Mas nunca ponderara a questão da paternidade de Gareth em voz alta.

O que fez Gareth pensar... será que o pai sabia a verdade?

– Deve saber melhor do que eu – respondeu Gareth em tom controlado.

O silêncio que pairava carregou o ar de eletricidade. Gareth suspendeu a respiração e até teria obrigado o coração a parar de bater se pudesse, mas, por fim, Lord St. Clair disse apenas:

– A sua mãe não me chegou a dizer.

Gareth fitou-o, circunspecto. Ainda havia amargura na voz do pai, mas misturava-se com algo mais, uma espécie de tentativa de sondar, de testar. Gareth percebeu que o barão estava a apalpar terreno, a tentar perceber se Gareth tinha alguma informação sobre a sua paternidade.

– Isso está a comê-lo vivo – declarou Gareth, incapaz de conter um sorriso. – Ela desejava outra pessoa mais do que a si e isso está a matá-lo, mesmo depois de tantos anos.

Por um segundo, achou que o barão lhe ia bater, mas no último momento, Lord St. Clair deu um passo atrás, mantendo os braços rígidos ao longo do corpo.

– Eu não amava a sua mãe – declarou ele.

– Nunca pensei que o fizesse – respondeu Gareth.

A questão nunca fora o amor, mas o orgulho. Com o barão, tudo era sempre uma questão de orgulho.

– Eu quero saber – disse Lord St. Clair em voz baixa. – Quero saber quem era, e não me importo de lhe dar a satisfação de admitir esse meu desejo. Eu nunca perdoei os pecados à sua mãe. Mas o menino... – O riso que ele soltou fez a alma de Gareth estremecer.

– O menino *é* o pecado dela – concluiu o barão. – Voltou a rir-se, o som subindo a proporções de provocar calafrios. – E nunca irá saber. Nunca irá saber de quem é o sangue que lhe corre nas veias. Nem nunca irá saber quem não o amou o suficiente para se identificar como seu pai.

Gareth sentiu o coração parar.

O barão sorriu.

– Pense nisso da próxima vez que convidar Miss Bridgerton para dançar. Provavelmente não passa de um filho de um qualquer limpa-chaminés. – Encolheu os ombros, o movimento propositadamente desdenhoso. – Ou de um lacaio, quem sabe? Nós sempre tivemos jovens lacaios muito bem constituídos em Clair Hall.

Gareth quase lhe deu uma bofetada. Vontade não lhe faltava. Até sentia comichão nas mãos e teve de ir buscar forças sabe-se lá onde, mas conseguiu conter-se.

– Não passa de um rafeiro – insultou Lord St. Clair, caminhando para a porta. – Nunca será mais do que isso.

– Sim, mas sou o *seu* rafeiro – revidou Gareth, com um sorriso cruel. – Nascido dentro do casamento, mesmo não sendo por sua descendência. – Deu um passo em frente, até ficarem quase nariz com nariz. – Sou seu.

O barão praguejou e afastou-se, agarrando a maçaneta da porta com dedos trémulos.

– É coisa para o fazer roer-se todo por dentro, não é?

– Não tente ser melhor do que é – sibilou o barão. – É embaraçoso vê-lo tentar.

E antes que Gareth pudesse dizer a última palavra, o barão abandonou de rompante o aposento. Durante vários segundos,

Gareth não se mexeu. Era como se algo no seu corpo reconhecesse a necessidade de silêncio absoluto, como se um simples movimento fosse capaz de o dilacerar.

E então...

Os braços atiraram-se como loucos ao ar, os dedos curvando-se em garras furiosas. Ele cerrou os dentes para não gritar, mas os sons escaparam na mesma, baixos e guturais.

Feridos.

Ele odiava aquilo. Santo Deus, porquê?

Porquê, porquê, porquê?

Porque é que o barão ainda exercia tanto poder sobre ele? Ele não era seu pai. Nunca fora e, dane-se, Gareth devia ficar feliz por isso.

E ficava. Quando estava no seu juízo perfeito, quando conseguia pensar com clareza, ficava.

Mas quando dava de caras com ele, e o barão se punha a sussurrar todos os medos secretos de Gareth, nada disso importava.

Não havia nada além de dor. Nada, exceto o menino interior, a tentar, a tentar, a tentar... e sempre a perguntar-se porque nunca era bom o suficiente.

– Tenho de sair daqui – murmurou Gareth, escancarando a porta e saindo para o corredor. Precisava de sair dali, de fugir, de não estar com pessoas.

Não era boa companhia. Não pelas razões referidas pelo pai, mas ainda assim, era provável que...

– Mr. St. Clair!

Ergueu o olhar.

Hyacinth.

Ela estava no corredor, sozinha. A luz das velas parecia ressaltar-lhe no cabelo, fazendo refulgir os ricos reflexos avermelhados. Estava linda, parecendo, de alguma forma... completa.

A vida dela era plena, percebeu. Podia não ser casada, mas tinha a família.

Sabia quem era. Sabia onde pertencia.

E ele nunca sentira tanto ciúme de outro ser humano como naquele momento.

– Está bem? – perguntou ela.

Gareth não respondeu, mas isso nunca impedira Hyacinth.

– Eu vi o seu pai – disse ela de mansinho. – Ao fundo do corredor. Ele parecia irritado, e então viu-me e desatou a rir.

As unhas de Gareth espetaram-se nas palmas das mãos.

– Que razão tinha ele para se rir? – insistiu Hyacinth. – Eu mal o conheço e...

Ele mantinha o olhar fixo num ponto indistinto para além do ombro dela, mas o seu silêncio fê-lo fitá-la diretamente.

– Mr. St. Clair? – perguntou ela em voz baixa. – Tem a certeza de que está tudo bem? – A sua testa franziu-se de preocupação, uma daquelas reações que não se fingia, e acrescentou, com mais suavidade ainda: – Ele disse alguma coisa que o incomodou?

O pai estava certo sobre uma coisa. Hyacinth Bridgerton era boa pessoa. Podia ser afrontosa, mandona e muitas vezes extremamente irritante, mas por dentro, onde contava, era boa.

Ouviu a voz do pai.

Ela nunca será sua.

Não serve para ela.

Nunca irá...

Rafeiro. Rafeiro. Rafeiro.

Examinou-a com toda a atenção, os olhos percorrendo-lhe o rosto até aos ombros, nus pelo decote sedutor do vestido. Os seios não eram grandes, mas tinham sido empurrados para cima, certamente por alguma engenhoca com o intuito de provocar e seduzir, e ele podia ver a mais leve sugestão do vale entre os seios, a espreitar da seda azul meia-noite.

– Gareth? – sussurrou ela.

Hyacinth nunca o tratara antes pelo nome próprio. Ele dera-lhe autorização, mas ela não o fizera ainda. Tinha a certeza disso.

Queria tocá-la.

Não, queria devorá-la.

Queria usá-la, provar a si mesmo que era tão bom e digno dela como ela era dele, e talvez mostrar ao pai que *sim*, que pertencia à nobreza, que não corrompia cada alma que tocava.

Mas mais do que isso, ele pura e simplesmente desejava-a.

Os olhos dela arregalaram-se quando ele avançou um passo na sua direção, reduzindo para metade a distância entre ambos.

Hyacinth não se afastou. Os seus lábios entreabriram-se e Gareth podia ouvir-lhe o ruído suave da respiração, mas não se mexeu.

Ela pode não ter dito sim, mas também não disse não.

Gareth estendeu a mão, deslizando o braço à volta da cintura dela e, num instante, Hyacinth estava pressionada contra o corpo dele. Ele desejava-a. Deus, como a desejava. Precisava dela, bem mais do que apenas para satisfazer o desejo do corpo.

E precisava dela agora.

Os seus lábios encontraram-se, e ele não foi nada daquilo que um homem deve ser da primeira vez. Não foi meigo nem doce. Não iniciou qualquer jogo sedutor que a provocasse lentamente até ela não conseguir resistir.

Simplesmente a beijou. Com toda a força do seu ser, com cada sopro de desespero que lhe percorria as veias.

A língua separou-lhe os lábios, deslizou para dentro, saboreando-a, procurando-lhe o calor. Ele sentiu as mãos dela abraçarem-no pela nuca, agarrando-se a ele com todo o ímpeto, e o coração dela disparado no peito.

Ela também o desejava. Podia não compreender ainda, podia não saber o que fazer com aquele sentimento, mas desejava-o.

E isso fê-lo sentir-se como um rei.

O coração bateu-lhe mais forte e sentiu a tensão tomar-lhe o corpo. Sem saber como, estavam encostados contra a parede, e ele mal podia respirar quando subiu a mão de mansinho, deslizando-a ao longo das costelas delicadas até alcançar a plenitude suave do seio. Apertou-o com toda a suavidade, para não a assustar, mas com força suficiente para lhe memorizar a forma, a sensação, o peso na sua mão.

Era perfeito, e ele sentiu a reação dela através do vestido.

A vontade dele era beijar aqueles seios, tirar-lhe o vestido do corpo e fazer com ela um sem-fim de coisas pecaminosas.

Sentiu a resistência dela abandonar-lhe o corpo, ouviu-a suspirar contra a sua boca. Ela nunca tinha sido beijada antes; disso tinha a certeza. Mas mostrava-se ardente e excitada. Podia senti-lo na forma como ela pressionava o corpo contra o dele, a maneira como os dedos se agarravam desesperados aos ombros dele.

– Beija-me também – pediu ele num sussurro, mordiscando-lhe os lábios.

– Eu *estou* – foi a resposta abafada dela.

Ele recuou apenas uns parcos centímetros.

– Precisas de uma lição ou duas – disse ele com um sorriso. – Mas não te preocupes, em breve serás sublime.

Ele inclinou-se para a beijar mais uma vez... meu Deus, como era delicioso... mas ela contorceu-se e afastou-se.

– Hyacinth – disse ele com voz rouca, pegando-lhe na mão. Puxou-a para si, para a abraçar novamente, mas ela libertou-se.

Gareth ergueu o sobrolho, esperando que ela dissesse alguma coisa.

Afinal de contas, era Hyacinth. Certamente teria algo a dizer.

Mas ela parecia devastada, dececionada consigo própria.

Foi então que ela fez a única coisa que ele nunca teria imaginado que fizesse.

Fugiu.

CAPÍTULO 8

Na manhã seguinte. A nossa heroína está sentada na cama, encostada às almofadas. O diário italiano está ao seu lado, mas ela não lhe pegou.

Na sua mente, já reviveu o beijo cerca de quarenta e duas vezes.

Na verdade, está a revivê-lo neste exato momento:

Hyacinth teria gostado de pensar que seria o tipo de mulher capaz de beijar alguém com toda a calma e desenvoltura e, em seguida, passar o resto da noite como se nada tivesse acontecido.

Teria gostado de pensar que quando chegasse a hora de tratar um cavalheiro com o desprezo merecido, conseguiria manter uma perfeita compostura, os olhos disparando setas perfeitas de gelo e fosse capaz de simplesmente o ignorar com estilo e elegância.

Na sua imaginação, ela fazia tudo isso e muito mais.

A realidade, no entanto, fora bem diferente.

Porque quando Gareth tinha proferido o nome dela, tentando puxá-la de volta para outro beijo, a única coisa que fora capaz de pensar fazer fora fugir.

Uma atitude que não estava nada de acordo com o seu carácter, pensou pela quadragésima terceira vez desde que os lábios dele tinham tocado os dela.

Não podia ser. Ela não podia deixar o assunto em paz. Ela era Hyacinth Bridgerton.

Hyacinth.

Bridgerton.

Certamente isso tinha de significar alguma coisa. Um beijo não poderia transformá-la numa pateta irracional.

Pensando melhor, não fora o beijo. O beijo não a tinha incomodado. O beijo tinha, de facto, sido bastante agradável. E, para ser honesta, há muito que o esperava.

Seria de pensar que, num mundo como o dela, nos meandros da sociedade em que se movia, ela teria orgulho do seu estatuto de intocável, de nunca ter sido beijada. Afinal, a mera sugestão de impropriedade era o suficiente para dar cabo da reputação de qualquer mulher.

Mas não era possível chegar aos vinte e dois anos, ou à sua quarta temporada social em Londres, sem se sentir um pouco rejeitada por ninguém ter até agora tentado beijá-la.

E a verdade é que ninguém o fizera. Hyacinth não estava a pedir para ser *arrebatada*, pelo amor de Deus, mas nunca ninguém sequer se tinha inclinado para ela ou fixado um olhar intenso nos seus lábios, como se estivesse a pensar fazê-lo.

Não até à noite anterior. Não até Gareth St. Clair.

O primeiro instinto dela fora saltar de surpresa. Apesar dos modos dissolutos de Gareth, ele nunca demonstrara interesse em estender a sua reputação de libertino a alguém como ela. Francamente, o homem tinha uma cantora de ópera escondida em Bloomsbury, para que raio precisaria *dela*?

Mas então...

Deus do céu, ela ainda nem sabia como tudo tinha acontecido. Num segundo estava a perguntar-lhe se ele estava indisposto (a verdade é que ele estava com um ar muito estranho, e era óbvio que tinha tido algum tipo de altercação com o pai, apesar dos esforços que ela envidara para separar os dois) e no seguinte, ele fitava-a com uma intensidade que a fizera estremecer. Ele parecia possuído, consumido.

E parecia querer consumi-la a *ela*.

Contudo, Hyacinth não conseguia afastar a sensação de que ele não tivera a intenção de a beijar. Que talvez qualquer outra mulher que o encontrasse no corredor tivesse servido o mesmo propósito.

Especialmente depois de ele lhe ter dito, a rir, que ela precisava de melhorar.

Não acreditava que ele tivesse sido cruel de propósito, mas, ainda assim, as palavras tinham-na magoado.

– Beija-me também – disse baixinho, numa imitação queixinhas da dele. – Beija-me também.

Deixou-se cair para trás nas almofadas. «Eu *estou*». Meu Deus, que imagem de si teria ela dado se um homem não era capaz de perceber quando ela estava a tentar retribuir um beijo?

Mesmo que ela não tivesse feito um bom trabalho (e Hyacinth não estava pronta para admitir *isso*), um beijo parecia-lhe o tipo de coisa que devia sair naturalmente, e certamente o tipo de coisa que lhe devia ter saído naturalmente a *ela*. Mas também, o que diabo deveria ter feito? Espetar a língua como uma espada? Ela pousara as mãos nos ombros dele. Não mostrara qualquer resistência nos braços dele. O que mais deveria ter feito para indicar que estava a gostar?

Parecia-lhe um enigma miseravelmente injusto. Os homens queriam as suas mulheres castas e imaculadas, e depois troçavam da sua falta de experiência.

Ora bolas, era extremamente... extremamente...

Hyacinth mordeu o lábio, horrorizada por se sentir tão perto das lágrimas.

O problema disto tudo era que sempre pensara que o seu primeiro beijo seria mágico. E *pensara* que o cavalheiro em questão sairia do encontro se não impressionado, pelo menos satisfeito com o desempenho dela.

Mas Gareth St. Clair evidenciara o seu carácter trocista habitual e Hyacinth odiava ter permitido que ele a tivesse feito sentir-se pequenina.

– Foi só um beijo – sussurrou, as palavras flutuando no quarto vazio. – Só um beijo. Não significa nada.

Todavia, mesmo tentando com todas as forças esconder a verdade de si mesma, ela sabia que tinha sido mais do que um beijo.

Muito, muito mais.

Pelo menos para ela. Fechou os olhos em agonia. Santo Deus, enquanto ali estava deitada na cama a remoer o assunto sem parar, ele provavelmente dormia como um anjo. O homem tinha beijado...

Ora, ela não ia pôr-se a especular sobre quantas mulheres ele já teria beijado, mas com toda a certeza as suficientes para a fazer parecer a mulher mais inexperiente de Londres.

Como ia ela enfrentá-lo de novo? Porque isso era certo, ia ter de voltar a vê-lo. Afinal de contas, estava a traduzir o diário da avó dele. Se tentasse evitá-lo, ia parecer óbvio de mais.

E a última coisa que queria era deixá-lo perceber o quanto ele a tinha perturbado. Havia muitas outras coisas na vida de que uma mulher precisava bem mais do que do orgulho, mas Hyacinth chegou à conclusão de que, enquanto a dignidade fosse uma opção, agarrar-se-ia a ela com unhas e dentes.

E entretanto...

Pegou no diário da avó dele. Passara o dia inteiro sem olhar para ele. Ainda só ia nas vinte e duas páginas; havia pelo menos mais uma centena para traduzir.

Olhou para o livro, pousado fechado no colo. Imaginou que poderia devolvê-lo. Na verdade, provavelmente *devia* devolvê-lo. Seria uma boa lição se o obrigasse a encontrar outro tradutor depois do comportamento dele na noite anterior.

Mas ela estava a gostar do diário. A vida não lançava muitos desafios na direção de donzelas nobres. Para ser honesta, seria bom poder dizer que tinha traduzido um livro inteiro do italiano. E provavelmente seria realmente bom fazê-lo.

Hyacinth tocou no pequeno marcador que usara para saber onde ia e abriu o livro. Isabella tinha acabado de chegar a Inglaterra a meio da temporada social. Após apenas uma semana no campo, o novo marido tinha-a arrastado para Londres, onde era esperado que ela, sem sequer saber falar um inglês fluente, socializasse e recebesse os membros da alta sociedade em sua casa como convinha à sua posição social.

Para piorar a situação, a mãe de Lord St. Clair residia em Clair House e não viu com bons olhos ter de renunciar à sua posição de dona da casa.

Hyacinth franziu a testa enquanto lia, parando esporadicamente para procurar o significado de uma palavra desconhecida. A baronesa viúva interferia com os criados, revogando as ordens de Isabella e fazendo a vida impossível àqueles que aceitavam a nova baronesa como a mulher detentora do poder.

Certamente não fazia o casamento parecer nada atrativo. Hyacinth anotou mentalmente procurar casar-se com um homem sem mãe.

– Queixo erguido, Isabella – murmurou ela, estremecendo enquanto lia a mais recente altercação: algo sobre a adição de mexilhões ao menu, apesar do facto de os bivalves provocarem erupções na pele a Isabella.

– Precisa de deixar claro quem manda – disse Hyacinth ao livro. – A Isabella...

Franziu o sobrolho, ao descer os olhos para a entrada mais recente. Não fazia sentido. Porque falava Isabella sobre o seu *bambino*?

Hyacinth leu as palavras três vezes antes de pensar em olhar para o cimo da página e ler a data. *24 Ottobre, 1766.*

1766? Espera aí...

Recuou uma página.

1764.

Isabella tinha saltado dois anos. Porque faria ela tal coisa?

Hyacinth folheou rapidamente as vinte e tal páginas seguintes. *1766... 1769... 1769... 1770... 1774...*

– Não é uma diarista muito dedicada – murmurou Hyacinth. Não era de espantar que Isabella tivesse conseguido enfiar décadas num pequeno volume; era frequente passarem-se anos entre uma entrada e outra.

Hyacinth voltou à passagem sobre o *bambino*, continuando a laboriosa tradução. Isabella estava de volta a Londres, desta vez sem o marido, algo que não parecia incomodá-la muito. Também parecia ter adquirido um pouco mais de autoconfiança, embora isso pudesse ter sido apenas o resultado da morte da viúva, que Hyacinth supôs ter ocorrido no ano anterior.

Encontrei o sítio perfeito, traduziu Hyacinth, anotando as palavras no papel. *Ele nunca irá...* Ela franziu a testa. Não compreendia o resto da frase, por isso escreveu alguns traços no papel para indicar uma frase não traduzida e avançou. *Ele não me acha suficientemente inteligente*, leu ela. *Por isso não vai suspeitar...*

– Oh, meu Deus! – exclamou Hyacinth, sentando-se muito direita. Virou a página do diário, lendo o mais depressa que conseguia, esquecendo por completo as tentativas de uma tradução escrita.

– Isabella, sua raposa matreira! – disse ela com admiração.

Cerca de uma hora mais tarde, um instante antes de Gareth bater à porta de Hyacinth.

Gareth respirou fundo, tentando reunir a coragem necessária para agarrar na pesada aldraba de bronze que repousava na porta de entrada do Número Cinco de Bruton Street, a elegante casa que a mãe de Hyacinth tinha comprado depois de o filho mais velho se ter casado e assumido residência em Bridgerton House.

Em seguida, tentou não se condenar por considerar logo à partida que precisava de coragem. E não era propriamente de coragem que precisava. Pelo amor de Deus, ele não estava com *medo*. Era mais... não, também não era exatamente pavor. Era...

Soltou um resmungo. Na vida de cada pessoa, há momentos em que ela daria tudo para os adiar eternamente. E se isso significava que ele era menos homem por não querer *de todo* lidar com Hyacinth Bridgerton... bem, estava perfeitamente disposto a considerar-se uma criança tola.

Para ser sincero, não conhecia ninguém que tivesse vontade de lidar com Hyacinth Bridgerton num momento como aquele.

Revirou os olhos, impaciente consigo mesmo. Não devia ser assim tão difícil. Não devia sentir-se tão tenso. Que inferno, não era a primeira vez que beijava uma mulher e tinha de a encarar no dia seguinte.

Exceto...

Exceto o facto de nunca ter beijado uma mulher como Hyacinth, uma mulher que: a) nunca tinha sido beijada; b) tinha todos os motivos para esperar que um beijo pudesse significar algo mais.

Sem mencionar c) que era de Hyacinth que se tratava.

Não era possível descartar a magnitude desse facto. Se havia uma coisa que tinha aprendido na última semana era que Hyacinth era completamente diferente de qualquer outra mulher que já conhecera.

Ficara sentado em casa toda a manhã, à espera do pacote que certamente iria chegar, entregue por um lacaio de libré, devolvendo o diário da sua avó. Hyacinth não quereria mais traduzi-lo, não depois de ele a ter insultado de forma tão atroz na noite anterior.

Não que tivesse intenção de a insultar, pensou ele, um pouco na defensiva. Na verdade, não tivera intenção fosse do que fosse. E certamente não tivera intenção de a beijar. O pensamento nem sequer lhe ocorrera, e estava até convencido de que *nunca* lhe teria ocorrido não fosse o caso de estar tão confuso; e de repente ela estava ali, no corredor, quase como se convocada por magia.

Logo depois de o pai o ter atormentado a respeito dela.

O que mais se poderia esperar que ele fizesse?

Não tinha significado nada. Fora agradável... mais agradável do que teria imaginado, mas não quisera dizer nada.

Contudo, as mulheres tendiam a ver tais atitudes pela negativa, e a expressão dela quando se afastara não fora nada convidativa.

Na realidade, ela parecia horrorizada.

O que o fizera sentir-se um idiota. Ele nunca antes repugnara uma mulher com um beijo.

E tudo tinha sido ampliado mais tarde naquela noite, quando ouvira alguém fazer-lhe uma pergunta sobre ele, e ela ter ignorado com uma risada, dizendo que não poderia ter-se recusado a dançar com ele, por ser muito amiga da avó dele.

O que era verdade, e certamente reconhecia a tentativa de salvar as aparências, mesmo ela não sabendo que ele podia ouvir, mas, mesmo assim, sentira-o como um eco das palavras do pai.

Soltou um suspiro. Não podia adiar mais. Levantou a mão, com a intenção de agarrar a aldraba e...

Quase perdeu o equilíbrio quando a porta se abriu.

– Pelo amor de Deus – disse Hyacinth, fitando-o com expressão impaciente –, alguma vez ias decidir-te a bater?

– Estavas a ver-me?

– É claro que estava. O meu quarto é mesmo aqui por cima. Consigo ver toda a gente.

Porque é que isso não o surpreendia?

– Além de que te mandei um bilhete – acrescentou ela, pondo-se de lado e fazendo-lhe sinal para que entrasse. – Não obstante o recente comportamento – continuou – pareces ter educação suficiente para não recusar um pedido direto por escrito de uma senhora.

– Hum... sim – respondeu ele.

Era tudo o que conseguia pensar, diante daquele turbilhão de energia e atividade.

Porque não estava ela zangada com ele? Não era *suposto* estar com raiva dele?

– Precisamos de conversar – anunciou Hyacinth.

– Com efeito – murmurou ele. – Devo começar por pedir desculpa...

– Não estou a falar disso – cortou ela com indiferença –, embora... – Ela olhou para cima, a expressão entre o pensativo e o irritado. – Sim, *deves* pedir desculpa, pois.

– Sim, claro, eu...

– Mas não foi por isso que te chamei – voltou ela a cortar.

Se não fosse tão mal-educado, ele teria cruzado os braços.

– Afinal queres que eu peça desculpa ou não?

Hyacinth olhou para um lado e para o outro do átrio, colocando um dedo sobre os lábios com um suave «Chiu!»

– Será que fui subitamente transportado para o *Miss Butterworth e o Barão Louco*? – interrogou-se Gareth em voz alta.

Hyacinth lançou-lhe um ar carrancudo, uma expressão que ele começava a perceber ser genuinamente dela. Era uma carranca, sim, mas com um toque... não, com três toques... de impaciência. Era o olhar de uma mulher que passava a vida à espera que as outras pessoas conseguissem acompanhá-la.

– Aqui – disse ela, apontando para uma porta aberta.

– Como queira, minha senhora – murmurou. Longe dele reclamar por não ter de se desculpar.

Seguiu-a, verificando ser uma sala de estar, decorada com bom gosto em tons de rosa e creme. Era muito delicada e feminina, e Gareth considerou brevemente a hipótese de ter sido projetada com o único propósito de fazer os homens sentirem-se excessivamente volumosos e pouco à vontade.

Hyacinth fez-lhe um gesto para que fosse até à área de estar, e ele obedeceu, olhando-a com curiosidade e vendo-a manobrar a porta com todo o cuidado até ficar quase encostada. Gareth olhou divertido para a abertura de menos de quatro centímetros. Engraçado como uma frincha tão estreita podia significar a diferença entre o decoro e o desastre.

– Eu não quero ser ouvida – explicou Hyacinth.

Gareth limitou-se a erguer as sobrancelhas interrogativamente, esperando que ela se sentasse no sofá. Quando ficou convencido de que ela não ia voltar a levantar-se de um salto e espreitar por detrás das cortinas em busca de um intruso, ele sentou-se numa cadeira estilo Hepplewhite diagonalmente oposta ao sofá.

– Preciso de te falar sobre o diário – começou ela, os olhos brilhantes de entusiasmo.

Ele pestanejou de surpresa.

– Isso quer dizer que não mo vais devolver?

– Claro que não. Não pensas que eu...

Interrompeu-se, e ele notou que os dedos dela torciam espirais no tecido verde-claro da saia. Por alguma razão, o gesto agradou-lhe. Ficava bastante aliviado por ela não estar furiosa com ele por a ter beijado; como qualquer homem, ele não mediria esforços para evitar qualquer tipo de histerismo feminino. Mas, ao mesmo tempo, também não queria que ela ficasse completamente impassível.

Santo Deus, tinha a certeza de que beijava melhor do que *isso*.

– Eu *devia* devolver o diário – declarou ela, voltando a soar mais normal. – Na verdade, eu devia obrigar-te a encontrar alguém que o traduzisse. Era o que merecias.

– Absolutamente – desafiou ele.

Ela atirou-lhe um olhar que dizia não ter gostado nada daquela concordância superficial.

– *No entanto* – salientou ela, marcando a palavra como só ela sabia fazer.

Gareth inclinou-se para frente. Parecia-lhe ser o esperado.

– No entanto – repetiu –, eu estou a gostar de ler o diário da tua avó, e não vejo razão para me privar de um desafio tão aprazível apenas porque te comportaste de forma imprudente.

Gareth manteve-se em silêncio, já que a sua última tentativa de assentimento tinha sido tão mal recebida. Contudo, logo se tornou visível que desta vez era esperado um comentário, e rapidamente encaixou um: – Claro que não.

Hyacinth assentiu em aprovação e acrescentou:

– Além do mais – e aqui ela inclinou-se para frente, os lindos olhos azuis brilhando de entusiasmo –, *agora começou a ficar interessante.*

O estômago de Gareth contraiu-se. Teria Hyacinth descoberto o segredo do seu nascimento? Ainda não lhe tinha ocorrido que Isabella pudesse conhecer a verdade; afinal de contas, ela tinha pouco contacto com o filho e raramente o visitava.

Mas se sabia, podia muito bem ter escrito sobre isso.

– O que queres dizer? – perguntou ele, cauteloso.

Hyacinth pegou no diário, que estava pousado numa mesinha de apoio ao lado do sofá.

– A tua avó tinha um segredo – anunciou ela, todo o seu porte a irradiar emoção. Abriu o livro, na página que tinha um pequeno e elegante marcador, e estendeu-lho, apontando com o dedo indicador para uma frase a meio da página e dizendo: – *Diamanti. Diamanti.* – Ela ergueu o olhar para ele, incapaz de conter um sorriso de júbilo. – Sabes o que significa?

Ele sacudiu a cabeça.

– Infelizmente, não.

– Diamantes, Gareth. Quer dizer, diamantes.

Ele viu-se a olhar para a página, mesmo não sendo capaz de entender as palavras.

– Perdão?

– A tua avó tinha joias, Gareth. E nunca contou ao teu avô sobre elas.

Ele ficou boquiaberto.

– O que estás a querer dizer?

– A avó *dela* fez-lhe uma visita logo após o nascimento do teu pai. E trouxe com ela um conjunto de joias. Anéis, eu acho. E uma pulseira. E a Isabella nunca disse a ninguém.

– O que fez ela com as joias?

– Escondeu-as. – Hyacinth estava agora praticamente aos pulinhos no sofá. – Ela escondeu-as em Clair House, aqui em Londres. Ela escreveu no diário que o teu avô não gostava muito de Londres, portanto havia menos probabilidade de ele as descobrir aqui.

Finalmente, algum do entusiasmo de Hyacinth começou a infiltrar-se nele. Não muito, ele não ia permitir-se ficar demasiado animado com o que provavelmente viria a ser uma busca infrutífera. Mas o fervor dela era contagiante, e quando se deu conta estava inclinado para a frente e o coração batia-lhe um pouco mais acelerado.

– O que estás a dizer? – perguntou.

– Estou a dizer – respondeu ela, como se repetisse mais uma vez algo que já tinha dito pelo menos cinco vezes, de todas as formas possíveis e imaginárias –, que essas joias, provavelmente, ainda lá estão. Oh! – Ela parou de repente, os olhos encontrando os dele com uma rapidez quase desconcertante. – A menos que já saibas delas. Será que o teu pai já as tem na sua posse?

– Não – ponderou Gareth. – Não me parece. Pelo menos, não que eu tenha sido informado.

– Compreendes? Nós podemos...

– Mas também eu raramente sou informado seja do que for – interrompeu ele. – O meu pai nunca me considerou o seu confidente mais próximo.

Por um momento, os olhos dela assumiram uma expressão solidária, mas que foi rapidamente esmagada por um zelo quase pirático.

– Então, elas ainda lá estão – disse ela, animada. – Ou, pelo menos, há uma grande probabilidade disso. Temos de ir buscá-las.

– O que... *nós*?

Oh, não!

Mas Hyacinth estava demasiado perdida no próprio entusiasmo para reparar na ênfase que ele dera ao pronome pessoal.

– Pensa, Gareth – continuou ela, sendo óbvio que agora se sentia perfeitamente confortável em abandonar todo o formalismo de tratamento –, isto pode ser a resposta para todos os teus problemas financeiros.

Ele recuou.

– O que te faz pensar que eu tenho problemas financeiros?

– Oh, por favor! – debochou ela. – Toda gente sabe que tens problemas financeiros. Ou se não tens, vais ter. O teu pai tem dívidas que se estendem daqui a Nottinghamshire e vice-versa. – Parou, possivelmente para respirar, e então concluiu: – Clair Hall fica em Nottinghamshire, não é?

– Sim, claro, mas...

– Certo. Bem. Tu vais herdar as dívidas, tens noção disso?

– Sim, estou bem ciente.

– Então, que melhor maneira de garantires a solvência do que protegeres as joias da tua avó antes que Lord St. Clair as encontre? Porque ambos sabemos que ele irá vendê-las e desbaratar o lucro.

– Pareces saber muito sobre o meu pai – disse Gareth numa voz pausada.

– Que disparate! – protestou ela com impertinência. – Eu não sei nada sobre ele, exceto que te detesta.

Gareth abriu um sorriso, o que o surpreendeu. Não era um tema que habitualmente considerasse humorístico. Mas a verdade é que ninguém jamais ousara abordá-lo com tanta franqueza.

– Não posso falar por ti – continuou Hyacinth com um encolher de ombros –, mas se *eu* detestasse alguém, podes ter certeza que envidaria todos os esforços para me certificar de que ele não ficaria com um verdadeiro tesouro em joias.

– Uma atitude muito cristã da tua parte – satirizou Gareth baixinho.

Ela ergueu uma sobrancelha.

– Eu nunca disse que era um modelo de bondade e compreensão.

– Não – concordou Gareth, sentindo os lábios contorcerem-se de riso. – Nisso tens toda a razão.

Hyacinth juntou as mãos e, em seguida, pousou-as no colo, fitando-o em expectativa.

– Bem, então, quando é que lá vamos? – perguntou ela, quando ficou claro que ele não iria acrescentar nenhum comentário.

– Vamos? – repetiu ele.

– Procurar os diamantes – explicou ela, impaciente. – Não ouviste nada do que eu disse?

Gareth teve subitamente uma visão aterradora do que se deveria passar dentro da mente dela. Santo Deus, o mais certo era estar vestida de preto e provavelmente com roupas masculinas. Talvez até insistisse em descer pela janela do quarto usando como corda uma sequência de lençóis amarrados.

– *Nós* não vamos a lugar nenhum – asseverou ele com firmeza.

– Mas é claro que vamos – protestou ela. – Tu tens de encontrar aquelas joias. Não podes deixar o teu pai ficar com elas.

– *Eu* vou.

– Não vais deixar-*me* para trás.

Era uma afirmação, não uma pergunta. Não que Gareth esperasse o contrário.

– *Se* eu tentar invadir Clair House – disse Gareth –, e é um grande *se,* terei de o fazer na calada da noite.

– Ora, isso é óbvio!

Meu Deus, será que a mulher *nunca* parava de falar? Fez uma pausa, para se certificar de que ela tinha terminado. Por fim, com uma grande demonstração de paciência exagerada, ele terminou:

– Eu não vou arrastar-te pela cidade à meia-noite. Mesmo esquecendo por um momento o perigo, que é, garanto, já de si suficiente. Se fôssemos apanhados, eu seria obrigado a casar contigo, e imagino que o teu desejo de tal resultado se enquadre perfeitamente no meu.

Foi um discurso exagerado e o tom bastante pomposo e formal, mas teve o efeito desejado, forçando-a a fechar a boca tempo suficiente para deslindar a complicada estrutura das frases.

Mas então ela abriu-a novamente, e disse:

– Bem, não terás de me arrastar.

Gareth sentiu a cabeça prestes a explodir.

– Meu Deus, mulher, não ouviste nada do que eu disse?!

– É claro que ouvi. Eu tenho quatro irmãos mais velhos. Sei muito bem reconhecer um homem arrogante e ditatorial, quando o vejo.

– Oh, pelo amor de...

– O senhor, Mr. St. Clair, não está a pensar com lucidez. – Hyacinth inclinou-se para a frente, erguendo uma das sobrancelhas de uma maneira quase desconcertante de tão confiante. – Tu precisas de mim.

– Tanto como de um abcesso purulento – resmungou ele.

– Vou fingir que não ouvi isso – disse Hyacinth, entre dentes. – Caso contrário, posso vir a encontrar-me pouco inclinada a ajudar-te nessa aventura. E se eu não te ajudar, tu...

– Há alguma *conclusão* a que pretendas chegar?

Ela olhou-o friamente.

– Não és a pessoa sensata que imaginei.

– Por incrível que pareça, tu és *exatamente* tão sensata como eu imaginei.

– Vou fingir que também não ouvi *isso* – disse ela, sacudindo o dedo indicador na direção dele de um modo muito pouco civilizado. – Pareces esquecer-te de que, de nós dois, eu sou a única que lê italiano. E não vejo como possas encontrar as joias sem a minha ajuda.

Os lábios dele entreabriram-se e quando falou foi numa voz baixa e imperturbável, quase assustadora.

– Eras capaz de me sonegar a informação?

– Claro que não – respondeu Hyacinth, sem coragem para lhe mentir, mesmo que ele merecesse. – Tenho *alguma* honra. Estava apenas a tentar explicar que vais precisar de mim *lá*, na casa. O meu conhecimento da língua não é perfeito. Há algumas palavras que podem dar azo a várias interpretações, e posso precisar de realmente ver o aposento antes de conseguir dizer sobre o que exatamente ela estava a falar.

Os olhos dele estreitaram-se.

– É verdade, eu juro! – Ela pegou rapidamente no livro, virando uma página, depois outra e voltando à original. – É aqui, vês? *Armadio*. Pode significar armário. Ou pode significar guarda-vestidos. Ou... – Parou, engolindo em seco. Detestava ter de admitir que não tinha a certeza do que estava a falar, mesmo que essa falha fosse a única coisa capaz de lhe garantir um lugar ao lado de Gareth quando decidisse ir em busca das joias. – Se queres saber – terminou ela, incapaz de esconder a irritação na voz –, eu não tenho a certeza absoluta do que significa. Absoluta, quero dizer – acrescentou, pois a verdade era que já *tinha* uma boa ideia. E simplesmente não fazia parte do seu feitio admitir falhas que não tinha.

Santo Deus, já lhe era bastante difícil assumir que tinha falhas.

– Porque não procurar no teu dicionário de italiano?

– Não aparece – mentiu ela.

Não era assim uma mentira *tão* flagrante. O dicionário listava várias traduções possíveis, o suficiente para que Hyacinth pudesse reivindicar com veracidade uma compreensão imprecisa.

Aguardou que ele falasse, talvez não tanto quanto deveria, mas pareceu-lhe uma eternidade. E ela *simplesmente* não conseguia ficar calada.

– Se quiseres, posso escrever à minha antiga precetora e pedir uma definição mais exata, embora ela não seja muito confiável na correspondência...

– Querendo isso dizer?

– Querendo dizer que não lhe escrevo há três anos – admitiu Hyacinth –, embora tenha a certeza de que ela me ajudaria. O problema é que não faço ideia se ela está ou não muito ocupada ou quando é que terá tempo para me responder... da última vez que soube dela, tinha acabado de dar à luz gémeos...

– Porque é que isso não me surpreende?

– É verdade, e só Deus sabe quanto tempo vai levar a responder. Os gémeos dão imenso trabalho, ou assim ouvi dizer, e... – A voz perdeu um pouco de volume, quando se tornou evidente que ele não a estava a ouvir. Ela lançou um olhar rápido ao rosto dele e decidiu terminar na mesma, principalmente porque já tinha pensado nas palavras e não havia muito sentido em *não* as dizer. – Bem, não me parece ela tenha meios suficientes para manter uma ama – concluiu ela, a voz já sumida no fim da frase.

Gareth manteve-se em silêncio durante o que lhe pareceu uma eternidade, antes de finalmente dizer:

– Se o que dizes está correto e as joias ainda estão escondidas, o que não sabemos, já que ela as escondeu – a expressão ficou momentaneamente absorta enquanto fazia as contas – há mais de sessenta anos, então não deve haver problema em que elas lá permaneçam até que possamos obter uma tradução exata da tua precetora.

– Consegues esperar? – perguntou Hyacinth, movendo a cabeça para a frente e para baixo em descrença. – És realmente capaz de *esperar*?

– Porque não?

– Porque elas estão *lá*! Porque... – Parou, incapaz de fazer outra coisa senão olhá-lo como se ele fosse louco.

Ela sabia que as mentes das pessoas não funcionavam da mesma maneira. Há muito que tinha aprendido que quase ninguém tinha uma mente a funcionar como a dela. Mas não era sequer capaz de conceber que *alguém* conseguisse esperar quando confrontado com uma situação como *aquela*.

Meu Deus, se dependesse dela, escalariam o muro de Clair House naquela mesma noite.

– Pensa numa coisa – disse Hyacinth, inclinando-se para a frente –, se ele encontrar as joias entre agora e o momento em que finalmente arranjares tempo para as ir procurar, nunca te irás perdoar.

Ele não reagiu, mas ela percebeu que finalmente o tinha afetado.

– Já para não falar – continuou –, que *eu* nunca te perdoarei se isso acontecer.

Ela lançou-lhe um olhar de esguelha. Gareth parecia indiferente àquele argumento específico.

Hyacinth esperou em silêncio que ele refletisse sobre o que fazer. O silêncio era horrível. Enquanto falara sobre o diário, tinha sido capaz de esquecer o facto de que ele a beijara, de que ela gostara e de que, aparentemente, ele não. Tinha partido do princípio de que o próximo encontro de ambos seria estranho e constrangedor, mas tendo um objetivo e uma missão, ela sentira o seu eu habitual restaurado, e mesmo que ele não a levasse na aventura de encontrar os diamantes, supôs que devia ficar agradecida a Isabella por isso.

Mas, ainda assim, desconfiava que morreria se ele a deixasse para trás. Ou isso, ou matá-lo-ia.

Hyacinth apertou as mãos uma na outra e escondeu-as nas pregas da saia. Era um gesto nervoso, e a mera consciência de que o fazia deixava-a ainda mais nervosa. Odiava sentir-se nervosa, odiava que ele a pusesse nervosa, odiava ter de ficar ali sentada sem dizer uma palavra enquanto ele ponderava as opções que ela aventara. Mas ao contrário do que muitos poderiam pensar, ela ocasionalmente sabia quando manter a boca fechada, e era óbvio que de uma forma ou de outra não havia mais nada que pudesse dizer para o convencer. Exceto, talvez...

Não, nem ela era louca o suficiente para ameaçar ir sozinha.

– O que ias dizer? – perguntou Gareth.

– Desculpa?

Ele inclinou-se para a frente, os olhos azuis perscrutadores e inabaláveis.

– O que ias dizer?

– O que te faz pensar que eu ia dizer alguma coisa?

– Vi no teu rosto.

Ela inclinou a cabeça para o lado.

– Conheces-me assim tão bem?

– Por mais assustador que possa parecer, aparentemente, sim.

Ela observou-o recostar-se na cadeira. Fazia-a lembrar os irmãos, a remexerem-se, inquietos, na cadeira demasiado pequena; eles estavam sempre a reclamar que a sala de estar da mãe fora decorada para mulheres minúsculas. Mas a semelhança terminava aí. Nenhum dos irmãos alguma vez tivera a ousadia de usar o cabelo comprido e amarrado de forma tão dissoluta, nem nenhum jamais olhara para ela com tal intensidade nos olhos azuis que a fizesse esquecer o próprio nome.

Ele parecia perscrutar-lhe rosto como se procurasse algo. Ou talvez só estivesse a tentar vencê-la pelo olhar, esperando que ela cedesse à pressão.

Hyacinth mordiscou o lábio inferior; não era forte o suficiente para manter a imagem de perfeita compostura. Mas conseguiu manter as costas direitas e o queixo erguido, e talvez mais importante, a boca fechada enquanto ele ponderava as opções.

Um minuto inteiro se passou. Muito bem, talvez não mais do que dez segundos, mas parecia um minuto. Então, finalmente, porque não aguentava mais, ela disse (mas muito baixinho):

– Tu precisas de mim.

O olhar dele concentrou-se no tapete um momento antes de voltar para o rosto dela.

– Se eu te levar...

– Oh, obrigada! – exclamou ela, mal resistindo ao impulso de se levantar de um pulo.

– Eu disse *se* eu te levar – reiterou ele, o tom invulgarmente severo.

Hyacinth calou-se imediatamente, olhando-o com uma expressão adequadamente obediente.

– Se eu te levar – repetiu ele, perfurando-a com o olhar –, é na condição de obedeceres às minhas ordens.

– Sem dúvida.

– Faremos como eu achar melhor.

Ela hesitou.

– *Hyacinth.*

– Claro – concordou ela rapidamente, com a sensação de que se não o fizesse, ele voltaria atrás na sua palavra. – Mas se eu tiver uma boa ideia...

– Hyacinth.

– Apenas no que se refere ao facto de eu entender italiano e tu não – acrescentou ela muito depressa.

O olhar que ele lhe dirigiu era de igual modo exausto e austero.

– Não tens de fazer o que eu pedir – disse ela finalmente –, apenas ouvir-me.

– Muito bem – concordou ele com um suspiro. – Vamos na próxima segunda-feira à noite.

Os olhos de Hyacinth arregalaram-se de surpresa. Depois de todo o espalhafato que ele fizera, ela não esperava que ele quisesse ir tão cedo. Mas não era ela que ia reclamar.

– Segunda-feira à noite – concordou.

Mal podia esperar.

CAPÍTULO 9

Segunda-feira à noite. O nosso herói, que passou boa parte da vida ao deus-dará, descobre a sensação bastante bizarra de ser o elemento mais sensato de um duo.

Havia uma série de razões pelas quais devia questionar a sua sanidade, concluiu Gareth enquanto se dirigia sorrateiramente para as traseiras da casa de Hyacinth.

Primeira: passava da meia-noite.

Segunda: estariam os dois sozinhos.

Terceira: iam a casa do barão para:

Quarta: cometer um furto.

No segmento de más ideias, esta última ganhava o primeiro prémio.

Mas não, de alguma maneira, ela tinha conseguido dar-lhe a volta e agora, ali estava ele, contra todas as regras da prudência, pronto a tirar uma donzela respeitável de casa e a levá-la pela calada da noite, muito possivelmente, em direção ao perigo.

Já para não falar que se alguém ficasse a saber da aventura, os Bridgerton arrastá-lo-iam até um sacerdote antes que ele pudesse abrir a boca e ficariam agrilhoados um ao outro para o resto da vida.

Estremeceu. O pensamento de Hyacinth Bridgerton como sua companheira de toda a vida... parou um momento, piscando de surpresa. Bem, na verdade não era horrível, mas, ao mesmo tempo, deixava um homem a sentir-se muito, muito apreensivo.

Sabia que ela achava que o tinha convencido a fazer aquilo, e talvez tivesse contribuído em algum grau na sua decisão, mas a verdade era que um homem na posição financeira de Gareth não podia dar-se ao luxo de virar as costas quando confrontado com uma oportunidade daquelas. Ficara um pouco alarmado com a avaliação franca de Hyacinth sobre a sua situação financeira. Mesmo esquecendo que tais questões não eram consideradas conversa cortês (em todo o caso, ele não esperaria que ela seguisse as regras normais de decoro), ele não fazia ideia que a situação dele era do conhecimento geral.

E isso era desconcertante.

Mas o que era ainda mais irresistível, o que realmente o incitava a procurar as joias agora, em vez de esperar até que Hyacinth obtivesse uma tradução mais fiel do diário, era o pensamento delicioso de poder vir a deitar a mão aos diamantes mesmo debaixo do nariz do pai.

Era difícil deixar passar uma oportunidade como *aquela*.

Gareth esgueirou-se ao longo das traseiras da casa de Hyacinth até à entrada de serviço, localizada em frente às cavalariças. Tinham acordado que se encontrariam ali, à meia-noite e meia em ponto, e ele não tinha qualquer dúvida de que ela estaria pronta à espera dele, vestida de preto, tal como ele a havia instruído.

Confirmou-se; lá estava ela, a espreitar pela porta dos fundos ligeiramente entreaberta.

– Chegaste na hora certa – disse ela, deslizando para fora.

Ele olhou-a, incrédulo. Ela tinha levado as recomendações dele ao pé da letra e estava vestida de preto retinto da cabeça aos pés. Só que nenhuma saia lhe adornava as pernas. Em vez disso, usava calças e um colete.

Sabia que ela faria algo assim. Sabia, mas, ainda assim não conseguiu conter a surpresa.

– Pareceu-me mais sensato do que um vestido – explicou Hyacinth, interpretando corretamente o silêncio dele. – Além de que não tenho nada totalmente preto. Graças a Deus, nunca estive de luto.

Gareth não conseguia tirar os olhos dela. Começava a perceber que havia uma razão para as mulheres não usarem calças. Ele não sabia onde ela adquirira o traje, talvez tivesse pertencido a um dos irmãos quando eram mais jovens, mas cingia-lhe o corpo da forma mais escandalosa possível, delineando-lhe as curvas de uma maneira que Gareth preferiria não ter visto.

Não queria saber que Hyacinth Bridgerton tinha uma figura tão deleitante. Não queria saber que as pernas eram muito esguias para uma mulher *petite* como ela ou que as ancas delicadamente arredondadas balançavam de forma tão hipnotizante quando não estavam escondidas debaixo das sedas de uma saia.

Já era mau o suficiente tê-la beijado. Não precisava daquela vontade de o fazer novamente.

– Não acredito que estou a fazer uma coisa destas – murmurou ele, abanando a cabeça.

Meu Deus, soava como um daqueles seus amigos todos sérios e engomadinhos, a quem arrastara para a malandrice quando era mais jovem.

Começava a pensar que se calhar eles é que tinham razão.

Hyacinth fitou-o com olhos acusadores.

– Agora não podes voltar atrás.

– Nem sonharia em fazer tal coisa – respondeu ele com um suspiro. O mais certo era a mulher persegui-lo com um pau se o fizesse. – Vem, vamos afastar-nos daqui antes que alguém nos apanhe.

Ela assentiu com a cabeça e seguiu-o ao longo de Barlow Place. Clair House ficava localizada a menos de quatrocentos metros de distância, por isso Gareth tinha planeado um percurso a pé, mantendo-se, sempre que podiam, a coberto das ruas laterais mais tranquilas onde seria menos provável serem vistos por um membro da alta sociedade, que regressasse a casa de carruagem depois de uma festa.

– Como soubeste que o teu pai não ia estar em casa esta noite? – sussurrou Hyacinth quando se aproximavam da esquina da rua.

– Desculpa?

Ele espreitou pela esquina, certificando-se de que o caminho estava livre.

– Como soubeste que o teu pai não ia estar em casa? – repetiu ela. – Espanta-me que tenhas conhecimento de tal coisa. Imagino que ele não partilhe contigo a agenda.

Gareth rangeu os dentes, surpreendido pelo fervilhar de irritação que a pergunta fizera surgir dentro dele.

– Não sei como – murmurou ele. – Simplesmente sei.

Era muito irritante, na verdade, que ele estivesse sempre tão consciente dos movimentos do pai, mas pelo menos podia sentir alguma satisfação em saber que o barão sofria do mesmo mal.

– Oh – foi a única resposta de Hyacinth. O que era bom. Nada típico, mas bom.

Gareth fez-lhe sinal para que o seguisse enquanto percorriam a curta distância de Hay Hill até finalmente chegarem a Dover Street, que os levaria a um beco nas traseiras de Clair House.

– Quando foi a última vez que aqui estiveste? – perguntou Hyacinth num sussurro enquanto se esgueiravam sorrateiramente até à parede traseira da casa.

– Lá dentro? – inquiriu ele bruscamente. – Dez anos. Mas, se tivermos sorte, aquela janela... – ele apontou para uma abertura no piso térreo, apenas ligeiramente fora do seu alcance – ainda deve ter o trinco estragado.

Ela assentiu com apreço.

– Estava exatamente a pensar como faríamos para entrar.

Ambos ficaram em silêncio um momento, a olhar para a janela.

– Mais alta do que te lembravas? – perguntou Hyacinth. Mas é claro que não esperou por uma resposta antes de acrescentar: – Ainda bem que me trouxeste. Podes erguer-me até lá.

Gareth olhou para ela depois para a janela e novamente para ela. De alguma forma, parecia-lhe errado fazê-la entrar primeiro.

Porém, não tinha tomado isso em consideração quando elaborara o plano.

– Não posso ser eu a impulsionar-*te* – argumentou Hyacinth, impaciente. – Portanto, a não ser que tenhas uma caixa escondida em algum lugar, ou talvez uma pequena escada...

– Pronto, está bem, vai!

Gareth praticamente rosnou, fazendo um degrau com as mãos. Já tinha feito aquilo antes, muitas vezes. Mas fazê-lo com comparsas de escola era muito diferente de sentir o corpo de Hyacinth Bridgerton roçar no dele.

– Chegas lá? – perguntou ele, içando-a.

– Hum-hum – foi a resposta.

Gareth olhou para cima e deu de caras com as nádegas dela. Decidiu apreciar a vista enquanto ela não fazia ideia de que a estava a fornecer.

– Só preciso de conseguir enfiar os dedos pelo rebordo – sussurrou ela.

– Estás à vontade – disse ele, sorrindo pela primeira vez naquela noite.

Ela torceu-se imediatamente para trás.

– Porque é que de repente pareces tão descontraído? – perguntou ela, desconfiada.

– Estou apenas a apreciar a tua utilidade.

– Eu... – Hyacinth contraiu os lábios. – Sabes, acho que não confio em ti.

– Nem deverias – concordou ele.

Gareth ficou a vê-la empurrar a janela até conseguir fazê-la subir.

– Consegui! – exclamou ela, soando triunfante mesmo num sussurro.

Ele ofereceu-lhe um aceno agradecido. Hyacinth era bastante insuportável, mas parecia-lhe justo reconhecer o mérito que lhe era devido.

– Vou dar-te impulso para cima – avisou ele. – Deves ser capaz de...

Mas ela já estava lá dentro. Gareth ficou boquiaberto de espanto. Hyacinth Bridgerton era claramente uma atleta nata.

Ou isso ou ladra.

O rosto dela apareceu na janela aberta.

– Acho que ninguém ouviu – sussurrou ela. – Consegues subir sozinho?

Ele anuiu.

– Desde que a janela esteja aberta, não há problema.

Já tinha feito aquilo antes, muitas vezes, quando ainda era estudante e estava em casa de férias. A parede exterior era de pedra e tinha alguns pontos irregulares, com pedras mais saídas que davam para apoiar o pé. Isso aliado ao pedaço mais protuberante onde podia agarrar-se com a mão...

Estava no interior em menos de vinte segundos.

– Estou impressionada – disse Hyacinth, espreitando para trás, para a janela.

– Ficas impressionada com as coisas mais estranhas – comentou ele, sacudindo a roupa.

– Qualquer um pode oferecer flores – disse ela com um encolher de ombros.

– Estás a dizer que tudo o que um homem precisa de fazer para conquistar o teu coração é escalar um edifício?

Ela voltou a olhar pela janela.

– Bem, teria de fazer um pouco mais do que isto. Teriam de ser dois andares, pelo menos.

Gareth abanou a cabeça, mas não pôde deixar de sorrir.

– Disseste que o diário mencionava um quarto decorado em tons de verde?

Hyacinth assentiu com a cabeça.

– Não tenho a certeza absoluta do significado. Poderia ser uma sala de estar. Ou talvez um gabinete. Mas ela mencionava uma janela pequena, redonda.

– O escritório da baronesa – decidiu ele. – É no segundo andar, mesmo ao lado do quarto.

– Claro! – Apesar do sussurro, a excitação dela era notória. – Isso faria todo o sentido. Especialmente se quisesse escondê-las do marido. Ela escreveu no diário que ele nunca a visitava nos aposentos privados.

– Vamos subir a escadaria principal – disse Gareth baixinho. – Será menos provável que nos ouçam. As escadas de trás ficam muito perto da ala dos criados.

Hyacinth assentiu em concordância e, juntos, percorreram sorrateiramente a casa. Estava tudo tranquilo, tal como Gareth teria esperado. O barão morava sozinho, e quando estava fora, os criados recolhiam-se cedo.

Exceto um. Gareth parou, de repente, precisando de um momento para reavaliar a situação. O mordomo devia estar acordado; ele nunca se deitava se Lord St. Clair ainda era esperado nessa noite, podendo necessitar de assistência.

– Por aqui – articulou Gareth em silêncio a Hyacinth, dando meia-volta para tomar um caminho diferente. Ainda subiriam a escadaria principal, mas fariam o caminho mais longo para lá chegar.

Hyacinth foi atrás dele e um minuto depois subiam as escadas de mansinho. Gareth puxou-a para a ponta; os degraus sempre rangeram no centro e duvidava que o pai possuísse os recursos para os mandar reparar.

Assim que chegaram ao corredor de cima, levou Hyacinth até ao escritório da baronesa. Era uma saleta curiosa, retangular, com uma janela e três portas: uma para o corredor, outra para o quarto da baronesa e a última para um pequeno quarto de vestir que era mais frequentemente usado para armazenamento, uma vez que havia um quarto de vestir muito mais amplo e confortável contíguo ao quarto.

Gareth fez sinal a Hyacinth para que entrasse e seguiu-a, fechando a porta com cuidado, a mão firme na maçaneta da porta para não fazer barulho.

Fechou-a sem um clique e exalou um suspiro.

– Diz-me exatamente o que ela escreveu – sussurrou ele, abrindo as cortinas para permitir a entrada do luar.

– Ela disse que estavam no *armadio* – respondeu Hyacinth também num sussurro. – Que é, provavelmente, um armário. Ou talvez uma cómoda. Ou... – Os olhos dela recaíram numa vitrina alta e estreita. Tinha uma forma triangular e estava encostada a um dos cantos ao fundo. Era de madeira, de uma tonalidade rica e escura, e apoiava-se em três pernas finas, ficando a cerca de sessenta centímetros do chão. – É aquilo – sussurrou Hyacinth, animada. – Só pode ser.

Já estava do outro lado da sala antes que Gareth tivesse oportunidade de se mexer, e quando este se lhe juntou, já ela tinha aberto uma das gavetas e remexia no interior.

– Vazia – disse ela, franzindo a testa. Ajoelhou-se e abriu a gaveta de baixo. – Também vazia. – Olhou para Gareth e aventou: – Achas que alguém tirou os seus pertences depois de ela morrer?

– Não faço ideia – disse ele.

Deu um puxão suave à porta da vitrina e abriu-a. Também vazia.

Hyacinth levantou-se e colocou as mãos nas ancas enquanto analisava o armário.

– Eu não posso imaginar o que mais...

As palavras dela sumiram-se enquanto corria os dedos pelos entalhes decorativos perto do rebordo superior.

– Talvez na escrivaninha – sugeriu Gareth, cruzando a distância até à mesa em dois passos.

Mas Hyacinth abanava a cabeça, em discordância.

– Não me parece – disse ela. – Ela não teria chamado a uma escrivaninha *armadio*. Teria chamado *scrivania*.

– Também tem gavetas – murmurou Gareth, abrindo-as para inspecionar o conteúdo.

– Há algo de estranho nesta peça – murmurou Hyacinth. – Tem um ar bastante mediterrânico, não achas?

Gareth olhou para cima.

– Tem – disse ele lentamente, levantando-se.

– Se ela a trouxe de Itália – prosseguiu Hyacinth, inclinando a cabeça ligeiramente para o lado enquanto analisava a vitrina – ou se a avó a trouxe quando a veio visitar...

– Seria lógico que ela soubesse se tinha um compartimento secreto – terminou Gareth por ela.

– E... – disse Hyacinth, os olhos brilhando de excitação – que o marido *não* soubesse.

Gareth voltou a colocar tudo em ordem na escrivaninha e voltou a analisar a vitrina.

– Afasta-te – instruiu ele, baixando-se e agarrando a base da vitrina para a afastar da parede. Porém era pesada, muito mais pesada do que parecia, e ele só foi capaz de a mover alguns centímetros, apenas o suficiente para conseguir enfiar a mão por trás.

– Sentes alguma coisa? – sussurrou Hyacinth.

Ele abanou a cabeça. Não conseguia chegar muito longe, por isso ajoelhou-se e tentou sentir o painel traseiro a partir de baixo.

– Qualquer coisa aí? – perguntou Hyacinth.

Ele voltou a abanar a cabeça.

– Nada. Só preciso de...

Interrompeu-se quando os dedos sentiram uma pequena protuberância retangular de madeira.

– O que foi? – quis ela saber, tentando espreitar por trás da vitrina.

– Não sei bem – disse ele, esticando o braço mais um centímetro. – É uma espécie de saliência, talvez uma alavanca.

– Consegues mexê-la?

– Estou a tentar – disse ele em esforço.

A alavanca estava quase fora do seu alcance, e ele tinha de se contorcer todo só para conseguir agarrá-la com a ponta os dedos. O rebordo frontal inferior da vitrina espetava-se-lhe dolorosamente nos músculos do braço, e a cabeça estava toda torcida para o lado, a face pressionada contra a porta.

Em suma, não a mais graciosa das posições.

– E se eu fizer isto? – sugeriu Hyacinth, deslizando pelo espaço exíguo ao lado do armário e estendendo o braço para a parte de trás. Os dedos encontraram a alavanca facilmente.

Gareth soltou imediatamente a mão dele e retirou o braço.

– Não te preocupes – disse ela, com uma certa solidariedade –, o teu braço não caberia aqui atrás. Não há muito espaço.

– Não me interessa qual de nós chega à alavanca – disse ele.

– Não? Oh! – Ela encolheu os ombros. – Bem, confesso que eu me importaria.

– Eu sei – respondeu ele.

– Não que isso tenha alguma importância, é claro, mas...

– Sentes alguma coisa? – interrompeu ele.

Ela abanou a cabeça.

– Não consigo mexê-la. Já tentei para cima e para baixo, e para ambos os lados.

– Empurra-a para dentro.

– Isso também não funciona. A menos que eu...

Hyacinth susteve a respiração.

– O quê? – urgiu Gareth.

Ela fitou-o, os olhos brilhantes, mesmo na penumbra da lua.

– Ela torceu. E eu senti alguma coisa fazer clique.

– Existe alguma gaveta? Consegues retirá-la?

Hyacinth sacudiu a cabeça, a boca contraindo-se numa expressão de concentração ao passar a mão ao longo do painel traseiro da vitrina. Não encontrava nenhuma fissura ou recorte. Lentamente, foi deslizando para baixo, dobrando os joelhos até a mão alcançar o rebordo inferior. Então olhou para baixo. Estava um pequeno pedaço de papel no chão.

– Isto já estava aqui antes? – perguntou ela.

Mas as palavras eram um mero reflexo; ela sabia que não.

Gareth ajoelhou-se ao lado dela.

– O que é?

– Isto – disse ela, desdobrando o pequeno pedaço de papel com mãos trémulas. – Acho que caiu de algum lugar quando eu rodei a alavanca.

Ainda de gatas, moveu-se cerca de meio metro para poder ler o papel aproveitando a estreita faixa de luar que entrava pela janela. Gareth agachou-se ao lado dela, o corpo quente e vigoroso e esmagadoramente perto enquanto ela alisava a folha frágil já aberta.

– O que diz? – perguntou ele, a respiração brincando-lhe no pescoço quando ele se inclinou.

– Eu... eu não tenho a certeza. – Hyacinth pestanejou, forçando os olhos a concentrarem-se nas palavras. A caligrafia era claramente de Isabella, mas o papel tinha sido dobrado várias vezes, o que tornava a leitura difícil. – Está em italiano. Acho que pode ser outra pista.

Gareth sacudiu a cabeça.

– Típico da Isabella transformar isto numa caça ao tesouro.

– Ela era uma pessoa astuciosa?

– Não, mas adorava jogos. – Ele virou-se para a vitrina. – Não me espanta nada que tivesse uma peça como esta, com um compartimento secreto.

Hyacinth viu-o passar a mão ao longo da base no armário.

– Aqui está – disse ele em tom apreciativo.

– Onde? – perguntou ela, juntando-se a ele.

Ele pegou-lhe na mão e guiou-a para um ponto mais perto da parte de trás. Um pedaço de madeira parecia ter rodado ligeiramente, apenas o suficiente para permitir que um pedaço de papel deslizasse e caísse no chão.

– Sentes isto? – murmurou ele.

Hyacinth assentiu, mas não tinha a certeza se ele estava a referir-se à madeira ou ao calor da sua mão na dela. A pele dele era quente e um pouco áspera, como se andasse com alguma frequência sem luvas. Mas, mais importante, a mão era grande, cobrindo a sua completamente.

Hyacinth sentia-se envolvida, completamente tragada.

E, santo Deus, era apenas a mão.

– Devíamos voltar a pôr isto no sítio – disse ela rapidamente, ansiosa por fazer algo que obrigasse a mente a concentrar-se noutra coisa.

Retirando a mão da dele, esticou-a e deslizou o pedaço de madeira para o devido lugar. Parecia improvável que alguém notasse a alteração no lado de baixo do armário, especialmente considerando que o compartimento secreto tinha passado despercebido durante mais de sessenta anos, mas, mesmo assim, parecia-lhe prudente deixar a cena tal como a tinha encontrado.

Gareth assentiu em concordância e fez-lhe sinal para que se afastasse enquanto ele voltava a empurrar a vitrina para a encostar à parede.

– Alguma informação útil no papel? – perguntou.

– No papel? Ah, no papel – disse ela, sentindo-se imensamente idiota. – Ainda não. Mal consigo ler só com a luz do luar. Achas que seria seguro acendermos uma...

Calou-se. Teve de o fazer, pois Gareth tinha-lhe tapado a boca impiedosamente com a mão.

Ergueu os olhos arregalados para o rosto dele. Ele tinha um dedo encostado aos lábios e fazia-lhe sinal com a cabeça em direção à porta.

Foi então que Hyacinth ouviu. Movimento no corredor.

– O teu pai? – perguntou mexendo os lábios, assim que ele retirou a mão.

Mas ele não estava a olhar para ela.

Gareth levantou-se e pé ante pé foi até à porta. Encostou o ouvido à madeira e num ápice recuou, fazendo sinal para a esquerda com a cabeça.

Num instante, Hyacinth estava ao seu lado, e antes de saber o que estava a acontecer, ele puxou-a para uma porta e entraram no que parecia ser um armário grande cheio de roupas. O interior era escuro como breu e havia pouco espaço para se movimentarem. Hyacinth ficou encostada ao que parecia ser um vestido de brocado e Gareth ficou encostado a ela.

Ela ficou sem saber como respirar.

Os lábios de Gareth encontraram a orelha dela e Hyacinth sentiu mais do que ouviu:

– Não digas uma palavra.

A porta de ligação do escritório para o corredor abriu-se e passos pesados soaram pelo chão.

Hyacinth prendeu a respiração. Seria o pai de Gareth?

– Estranho – ouviu uma voz masculina dizer. Parecia vir da direção da janela e...

Oh, *não*! Tinham deixado as cortinas abertas.

Hyacinth agarrou a mão de Gareth e apertou-a com força, como se o gesto pudesse de alguma forma transmitir-lhe o que acabava de pensar.

Quem estava no aposento deu alguns passos, depois parou. Aterrorizada com a possibilidade de serem apanhados, Hyacinth apalpou cuidadosamente atrás dela, tentando avaliar a profundidade do roupeiro. A mão não encontrou parede, por isso ela serpeou entre dois vestidos e pôs-se atrás deles, dando à mão de Gareth um pequeno puxão antes de a largar para que ele pudesse fazer o mesmo. Os pés dela ainda ficavam visíveis, espreitando por baixo das bainhas dos vestidos, mas, pelo menos agora, se alguém abrisse a porta do roupeiro, o rosto dela não estaria ali mesmo ao nível dos olhos.

Hyacinth ouviu uma porta abrir e fechar, mas logo de seguida os passos voltaram a cruzar o tapete. O homem, obviamente, tinha apenas espreitado para o quarto de dormir da baronesa, que, como Gareth lhe dissera, era contíguo ao pequeno escritório.

Hyacinth engoliu em seco. Se ele se tinha dado ao trabalho de inspecionar o quarto de dormir, então o armário seria a seguir. Ela enterrou-se mais para trás, recuando até sentir o ombro encostado à parede. Gareth, ali mesmo ao lado dela, puxou-a contra si e encostou-a ao canto tapando-a com o próprio corpo.

Ele estava a protegê-la. A fazer de escudo para que, se a porta do armário se abrisse, apenas o corpo dele fosse visto.

Hyacinth ouviu os passos aproximarem-se. A maçaneta estava solta e fez barulho quando uma mão pousou nela.

Ela agarrou-se às laterais do casaco de Gareth. Ele estava perto, escandalosamente perto, as costas pressionadas contra ela com tanta força que ela conseguia sentir-lhe o corpo desde os joelhos até aos ombros.

E tudo de permeio.

Obrigou-se a respirar de maneira uniforme e em silêncio. Alguma coisa na posição em que se encontrava, misturada com a circunstância, produzia uma combinação de medo e consciência aliada à proximidade quente do corpo dele, fazendo-a sentir-se estranha, esquisita, até, quase como se estivesse suspensa no tempo, pronta a levantar os dedos dos pés e a flutuar.

Teve uma estranha vontade de se encostar mais a ele, de inclinar as ancas para a frente e se encaixar nele. Estava dentro de um roupeiro... o roupeiro de uma pessoa estranha na calada da noite... contudo, mesmo gelada de terror, não podia evitar sentir algo mais... algo mais poderoso do que o medo. Era eletrizante, arrebatador, algo inebriante e novo que lhe fazia acelerar o coração, o sangue pulsar mais depressa e...

E outra coisa também. Algo que ainda não estava totalmente pronta para analisar ou nomear.

Hyacinth mordiscou o lábio.

A maçaneta rodou.

Os lábios dela entreabriram-se.

A porta abriu-se.

E então, surpreendentemente, voltou a fechar-se. Hyacinth sentiu-se perder as forças contra a parede do fundo e sentiu Gareth relaxar contra ela. Não fazia ideia de como não tinham sido descobertos; talvez Gareth estivesse mais bem protegido pela roupa do que ela pensava. Ou talvez a luz fosse muito fraca, ou o homem não se tivesse lembrado de olhar para baixo para os pés que espreitavam por baixo dos vestidos. Ou talvez ele visse mal, ou talvez...

Ou talvez tivessem simplesmente tido muita sorte.

Esperaram em silêncio até ser óbvio que o homem saíra do escritório da baronesa, aguardando ainda mais uns bons cinco minutos, só para se salvaguardarem. Mas, por fim, Gareth afastou-se dela, e enfiou-se por entre as roupas até à porta do armário. Hyacinth esperou até o ouvir sussurrar:

– Vamos.

Ela seguiu-o em silêncio, deslocando-se sorrateiramente pela casa até chegarem à janela com o trinco estragado. Gareth saltou primeiro e, em seguida, estendeu as mãos para que ela pudesse equilibrar-se contra a parede e fechar a janela antes de saltar para o chão.

– Segue-me – disse Gareth, pegando-lhe na mão e puxando-a atrás dele enquanto corria pelas ruas de Mayfair.

Hyacinth seguia aos tropeções atrás dele e, a cada passo que dava, mais uma lasca do medo que se apoderara dela dentro do armário era substituída por excitação.

Euforia.

Quando alcançaram Hay Hill, Hyacinth sentia-se prestes a explodir de riso, até que, por fim, teve de fincar os calcanhares no chão e dizer:

– Para! Não consigo respirar.

Gareth parou, mas olhou-a com severidade.

– Preciso de te levar para casa – disse ele.

– Eu sei, eu sei, eu...

Os olhos arregalaram-se.

– Estás a rir?

– Não! Sim. Isto é... – ela sorriu, incapaz de se controlar – talvez.

– És completamente doida.

Ela assentiu com a cabeça, ainda de sorriso rasgado.

– Acho que sim.

Ele virou-se para ela, de mãos nas ancas.

– Perdeste o juízo? Podíamos ter sido apanhados. Aquele era o mordomo do meu pai e, acredita em mim, ele não tem um pingo de senso de humor. Se nos tivesse descoberto, o meu pai ter-nos-ia atirado para a prisão e o teu irmão arrastar-nos-ia direitinhos para uma igreja.

– Eu sei – disse Hyacinth, tentando parecer apropriadamente solene.

Falhou.

Miseravelmente.

Finalmente desistiu e disse:

– Mas não foi divertido?

Por um momento achou que ele não ia responder. Por um momento, pareceu-lhe que ele só era capaz daquele olhar estupefacto e apagado. Mas, então, ela ouviu-lhe a voz, baixa e descrente.

– Divertido?

Ela anuiu, dizendo:

– Um bocadinho, pelo menos.

Contraiu os lábios, esforçando-se para evitar explodir de tanto rir.

– És completamente doida – disse ele, com ar carrancudo, chocado e... santo Deus... doce, tudo ao mesmo tempo. – És total e irremediavelmente doida – insistiu ele. – Toda a gente me avisou, mas eu não quis acreditar...

– Alguém te disse que eu era doida? – cortou Hyacinth.

– Excêntrica.

– Oh! – Ela apertou os lábios. – Bom, isso é verdade, suponho.

– Demasiado trabalho para qualquer homem de bom senso assumir.

– É isso que dizem? – perguntou ela, começando a sentir-se muito pouco elogiada.

– Isso e muito mais – confirmou ele.

Hyacinth pensou sobre aquela afirmação um momento e depois, simplesmente, encolheu os ombros.

– Bom, só posso concluir que não têm um pingo de bom senso, todos eles.

– Deus nos acuda – murmurou Gareth. – Pareces mesmo a minha avó.

– Sim, já me disseste – respondeu Hyacinth. E então não conseguiu resistir; tinha de perguntar: – Mas diz-me com sinceridade – devolveu ela, inclinando-se ligeiramente. – Não ficaste nem um pouco eufórico? Assim que o medo de sermos descobertos se esvaiu e percebeste que não íamos ser descobertos? Não achas que foi nem um bocadinho maravilhoso? – perguntou ela, as palavras saindo-lhe num suspiro.

Ele fitou-a de cima e talvez fosse a luz da lua ou talvez apenas um pensamento ilusório da parte dela, mas achou ter visto algo cintilar-lhe no fundo do olhar. Algo suave, algo levemente complacente.

– Um bocadinho – assentiu ele. – Mas só um bocadinho.

Hyacinth sorriu.

– Eu sabia que não eras um engomadinho.

Ele fitou-a com irritação palpável. Nunca ninguém o acusara de ser conservador.

– Engomadinho?! – exclamou ele, revoltado.

– Sim, um retrógrado.

– Eu percebi o que quiseste dizer.

– Então porque perguntaste?

– Porque a menina, Miss Bridgerton...

E assim continuaram, o resto do caminho até casa.

CAPÍTULO 10

Manhã seguinte. Hyacinth ainda se encontra num excelente estado de espírito. Infelizmente, a mãe fez tantos comentários sobre isso durante o pequeno-almoço que ela acabou por se ver forçada a fugir e a barricar-se no quarto.

Afinal de contas, Violet Bridgerton é uma mulher excecionalmente astuta, e se existe alguém capaz de adivinhar que Hyacinth está a apaixonar-se, será certamente ela.

Provavelmente até mesmo antes de Hyacinth.

Hyacinth cantarolava baixinho, sentada à escrivaninha do seu quarto, tamborilando os dedos no mata-borrão. Já traduzira e retraduzira a nota que tinham encontrado na noite anterior no pequeno escritório verde e ainda não estava satisfeita com os resultados, mas nem isso lhe diminuía a boa-disposição.

Claro que ficara um pouco dececionada por não terem encontrado os diamantes, mas a nota da vitrina parecia indicar que as joias ainda estavam por descobrir. Pelo menos, ninguém mais obtivera sucesso com o trilho de pistas que Isabella deixara para trás.

Hyacinth ficava sempre com melhor disposição quando tinha uma tarefa, um objetivo, alguma espécie de missão. Adorava o desafio de solucionar um enigma, analisar uma pista. E Isabella

Marinzoli St. Clair transformara o que certamente teria sido uma temporada monótona e sem brilho na primavera mais emocionante da vida de Hyacinth.

Olhou para o papel, fazendo trejeitos com a boca enquanto se voltava a concentrar na tarefa que tinha em mãos. Apenas setenta por cento da tradução estava concluída, na estimativa otimista de Hyacinth, mas considerava ter conseguido traduzir o suficiente para justificar mais uma tentativa. A pista seguinte... ou os diamantes reais, se tivessem sorte... encontrava-se quase com toda a certeza na biblioteca.

– Dentro de um livro, imagino – murmurou ela, olhando, absorta, pela janela.

Pensou na biblioteca de Bridgerton House, a casa do irmão em Grosvenor Square. O aposento em si não era imensamente grande, mas as prateleiras cobriam as paredes do chão ao teto.

E os livros enchiam as prateleiras. Cada centímetro delas.

– Talvez os St. Clair não sejam muito dados à leitura – disse para si, voltando a atenção uma vez mais para a nota de Isabella.

Certamente tinha de haver algo nas palavras enigmáticas que indicasse qual o livro que ela havia escolhido como esconderijo. Algo científico, apostava. Isabella tinha sublinhado parte do texto, o que levava Hyacinth a supor que talvez ela se referisse ao título de um livro, uma vez que, no contexto, não parecia fazer sentido que ela tivesse sublinhado para dar ênfase. E a parte que sublinhara mencionava água e «coisas que se movem», o que soava a física, não que Hyacinth tivesse estudado essa matéria. Mas tinha quatro irmãos que estudaram na universidade, e escutara o suficiente dos seus estudos para ter um conhecimento vago, se não da disciplina, pelo menos do que tratava a matéria.

Ainda assim, não estava tão segura como gostaria da sua tradução ou do que significava. Talvez se falasse com Gareth sobre o que já tinha traduzido, ele pudesse descortinar algo que ela ainda não vira. Afinal, ele estava mais familiarizado com a casa e o seu conteúdo do que ela. Podia ter conhecimento de um livro estranho ou interessante, algo único ou fora do vulgar.

Gareth.

Sorriu, um sorriso torto e ilógico, que a deixaria para morrer se alguém o visse.

Algo tinha acontecido na noite anterior. Algo especial.

Algo importante.

Ele gostava dela. Gostava realmente dela. Todo o caminho até casa fora cheio de risos e conversa amena. E quando ele a deixara na entrada de serviço do Número Cinco, fitara-a com aquele olhar de pálpebras semicerradas e intenso, tão típico dele. Sorrira, também, um canto da boca erguendo-se como se guardasse um segredo.

Fizera-a estremecer. Chegara até a esquecer-se de como falar. E chegara a pensar se ele iria beijá-la novamente, o que é claro não aconteceu, mas talvez...

Talvez em breve.

Não tinha dúvida nenhuma de que ainda o deixava um bocadinho furioso. Mas, aparentemente, ela deixava toda a gente um pouco furiosa, por isso decidiu não atribuir demasiada importância ao assunto.

Mas ele gostava dela. E respeitava a sua inteligência também. E se por vezes era relutante em demonstrá-lo pelo menos tantas quantas ela gostaria... bem, ela tinha quatro irmãos. Há muito que aprendera que era preciso um verdadeiro milagre para os levar a admitir que uma mulher pode ser mais inteligente do que um homem noutros assuntos que não tecidos, sabonetes perfumados e chá.

Virou a cabeça para olhar para o relógio, pousado em cima da pequena lareira. Já passava do meio-dia. Gareth tinha prometido visitá-la naquela tarde para ver como ia a tradução da nota. Isso provavelmente não queria dizer antes das duas, mas, tecnicamente, já era de tarde e...

Apurou o ouvido. Seria alguém à porta? O quarto dela era virado para a frente da casa, o que geralmente lhe permitia ouvir quando alguém entrava ou saía. Hyacinth levantou-se e foi até à janela espreitar por entre as cortinas para ver se havia alguém nos degraus da entrada.

Nada.

Foi até à porta do quarto e abriu uma fresta, o suficiente para escutar.

Nada.

Saiu para o corredor, o coração a bater de ansiedade. Francamente, não havia razão para estar nervosa, mas não tinha sido capaz de parar de pensar em Gareth e nos diamantes e...

– Ei, Hyacinth, o que estás a fazer?

Ela quase deu um salto, do susto que apanhou.

– Desculpa – disse o irmão, Gregory, não parecendo nada arrependido.

Ele estava em pé atrás dela, isto é, estivera, antes de ela se virar com o susto. Parecia ligeiramente desgrenhado, o cabelo castanho arruivado cortado mais longo do que deveria e despenteado pelo vento.

– Assustaste-me! – disse ela, pousando a mão sobre o coração, como se o gesto pudesse ajudar a acalmá-lo.

Gregory limitou-se a cruzar os braços e a encostar um ombro à parede.

– É o que faço melhor – retorquiu ele com um sorriso.

– Não seria algo de que *eu* me gabasse – devolveu Hyacinth.

Ele ignorou o insulto, preferindo sacudir um fiapo imaginário da manga do casaco de montar.

– O que te faz tão furtiva?

– Eu não estou furtiva.

– É claro que estás. É o que fazes melhor.

Ela mostrou-lhe uma carranca, mesmo sabendo que não teria qualquer efeito. Gregory era dois anos e meio mais velho do que ela e vivia para a irritar. Sempre fora assim. Os dois eram um pouco afastados do resto da família, em termos de idade. Gregory era quase quatro anos mais novo do que Francesca e dez anos mais novo do que Colin, o filho seguinte. Como resultado, ele e Hyacinth tinham ficado sempre um pouco por conta própria, uma espécie de duo.

Um duo briguento, provocador, do tipo de pregar partidas e pôr sapos na cama um do outro, mas um duo, ainda assim, e embora já tivessem ultrapassado a fase de pregar partidas, nenhum dos dois parecia capaz de resistir a alfinetar o outro.

– Pareceu-me ter ouvido alguém entrar – disse Hyacinth.

Ele sorriu com malandrice.

– Era eu.

– *Agora* vejo que sim. – Pousou a mão na maçaneta da porta e puxou. – Se me dás licença...

– Ui, hoje *estás* com os azeites!

– Não estou nada com os azeites.

– É claro que estás. É...

– *Não* é o que faço melhor – rosnou Hyacinth entre dentes.

Ele sorriu.

– Estás definitivamente com os azeites.

– Eu estou... – Cerrou os dentes. Recusava-se a descer ao comportamento de uma criança de três anos. – Vou voltar para o meu quarto agora. Tenho um livro para ler.

Mas antes que conseguisse fazer a sua fuga, ouviu-o dizer:

– Vi-te com o Gareth St. Clair na outra noite.

Hyacinth ficou petrificada. Não era possível que ele soubesse... Ninguém os tinha visto. Ela tinha a certeza disso.

– Em Bridgerton House – continuou Gregory. – Escondidos num canto do salão de baile.

Hyacinth soltou um longo suspiro silencioso antes de se virar.

Gregory fitava-a com um sorriso casual e espontâneo, mas Hyacinth percebia que havia algo mais na expressão dele, um certo brilho perspicaz no fundo dos olhos.

Apesar do seu comportamento para tentar mostrar o contrário, o irmão não era nada estúpido. E parecia pensar ser o seu papel na vida tomar conta da irmã mais nova. Talvez por ser o segundo filho mais novo e ela ser era a única pessoa com quem ele podia tentar assumir um papel de superioridade. O resto dos irmãos certamente não iria tolerar tal atitude.

– Sou amiga da avó dele – respondeu Hyacinth, porque lhe pareceu ser o mais neutro e impassível. – Tu sabes disso.

Ele encolheu os ombros. Era um gesto que partilhavam e, às vezes, Hyacinth sentia-se a olhar para um espelho, o que parecia uma tolice, já que ele era pelo menos trinta centímetros mais alto do que ela.

– Pareciam estar os dois em conversa profunda sobre qualquer coisa – comentou ele.

– Nada que seja do teu interesse.

Uma das sobrancelhas do irmão arqueou-se de forma irritante.

– Posso surpreender-te.

– Raramente o fazes.

– Andas a ver se o conquistas?

– Isso não é da tua conta – retorquiu ela com sarcasmo.

Gregory mostrou um ar triunfante.

– Isso quer dizer que *sim*.

Hyacinth ergueu o queixo, fitando o irmão diretamente nos olhos.

– Não sei – confessou ela, pois apesar das peguilhices constantes, ele provavelmente conhecia-a melhor do que ninguém e saberia de imediato se ela mentisse.

Ou isso, ou iria torturá-la até conseguir arrancar-lhe a verdade.

As sobrancelhas de Gregory desapareceram sob a franja do cabelo, que realmente estava demasiado comprida e constantemente a cair-lhe para os olhos.

– A sério? – perguntou ele. – Bem, *isso* é que é uma novidade!

– Só para os teus ouvidos – avisou Hyacinth –, e não é novidade nenhuma, porque eu ainda não decidi.

– Mesmo assim.

– Estou a falar a sério, Gregory – avisou Hyacinth. – Não me faças arrepender de ter confiado em ti.

– Vós, homens de pouca fé.

Ele exibia um ar demasiado insolente para o gosto dela. De mãos nas ancas, ela reiterou:

– Só te contei porque muito de vez em quando não és um completo idiota e apesar de eu dever ter mais juízo, amo-te.

O rosto dele tornou-se sério, fazendo-a lembrar-se de que, apesar das tentativas asininas do irmão (na sua opinião) em parecer um alegre inútil, a verdade é que era uma pessoa extremamente inteligente e com um coração de ouro.

Um *tortuoso* coração de ouro.

– E não te esqueças de que eu disse *talvez* – sentiu Hyacinth necessidade de acrescentar.

Ele franziu o sobrolho.

– Disseste?

– Se não disse, era o que eu queria dizer.

Ele fez um gesto magnânimo com a mão.

– Se houver alguma coisa que eu possa fazer...

– Nada – afirmou ela, já com visões horríveis da intromissão de Gregory a povoar-lhe a mente. – Absolutamente nada. *Por favor.*

– Certamente um desperdício dos meus talentos.

– *Gregory!*

– Bem – disse ele com um suspiro afetado –, tens a minha aprovação, pelo menos.

– Porquê? – perguntou Hyacinth, desconfiada.

– Faríeis um excelente par – continuou ele. – Quanto mais não seja, pensa nas crianças.

Ela sabia que ia arrepender-se, mas tinha de perguntar.

– Que crianças?

Ele sorriu.

– As lindas crianças sopinha de massa que iriam ter juntos. Garethhhh e Hyathinthhhh. Hyathinth e Gareth. E os thublimes pequenos Thinclair.

Hyacinth fixou-o como se ele fosse um imbecil.

Que era, disso ela tinha a certeza.

Ela balançou a cabeça num gesto de incompreensão.

– Fico sempre abismada como é que a mãe conseguiu dar à luz sete filhos perfeitamente normais e uma aberração.

– Aqui é a ala dath crianthath – continuou Gregory, desatando a rir quando ela virou costas para entrar no quarto. – Onde ethtão os delithiosoth pequenoth Tharah e Thamuel Thinclair. Ah, thim, e não podemoth ethquether a bebé Thuthannah!

Hyacinth fechou-lhe a porta na cara, mas a madeira não era espessa o suficiente para bloquear a última tirada do irmão.

– És um alvo tão fácil, Hy. Não te esqueças de descer para o chá – terminou ele.

Uma hora mais tarde. Gareth está prestes a aprender o que significa pertencer a uma grande família.

Felith ou infelithmente.

– Miss Bridgerton está a tomar chá – disse o mordomo, depois de permitir a entrada de Gareth no átrio de entrada do Número Cinco.

Gareth seguiu o mordomo pelo corredor até à mesma sala de estar rosa e creme onde tinha estado com Hyacinth na semana anterior.

Meu Deus, só tinha passado uma semana? Parecia-lhe uma vida.

Ah, enfim! Andar a esgueirar-se à noite pelas ruas, infringir a lei e quase arruinar a reputação de uma jovem de boas famílias tendia a envelhecer um homem prematuramente.

O mordomo entrou na sala, entoou o nome de Gareth e afastou-se para o lado para o deixar entrar.

– Mr. St. Clair!

Gareth virou-se com surpresa para encarar a mãe de Hyacinth, que estava sentada num sofá às riscas, pousando a chávena no respetivo pires. Não sabia *porque* ficara surpreendido ao ver Violet

Bridgerton; era lógico que ela estivesse em casa àquela hora da tarde. Mas por qualquer motivo, a caminho dali, ele só tinha imaginado Hyacinth.

– Lady Bridgerton – cumprimentou ele, virando-se para ela com uma vénia cortês. – Que bom vê-la.

– Já conhece o meu filho? – perguntou ela.

Filho? Gareth nem tinha percebido que havia mais alguém na sala.

– O meu irmão Gregory – disse Hyacinth. Ela estava sentada em frente à mãe, num sofá igual. Inclinou a cabeça na direção da janela, onde Gregory Bridgerton se encontrava, a fitá-lo com ar avaliador e um meio sorriso algo assustador.

O sorriso presunçoso de um irmão mais velho, percebeu Gareth. Imaginou que exibiria exatamente o mesmo ar se tivesse uma irmã mais nova para torturar e proteger.

– Nós já nos conhecemos – disse Gregory.

Gareth anuiu. Os caminhos de ambos já se haviam cruzado pela cidade algumas vezes ao longo dos anos e, de facto, tinham sido estudantes em Eton ao mesmo tempo. Mas Gareth era vários anos mais velho, por isso nunca chegaram a ter grande intimidade.

– Bridgerton – murmurou Gareth em cumprimento, dirigindo-lhe um aceno de cabeça.

Gregory atravessou a sala e sentou-se com descontração ao lado da irmã.

– É bom ver-te – disse ele, dirigindo-se a Gareth. – A Hyacinth diz que és o seu amigo especial.

– Gregory! – exclamou Hyacinth. Virou-se rapidamente para Gareth. – Eu não disse nada disso.

– Que pena! – foi a resposta de Gareth.

Hyacinth olhou-o com uma expressão um pouco irritada e depois virou-se para o irmão com um sussurro ameaçador:

– Para com isso.

– Deseja um chá, Mr. St. Clair? – perguntou Lady Bridgerton, ignorando completamente a briga de irmãos como se não estivesse a acontecer bem na frente dela. – É uma infusão especial da qual gosto particularmente.

– Com todo o gosto.

Gareth sentou-se na mesma cadeira que tinha escolhido da última vez, principalmente porque ficava mais longe de Gregory, embora na verdade não soubesse qual dos Bridgerton tinha mais probabilidade de derramar acidentalmente chá escaldante no seu colo.

Mas era uma posição estranha. Ele estava na ponta mais estreita da mesa de centro baixa, e com todos os Bridgerton sentados nos sofás, quase parecia como se estivesse a presidir à mesa.

– Leite? – perguntou Lady Bridgerton.

– Obrigado – respondeu Gareth. – Sem açúcar, por favor.

– A Hyacinth toma o dela com três colheres – disse Gregory, pegando num biscoito amanteigado.

– O que é que isso lhe interessa? – rosnou Hyacinth entre dentes.

– Bem – respondeu Gregory, dando uma mordida e mastigando –, ele *é* o teu amigo especial.

– Ele não é... – Virou-se para Gareth. – Ignore-o.

Era muito incomodativo ser tratado com condescendência por um homem bem mais novo, mas, ao mesmo tempo, Gregory parecia estar a fazer um excelente trabalho a irritar Hyacinth, um esforço que Gareth não podia deixar de aprovar.

Por essa razão, decidiu não se meter, preferindo virar-se e entabular conversa com Lady Bridgerton, que era, por acaso, a pessoa mais perto dele.

– E como tem passado esta tarde? – perguntou.

Lady Bridgerton abriu um pequeno sorriso ao entregar-lhe a chávena de chá.

– Rapaz esperto – murmurou ela.

– É, na verdade, uma questão de autopreservação – disse ele de maneira evasiva.

– Não diga isso. Eles não iriam magoá-lo.

– Não, mas tenho a certeza de que ficaria ferido no fogo cruzado.

Gareth ouviu um pequeno suspiro de choque. Quando olhou para Hyacinth, ela fuzilava-o com o olhar e o irmão sorria.

– Desculpe – disse ele, principalmente por achar que devia, pois na verdade não o sentia.

– Não vem de uma família grande, pois não, Mr. St. Clair? – perguntou Lady Bridgerton.

– Não – respondeu ele mansamente, bebendo um gole do chá, que era de excelente qualidade. – Apenas eu e o meu irmão. – Interrompeu-se, tentando afastar a onda de tristeza que o invadia sempre que pensava em George, e terminou com: – Ele faleceu no final do ano passado.

– Oh! – fez Lady Bridgerton, tapando a boca com a mão. – Eu sinto muito. Tinha-me esquecido completamente. Por favor, perdoe-me. E aceite as minhas mais profundas condolências.

O pedido de desculpas foi tão natural e as condolências tão sinceras, que Gareth quase sentiu necessidade de a confortar. Perscrutando-lhe o olhar, percebeu que ela compreendia.

A maioria das pessoas não. Todos os seus amigos lhe tinham dado palmadas constrangidas nas costas e dito que lamentavam, mas não tinham compreendido. A avó Danbury talvez... ela também chorara a morte de George. Mas era diferente, talvez por ele e a avó serem tão próximos. Lady Bridgerton era quase uma estranha e, no entanto, importava-se.

Era comovente e quase desconcertante. Gareth não conseguia lembrar-se da última vez que alguém lhe dissera algo realmente sincero.

Com exceção de Hyacinth, é claro. Ela dizia sempre o queria dizer. Mas, ao mesmo tempo, também nunca se expunha, nunca se mostrava vulnerável.

Olhou-a pelo canto do olho. Ela estava sentada muito direita, as mãos cruzadas no colo e observava-o com uma expressão curiosa.

Não podia culpá-la, supôs. Ele era exatamente igual.

– Obrigado – disse ele, voltando-se para Lady Bridgerton. – O George era um irmão excecional, e o mundo ficou mais pobre depois da sua partida.

Lady Bridgerton ficou em silêncio um momento, e então, como se fosse capaz de ler a sua mente, sorriu e disse:

– Mas estou certa de que não é assunto que queira explorar agora. Vamos falar de outra coisa.

Gareth olhou para Hyacinth. Ela ainda se mantinha na mesma posição hirta, mas ele viu-lhe o peito a subir e a descer num longo suspiro impaciente. Tinha trabalhado na tradução, disso não havia dúvidas, e certamente queria contar-lhe o que descobrira.

Gareth suprimiu cuidadosamente um sorriso. Suspeitava que Hyacinth seria capaz de se fingir de morta se com isso conseguisse ficar a sós com ele.

– Lady Danbury tece-lhe muitos elogios – disse Lady Bridgerton.

Gareth virou-se para ela.

– Tenho a sorte de ser neto dela.

– Eu sempre gostei da sua avó – continuou Lady Bridgerton, beberricando o chá. – Eu sei que ela assusta metade de Londres...

– Oh, bem mais do que metade – brincou Gareth.

Lady Bridgerton riu-se.

– Esse será talvez o objetivo dela.

– Com efeito.

– Eu, no entanto, sempre a achei encantadora – disse Lady Bridgerton. – Uma lufada de ar fresco, na verdade. E, claro, muito astuta e acertada na sua capacidade de julgar o carácter de uma pessoa.

– Os seus cumprimentos serão entregues.

– Ela tece-lhe muitos elogios – voltou a dizer Lady Bridgerton.

Repetia-se. Gareth não teve a certeza se foi acidental ou deliberado, mas, fosse como fosse, ela não poderia ter sido mais clara se o tivesse chamado à parte e oferecido dinheiro para propor casamento à filha.

Claro, ela não sabia que o seu verdadeiro pai não era Lord St. Clair, nem sabia quem era de facto o seu pai. Por mais adorável e generosa que a mãe de Hyacinth fosse, Gareth duvidava que ela se esforçasse tanto se soubesse que o mais provável era correr-lhe nas veias o sangue de um lacaio.

– A minha avó também lhe tece grandes elogios – disse Gareth a Lady Bridgerton. – O que é extraordinário, já que ela raramente elogia alguém.

– Exceto a Hyacinth – interpôs Gregory Bridgerton.

Gareth virou-se para ele. Quase se esquecera de que ele lá estava.

– É claro – respondeu com cortesia. – A minha avó adora a tua irmã.

Gregory virou-se para Hyacinth.

– Ainda lês para ela todas as quartas-feiras?

– Terças-feiras – corrigiu Hyacinth.

– Oh, dethculpa!

Gareth piscou os olhos. Será que o irmão de Hyacinth era sopinha de massa?

– Mr. St. Clair – disse Hyacinth, após o que Gareth desconfiava ter sido uma cotovelada nas costelas do irmão.

– Sim? – murmurou ele, não apenas para ser gentil.

Ela fez uma pausa no discurso, e ele ficou com a sensação de que ela pronunciara o nome dele sem primeiro pensar em algo para lhe perguntar.

– Sei que é um talentoso espadachim – disse ela finalmente.

Ele olhou-a com curiosidade. Onde pretendia ela chegar?

– Gosto de praticar esgrima, sim – respondeu.

– Eu sempre quis aprender.

– Valha-nos Deus! – resmungou Gregory.

– Eu seria muito boa – protestou ela.

– Tenho a certeza que sim – respondeu o irmão. – É por isso que nunca te deve ser permitido chegar a dez metros de uma espada. – Virou-se para Gareth. – Ela é diabólica.

– Sim, já tinha notado – murmurou Gareth, decidindo que o irmão de Hyacinth talvez fosse um pouco mais complexo do que parecia à primeira vista.

Gregory encolheu os ombros, pegando noutro biscoito.

– Talvez seja por isso que não consigamos que ela se case.

– Gregory!

Isto veio de Hyacinth, mas apenas porque Lady Bridgerton tinha pedido licença e seguido um dos criados até ao corredor.

– É um elogio! – protestou Gregory. – Não esperaste a vida inteira que eu concordasse que és mais esperta do que qualquer um dos pobres idiotas que tentaram cortejar-te?

– Podes achar difícil de acreditar – revidou Hyacinth –, mas não tenho ido para a cama todas as noites a pensar: *Oh, como eu gostaria que o meu irmão me oferecesse algo que passasse por um elogio naquela sua mente distorcida.*

Gareth engasgou-se com o chá.

Gregory virou-se para Gareth.

– Vês porque é que eu digo que ela é diabólica?

– Recuso-me a comentar – disse Gareth.

– Olha quem está aqui! – disse Lady Bridgerton.

Bem na hora, pensou Gareth. Mais dez segundos e Hyacinth teria alegremente assassinado o irmão.

Gareth virou-se para a porta e imediatamente se levantou. Atrás de Lady Bridgerton estava uma das irmãs mais velhas de Hyacinth, a que se casara com um duque. Ou pelo menos julgava que era ela. Eram todas tão exasperantemente parecidas que ele não podia ter a certeza.

– Daphne! – exclamou Hyacinth. – Vem sentar-te ao pé de mim.

– Não há lugar ao teu lado – disse Daphne, piscando em confusão.

– Mas vai haver – disse Hyacinth num tom alegre e venenoso –, assim que o Gregory se levantar.

Gregory ofereceu o seu lugar à irmã mais velha com grande pompa e circunstância.

– Crianças – começou Lady Bridgerton com um suspiro quando voltou a sentar-se. – Nunca estou completamente certa se me sinto feliz por as ter tido.

Mas jamais alguém poderia confundir o humor na voz dela com outra coisa que não fosse amor. Gareth estava encantado. O irmão de Hyacinth era algo irritante, ou pelo menos era-o quando Hyacinth estava por perto, e das poucas vezes que ouvira mais do que dois Bridgerton envolvidos em conversa, atropelavam-se constantemente e raramente resistiam ao impulso de trocar piadas sarcásticas.

Mas todos se amavam. Por baixo de todo o ruído, isso era absolutamente claro.

– Um prazer encontrá-la, vossa graça – disse Gareth à jovem duquesa, assim que ela se sentou ao lado de Hyacinth.

– Por favor, trate-me por Daphne – pediu ela com um sorriso luminoso. – Não há necessidade de ser tão formal, se é um amigo da Hyacinth. Além de que não consigo sentir-me duquesa na sala de estar da minha mãe – disse, pegando numa chávena e servindo-se de chá.

– Como se sente, então?

– Hum... – Bebeu um gole de chá. – Simplesmente Daphne Bridgerton, suponho. É difícil libertar-me do sobrenome neste clã. Pelo menos, em espírito.

– Espero que seja um elogio – comentou Lady Bridgerton.

Daphne sorriu para a mãe.

– Acho que nunca conseguirei escapar de si. – Virou-se para Gareth. – Não há nada como a nossa família para nos fazer sentir que nunca crescemos.

Gareth pensou sobre o seu recente encontro com o barão e disse, talvez com mais sentimento do que deveria verbalizar:

– Sei exatamente o que quer dizer.

– Sim – respondeu a duquesa –, imagino que saiba.

Gareth não disse nada. O distanciamento entre ele e o barão era mais do que do conhecimento geral, mesmo se a razão para tal não o fosse.

– Como estão as crianças, Daphne? – perguntou Lady Bridgerton.

– Traquinas, como sempre. O David quer um cachorro, de preferência um que cresça até ao tamanho de um pequeno pónei, e a Caroline está desesperada por voltar a casa do Benedict. – Tomou um gole de chá e virou-se para Gareth. – A minha filha passou três semanas com o meu irmão e a família no mês passado. Ele tem andado a dar-lhe aulas de desenho.

– É um artista muito talentoso, não é?

– Tem duas pinturas na National Gallery – explicou Lady Bridgerton, sorrindo de orgulho.

– Contudo, raramente vem à cidade – disse Hyacinth.

– Ele e a mulher preferem a calma do campo – continuou a mãe; mas o tom firme da frase denotava que não pretendia adiantar mais esse assunto.

Pelo menos não na frente de Gareth.

Gareth tentou lembrar-se se já tinha ouvido algum tipo de escândalo associado a Benedict Bridgerton. Achava que não, mas Gareth era pelo menos dez anos mais novo, e se havia algo de desagradável no seu passado, provavelmente teria ocorrido antes de Gareth se ter mudado para a cidade.

Relanceou um olhar para Hyacinth para ver a reação dela às palavras da mãe. Não tinha sido um ralhete, não exatamente, mas era óbvio que ela quisera impedir Hyacinth de adiantar mais o assunto.

Mas se Hyacinth ficou ofendida, não o demonstrou. Voltou a sua atenção para a janela e ficou a olhar lá para fora, o sobrolho ligeiramente franzido enquanto pestanejava.

– Está um tempo agradável lá fora? – perguntou, virando-se para a irmã. – Parece ensolarado.

– Bastante – garantiu Daphne, beberricando o chá. – Vim a pé de Hastings House.

– Eu adoraria ir dar um passeio – anunciou Hyacinth.

Gareth precisou apenas de um segundo para reconhecer a indireta.

– Eu ficaria encantado em acompanhá-la, Miss Bridgerton.

– Ai, sim? – disse Hyacinth com um sorriso deslumbrante.

– Eu saí esta manhã – disse Lady Bridgerton. – O açafrão está em flor no parque. Um pouco para lá da Casa da Guarda.

Gareth quase sorriu. A Casa da Guarda ficava na extremidade de Hyde Park. Precisariam de metade da tarde para chegar lá e regressar.

Ele levantou-se e ofereceu-lhe o braço.

– Vamos ver o açafrão?

– Isso seria maravilhoso! – Hyacinth levantou-se. – Só preciso de ir chamar a minha criada para nos acompanhar.

Gregory afastou-se do peitoril da janela, ao qual estivera encostado.

– Talvez eu vá junto, também – anunciou.

Hyacinth atirou-lhe um olhar fulminante.

– Ou talvez não – murmurou ele.

– De qualquer forma, eu preciso de ti aqui – disse Lady Bridgerton.

– A sério? – Gregory sorriu inocentemente. – Porquê?

– Porque sim – resmungou ela.

Gareth voltou-se para Gregory.

– A tua irmã estará segura comigo – garantiu ele. – Dou a minha palavra de honra.

– Oh, não tenho qualquer preocupação quanto a isso – disse Gregory com um sorriso afável. – A verdadeira questão é: estarás tu seguro com ela?

Ainda bem que Hyacinth já tinha saído da sala para ir buscar o casaco e a criada, refletiu Gareth mais tarde, pois, caso contrário, provavelmente teria matado o irmão ali mesmo.

CAPÍTULO 11

Um quarto de hora mais tarde. Hyacinth ignora totalmente que a sua vida está prestes a sofrer uma grande reviravolta.

– A tua criada é discreta? – perguntou Gareth, assim que se encontraram no passeio em frente ao Número Cinco.

– Oh, não te preocupes com a Frances – disse Hyacinth, ajeitando as luvas. – Ela e eu temos um pacto.

Ele ergueu as sobrancelhas numa expressão de humor preguiçoso.

– Porque é que essas palavras, saídas dos teus lábios, me espalham o terror na alma?

– Não faço a mais pequena ideia – respondeu Hyacinth alegremente –, mas posso assegurar-te que ela se manterá sempre a mais de seis metros de nós enquanto estivermos a passear. Só temos de parar em algum sítio e comprar-lhe uma lata de pastilhas de hortelã.

– Pastilhas de hortelã?

– Ela é facilmente subornada – explicou Hyacinth, olhando para trás, para Frances, que já se encontrava à distância requerida, mas exibindo um ar bastante aborrecido. – Todas as boas criadas são.

– Não percebo nada desses assuntos – murmurou Gareth.

– *Isso,* acho difícil de acreditar – provocou Hyacinth.

Era altamente provável que já tivesse subornado criadas por toda a Londres. Hyacinth não acreditava que ele pudesse ter chegado àquela idade, e com aquela reputação, e não ter tido um caso com uma mulher que desejasse manter segredo.

Ele abriu um sorriso inescrutável.

– Um cavalheiro nunca comenta.

Hyacinth decidiu não insistir no tema. Não porque não tivesse curiosidade, é claro, mas sim porque achava que ele falara a sério e não ia revelar quaisquer segredos, por mais apetitosos que pudessem ser.

Por isso, porquê desperdiçar energia se não a ia levar a lugar algum?

– Achei que nunca conseguiríamos escapar – disse ela, quando chegaram ao fim da rua. – Tenho muito para te dizer.

Ele virou-se para ela com interesse óbvio.

– Conseguiste traduzir a nota?

Hyacinth relanceou para trás. Sabia que tinha dito que Frances se manteria afastada, mas era sempre bom verificar, especialmente porque Gregory também não era estranho ao conceito de suborno.

– Sim – respondeu ela, assim que ficou convencida de que não seriam ouvidos. – Bem, a maior parte, pelo menos. O suficiente para saber que precisamos de concentrar a nossa busca na biblioteca.

Gareth riu-se.

– O que é assim tão engraçado?

– A Isabella era muito mais inteligente do que deixava transparecer. Se queria escolher uma divisão da casa com menor probabilidade de o marido entrar, não poderia ter escolhido melhor do que a biblioteca. Exceto o quarto, suponho, mas... – ele virou-se e lançou-lhe um olhar altivo e irritantemente paternalista – esse não é um assunto para os teus ouvidos.

– Homenzinho enfadonho – resmoneou ela.

– Não é acusação que me façam muitas vezes – disse ele com um sorriso levemente divertido. Foi tão flagrantemente sarcástico que Hyacinth só conseguiu reagir com uma carranca.

– A biblioteca, dizes tu – refletiu Gareth, depois de fazer uma pausa para apreciar a angústia de Hyacinth. – Faz todo o sentido. O pai do meu pai não era um intelectual.

– Espero que isso signifique que ele não possuía muitos livros – disse Hyacinth com uma careta. – Desconfio que ela deixou outra pista escondida dentro de um livro.

– Não temos essa sorte – disse Gareth com um sorriso desconsolado. – O meu avô podia não ser grande amante de livros, mas dava muita importância às aparências, e nenhum barão que se preze teria uma casa sem uma biblioteca, ou uma biblioteca sem livros.

Hyacinth soltou um resmungo.

– Vai levar-nos a noite toda ter de procurar numa biblioteca repleta de livros.

Ele ofereceu-lhe um sorriso solidário, e ela sentiu algo a contrair-se no estômago. Abriu a boca para falar, mas limitou-se a respirar fundo, não conseguindo afastar a estranha sensação de surpresa.

Mas porquê, não fazia ideia.

– Talvez, quando estiveres lá, alguma coisa, de repente, faça sentido – sugeriu Gareth. Encolheu apenas um ombro e guiou-a para virarem a esquina para Park Lane. – Isso acontece comigo constantemente. Por norma, quando eu menos espero.

Hyacinth concordou com um gesto de cabeça, sentindo-se ainda um pouco instável pela sensação estranha e inebriante que acabara de a invadir.

– É isso exatamente que eu espero que aconteça – disse ela, obrigando-se a fixar a sua atenção no assunto em debate. – Mas, infelizmente, a Isabella foi bastante enigmática. Ou... não sei... talvez não deliberadamente enigmática e eu só tenha essa impressão porque ainda não consegui traduzir todas as palavras. Mas acho que podemos partir do princípio que não vamos encontrar os diamantes, mas mais uma pista.

– Porque achas isso?

Ela assentiu com a cabeça, pensativa, enquanto falava.

– Tenho quase a certeza de que devemos procurar na biblioteca, especificamente num livro. E não vejo como poderia ela ter escondido diamantes entre as páginas.

– Ela pode ter aberto um buraco num livro. Criado um esconderijo.

Hyacinth prendeu a respiração.

– Não pensei nisso – disse, os olhos arregalados de entusiasmo. – Vamos precisar de redobrar os nossos esforços. Embora não tenha a certeza, acho que o livro deve ter um tema científico.

Ele assentiu.

– Isso sempre ajuda a delimitar a busca. Já faz algum tempo que não entro na biblioteca de Clair House, mas não me lembro de haver muita coisa na área de tratados científicos.

Hyacinth contraiu ligeiramente a boca enquanto tentava recordar as palavras específicas da pista.

– Era algo que tinha a ver com água. Mas não me parece que fosse biológico.

– Excelente trabalho – elogiou ele –, e se ainda não o disse, muito obrigado.

Hyacinth quase tropeçou, tão inesperado foi o elogio.

– De nada – respondeu ela, assim que ultrapassou a surpresa inicial. – É um prazer fazê-lo. Para ser sincera, não sei o que vou fazer quando tudo isto acabar. O diário é uma bela distração.

– O que é que precisas para te distraíres? – inquiriu ele.

Hyacinth matutou um pouco na pergunta.

– Não sei – respondeu, por fim. Olhou para ele, sentindo as sobrancelhas franzirem quando os seus olhos encontraram os dele. – Não é triste?

Gareth balançou a cabeça e desta vez o sorriso que lhe ofereceu não foi condescendente, nem sequer seco. Foi apenas um sorriso.

– Suspeito que seja até bastante normal – respondeu.

Mas ela não estava assim tão convencida. Até a aventura do diário e da busca das joias ter entrado na sua vida, não tinha reparado em como os seus dias pareciam ser sempre iguais. As mesmas coisas, as mesmas pessoas, a mesma comida, as mesmas paisagens.

Não se tinha apercebido do quão desesperadamente desejava uma mudança.

Talvez essa fosse outra maldição para colocar aos pés de Isabella Marinzoli St. Clair. Talvez nem tivesse desejado uma mudança antes de ter começado a traduzir o diário. Talvez não tivesse sabido como desejá-la.

Mas agora... Depois disto...

Tinha a sensação de que nada jamais seria igual.

– Quando é que vamos voltar a Clair House? – perguntou ela, ansiosa por mudar de assunto.

Ele suspirou. Ou talvez fosse um resmungo.

– Calculo que vás levar a mal se eu disser que vou sozinho.

– Muito a mal – confirmou ela.

– Foi o que eu suspeitei. – Gareth lançou-lhe um olhar de soslaio. – Todos na tua família são tão obstinados como tu?

– Não – respondeu Hyacinth prontamente –, embora não estejam muito longe. A minha irmã Eloise, especialmente. Ainda não a conheceste. E o Gregory. – Revirou os olhos. – Esse é um bárbaro.

– Porque será que suspeito que o quer que ele te tenha feito, tu pagaste com a mesma moeda e multiplicaste por dez?

Ela inclinou a cabeça para o lado, tentando parecer terrivelmente mordaz e sofisticada.

– Estás a dizer que não me julgas capaz de dar a outra face?

– Nem por um segundo.

– Muito bem, é verdade – concedeu ela com um encolher de ombros. Sabia bem que, de qualquer maneira, não ia ser capaz de manter a artimanha por muito tempo. – Também não consigo ficar quieta a ouvir uma homilia.

Ele sorriu.

– Nem eu.

– Mentiroso – acusou ela. – Nem precisas de tentar. Sei de fonte segura que nunca vais à igreja.

– As fontes seguras andam atentas a mim? – Ele sorriu. – Que animador.

– A tua avó.

– Ah! Isso explica tudo. Acreditarias se te dissesse que a minha alma já está bem para lá da redenção?

– Absolutamente – respondeu ela –, mas isso não é motivo para fazer o resto de nós sofrer.

Ele fitou-a com um brilho perverso no olhar.

– É assim uma tortura tão grande estar na igreja sem a minha presença calmante?

– Tu *sabes* o que eu quis dizer – retorquiu ela. – Não é justo que eu tenha de ir à igreja e tu não.

– Desde quando somos um tal par que entre nós tenha de ser olho por olho, dente por dente? – inquiriu ele.

A pergunta fê-la estacar. Verbalmente, pelo menos.

E ele, obviamente, não conseguiu resistir a provocá-la ainda mais, porque disse:

– A tua família certamente não foi muito subtil acerca disso.

– Ah – disse ela, mal resistindo a um gemido –, isso.

– Isso?

– *Eles.*

– Eles não são assim tão maus – disse ele.

– Não – concordou ela. – Mas *são* um gosto que se adquire. Acho que devo pedir-te desculpas.

– Não há necessidade – murmurou ele, mas ela suspeitava ser apenas uma platitude automática.

Hyacinth suspirou. Estava bastante habituada às tentativas muitas vezes desesperadas da família de a empurrar para o casamento, mas também compreendia que podia ser um pouco inquietante para o pobre homem que as sofria.

– Se te faz sentir melhor – disse ela, lançando-lhe um olhar breve e solidário –, estás longe de ser o primeiro cavalheiro a quem eles me tentaram impingir.

– Que forma tão encantadora de o dizer.

– Embora se pensarmos melhor – continuou ela –, joga a nosso favor se eles pensarem que a nossa ideia é casar.

– Como?

Ela pensou com fervor. Ainda não tinha certeza se queria ou não tentar conquistá-lo, mas *tinha* a certeza de que não queria que ele *achasse* que sim. Porque se ele pusesse essa hipótese e a rejeitasse... bem, nada poderia ser mais humilhante.

Ou doloroso.

– Bem – continuou ela, inventando à medida que falava –, vamos precisar de passar uma grande quantidade de tempo na companhia um do outro, pelo menos até terminarmos o diário. Se a minha família pensar que poderá haver uma igreja no fim do caminho, terá muito menos propensão a usar de subterfúgios.

Ele pareceu considerar a proposta. No entanto, para espanto de Hyacinth, não falou, o que significava que tinha ela de o fazer.

– A verdade é que eles estão mortinhos por se verem livres de mim – disse ela, tentando parecer muito espontânea e despreocupada.

– Acho que não estás a ser justa para com a tua família – disse ele, com gentileza.

Os lábios de Hyacinth abriram-se de espanto. O tom dele denotava uma seriedade que ela não esperava.

– Oh! – exclamou ela, pestanejando enquanto tentava encontrar algum comentário adequado. – Bem...

Ele virou-se; uma luz estranha e intensa refulgia nos seus olhos quando disse:

– Tens muita sorte em tê-los.

Ela sentiu-se subitamente constrangida. Gareth fitava-a com tal intensidade... era como se o mundo se afundasse ao redor deles, e estavam apenas em Hyde Park, pelo amor de Deus, a falar sobre a família dela...

– Bem, sim – disse ela finalmente.

Quando Gareth voltou a falar, o tom era penetrante.

– Eles só te amam e querem o melhor para ti.

– Estás a querer dizer que tu és o melhor para mim? – brincou Hyacinth.

Tinha de brincar. Não sabia de que outra forma reagir àquele estranho humor. Qualquer outra coisa seria revelar demasiado.

E talvez a brincadeira dela o forçasse a revelar algo sobre ele.

– Não foi isso que quis dizer e tu sabes – disse ele com veemência.

Hyacinth recuou.

– Desculpa – pediu ela, perplexa com a reação dele.

Mas ele ainda não terminara. Encarou-a, os olhos a cintilar com uma emoção que ela nunca antes lhe vira.

– Devias dar graças a Deus por teres uma família grande e amorosa.

– E dou. Eu...

– Fazes alguma ideia de quantas pessoas eu tenho neste mundo? – cortou ele. Avançou para ela, ficando tão próximo que a deixou desconfortável. – Fazes? – insistiu. – Uma. Apenas uma. A minha avó. E daria a minha vida por ela.

Hyacinth nunca tinha visto aquele tipo de paixão nele, nem sequer sonhara que o possuía. Ele era normalmente tão calmo, tão imperturbável. Mesmo naquela noite em Bridgerton House, quando ficara perturbado pelo encontro com o pai, conseguira manter um certo ar de leveza. Foi então que percebeu o que havia de diferente nele, o que o separava de todos os outros... Gareth nunca se mostrava completamente sério.

Até agora.

Ela não conseguia tirar os olhos do rosto dele, mesmo quando ele se afastou, deixando-a ver apenas o perfil. Fitava algum ponto distante no horizonte, alguma árvore ou arbusto que provavelmente nem sabia identificar.

– Sabes o que significa estar sozinho? – perguntou ele em voz baixa, ainda sem olhar para ela. – Não uma hora, não uma noite, mas saber, ter a certeza absoluta de que, daqui a poucos anos, não terás ninguém.

Ela abriu a boca para dizer não, claro que não, mas então percebeu que não havia ponto de interrogação no final da sua declaração.

Aguardou, pois não sabia o que dizer. E também porque reconheceu que, se dissesse alguma coisa, se tentasse dar a entender que compreendia, o momento seria perdido e ela nunca saberia o que lhe passava na mente.

Então ficou ali, de olhos fixos no rosto dele, vendo-o perdido em pensamentos, e percebeu que desejava *desesperadamente* saber o que ele estava a pensar.

– Mr. St. Clair? – sussurrou finalmente, depois de um minuto inteiro se ter passado. – Gareth?

Viu os lábios dele moverem-se antes de ouvir a sua voz. Um canto inclinou-se para cima num sorriso zombeteiro, e teve a estranha sensação de que ele tinha aceitado a sua própria má sorte, de que estava pronto a abraçá-la e a divertir-se com ela, porque se tentasse esmagá-la, acabaria pura e simplesmente destroçado.

– Eu daria tudo para ter mais uma pessoa por quem pudesse dar a minha vida – disse ele.

Foi então que Hyacinth percebeu que algumas coisas realmente surgiam como um relâmpago. Havia coisas que uma pessoa simplesmente sabia, sem ser capaz de as explicar.

Porque naquele momento soube que se ia casar com aquele homem.

Ninguém mais valeria a pena.

Gareth St. Clair sabia o que era importante. Tinha senso de humor, era mordaz e o escárnio dele podia ser por vezes arrogante, mas ele sabia o que era importante.

Hyacinth nunca se tinha apercebido antes do quanto isso era fundamental para *ela*.

Os lábios entreabriram-se enquanto o observava. Queria dizer alguma coisa, fazer alguma coisa. Finalmente percebia o que queria na vida, e sentia que devia atirar-se de alma e coração, trabalhar para o seu objetivo e certificar-se de que o atingiria.

Mas estava petrificada, sem palavras, observando-lhe o perfil. Algo na posição em que sustinha o maxilar o fazia parecer distante, assombrado. Hyacinth teve o impulso avassalador de estender a mão e tocá-lo, deixar os dedos acariciarem a face dele, alisar-lhe o cabelo, onde os fios loiro-escuro do rabo de cavalo descansavam contra a gola do casaco.

Mas não o fez. Não era assim tão corajosa.

Ele virou-se de repente, os olhos encontrando os dela com força e clareza suficientes para a deixarem sem fôlego. Hyacinth teve a estranha sensação de que só agora via aquele homem para além da superfície.

– Regressamos? – perguntou ele, a voz novamente animada e desanimadoramente normal.

O que quer que tivesse acontecido entre eles tinha passado.

– Claro – disse Hyacinth. Não era o momento certo para o pressionar. – Quando quiseres voltar a Clair...

As palavras sumiram-se-lhe. O corpo de Gareth enrijecera e os olhos estavam concentrados num ponto qualquer sobre o ombro dela.

Hyacinth virou-se para ver o que lhe prendera a atenção.

E ficou sem ar. O pai dele caminhava pelo mesmo trilho em direção a eles.

Ela olhou rapidamente em volta. Estavam na zona menos popular do parque e, como tal, havia muito menos gente. Vislumbrava alguns membros da sociedade do outro lado da clareira, mas nenhum perto o suficiente para ouvir uma conversa, desde que Gareth e o pai conseguissem manter um certo nível de civismo.

Hyacinth olhou novamente de um cavalheiro St. Clair para o outro e deu-se conta de que nunca os vira juntos antes.

Parte dela queria puxar Gareth para o lado e evitar uma cena, e a outra parte morria de curiosidade. Se ficassem ali parados e ela conseguisse testemunhar a interação entre ambos, talvez pudesse finalmente perceber a causa do afastamento.

Mas não dependia dela. A decisão tinha de vir de Gareth.

– Queres ir embora? – perguntou-lhe, mantendo a voz baixa.

Os lábios dele abriram-se lentamente, ao mesmo tempo que o queixo se ergueu uma fração de milímetro.

– Não – respondeu, a voz estranhamente contemplativa. – É um parque público.

Hyacinth olhou de Gareth para o pai e novamente para ele, balançando a cabeça com a sensação de que devia parecer como se estivesse a assistir a uma partida de ténis.

– Tens a certeza? – insistiu, mas ele não a ouviu; não teria sido capaz de ouvir um canhão disparado mesmo ao lado, de tão concentrado que estava no homem que caminhava sem pressas em direção a eles.

– Pai – cumprimentou Gareth, dando-lhe um sorriso untuoso. – Que bom vê-lo!

Um olhar de repulsa passou pelo rosto de Lord St. Clair, antes de ele o conseguir esconder.

– Gareth – disse ele, a voz neutra, formal e, na opinião de Hyacinth, totalmente sem vida. – Que... estranho... encontrá-lo aqui com Miss Bridgerton.

O choque levou Hyacinth a levantar a cabeça de repente. Ele dissera o seu nome com demasiada intenção. Ela não esperava ser arrastada para a guerra, mas parecia que, de alguma forma, isso já tinha acontecido.

– Conhece o meu pai? – perguntou-lhe Gareth em tom vagaroso, sem tirar os olhos do rosto do barão.

– Já fomos apresentados – respondeu Hyacinth.

– Com efeito – disse Lord St. Clair, pegando-lhe na mão e curvando-se para depositar um beijo nos dedos enluvados. – Sempre encantadora, Miss Bridgerton.

Fora o suficiente para provar a Hyacinth que eles estavam definitivamente a falar de algo muito diferente, porque ela *sabia* que não era sempre encantadora.

– Gosta da companhia do meu filho? – perguntou-lhe Lord St. Clair, e Hyacinth notou que uma vez mais alguém lhe fazia uma pergunta sem sequer olhar para ela.

– Claro – respondeu, os olhos voando de um para outro. – Ele é uma companhia muito divertida. E porque não foi capaz de resistir, acrescentou: – Deve estar muito orgulhoso dele.

O comentário chamou a atenção do barão, que se virou para ela, uma estranha centelha a bailar-lhe nos olhos que não era exatamente humor.

– Orgulhoso – murmurou ele, os lábios curvando-se num meio sorriso que ela achou muito parecido com o de Gareth. – É um adjetivo interessante.

– Bastante simples, eu diria – replicou Hyacinth com toda a calma.

– Nada é simples com o meu pai – disse Gareth.

Os olhos do barão tornaram-se duros.

– O que o meu filho quer dizer é que sou capaz de ver as nuances numa situação... quando as há. – Virou-se para Hyacinth. – Às vezes, minha cara Miss Bridgerton, o que está em causa é muito simplesmente preto e branco.

Boquiaberta, ela olhou para Gareth e depois para o pai dele. De que diabo estavam eles a *falar*?

A mão de Gareth no seu braço apertou-se, mas quando falou, o tom era leve e casual. Demasiado casual.

– Pela primeira vez, eu e o meu pai estamos totalmente de acordo. Frequentemente *conseguimos* ver o mundo com toda a clareza.

– Como agora, talvez? – murmurou o barão.

Não, que diabo! queria Hyacinth exclamar. No que lhe dizia respeito, aquela era a conversa mais abstrata e vaga da sua vida. Mas ficou de boca fechada. Em parte, porque não lhe cabia a ela falar, mas também porque não queria fazer nada que impedisse o desenrolar da cena.

Virou-se para Gareth. Ele sorria, mas os olhos eram gélidos.

– Estou convicto de que as minhas opiniões neste exato momento são claras – disse ele em tom melífluo.

Então, de repente, o barão voltou a atenção para Hyacinth.

– E a menina, Miss Bridgerton? – perguntou. – Também vê as coisas a preto e branco, ou o seu mundo é pintado em tons de cinza?

– Depende – respondeu ela, erguendo o queixo até ser capaz de o encarar com tranquilidade.

Lord St. Clair era alto, tão alto quanto Gareth, e parecia estar saudável e em forma. O seu rosto era agradável e surpreendentemente jovem, com olhos azuis e maçãs do rosto altas.

Mas Hyacinth antipatizou com ele à primeira vista. Escondia uma espécie de raiva interior, algo dissimulado e cruel.

E não gostava nada de como ele fazia Gareth sentir-se.

Não que Gareth lhe tivesse dito alguma coisa, mas era claro como água; estava-lhe estampado no rosto, na voz, até na forma como erguia o queixo.

– Uma resposta muito diplomática, Miss Bridgerton – disse o barão, dando-lhe um aceno de saudação.

– Que curioso – respondeu ela –, não tenho o hábito de ser diplomática.

– Não, não tem, pois não? – murmurou ele. – A menina tem uma certa reputação de ser... *sincera*.

Os olhos de Hyacinth semicerraram-se.

– É bem merecida.

O barão riu-se baixinho.

– Certifique-se apenas de que está na posse de todas as informações antes de formar uma opinião, Miss Bridgerton. Ou... – a cabeça moveu-se ligeiramente, fazendo com que passasse a olhá-la de um modo oblíquo, simultaneamente estranho e manhoso – antes de tomar qualquer decisão.

Hyacinth abriu a boca para lhe responder à letra, uma resposta mordaz que esperava ser capaz de inventar à medida que falava, já que ainda não fazia ideia sobre o que ele a alertava. Mas antes de conseguir falar, a pressão de Gareth sobre o seu antebraço tornou-se dolorosa.

– Está na hora de irmos – anunciou ele. – A tua família deve estar à tua espera.

– Envie-lhe os meus cumprimentos – disse Lord St. Clair, dirigindo-lhe uma curta vénia. – A sua família pertence à sociedade de bom-tom. Estou certo de que quer o melhor para si.

Hyacinth limitou-se a olhar para ele. Não fazia ideia de qual era o subtexto da conversa, mas claramente não possuía todos os factos. E *odiava* ser deixada na ignorância.

Gareth puxou-a pelo braço, com força, e ela percebeu que ele já começava a afastar-se. Hyacinth tropeçou numa pedra do caminho quando tentava acompanhá-lo.

– O que foi *aquilo*? – perguntou ela, sem fôlego por tentar manter-se ao lado ele.

Gareth atravessava o parque a uma velocidade que as suas pernas mais curtas simplesmente não eram capazes de igualar.

– Nada – rosnou ele.

– Não podes dizer que não foi *nada*.

Ela olhou por cima do ombro para ver se Lord St. Clair ainda vinha atrás. Não vinha, mas o movimento desequilibrou-a, fazendo-a tropeçar e cair contra o corpo de Gareth, que não parecia inclinado a tratá-la com qualquer carinho excecional ou solicitude. Mas parou o tempo suficiente para que ela recuperasse o equilíbrio.

– Não foi nada – repetiu ele, a voz cortante e sumária e uma centena de outras coisas que ela nunca pensara poder ser.

Hyacinth não devia ter dito mais nada. Sabia que não devia ter dito mais nada, mas nem sempre era cautelosa o suficiente para respeitar as suas próprias advertências, e quando ele a puxou para o seu lado, praticamente arrastando-a para este, em direção a Mayfair, ela perguntou:

– O que vamos fazer?

Gareth parou, tão de repente que ela quase colidiu contra ele.

– Fazer? – ecoou ele. – Nós?

– Nós – confirmou ela, embora a voz não lhe tivesse saído tão firme quanto pretendia.

– *Nós* não vamos fazer nada – retorquiu ele, a voz agudizando-se ao falar. – *Nós* vamos a pé até tua casa, onde vamos deixar-te à porta e depois *nós* vamos voltar para o meu pequeno e exíguo apartamento e tomar uma bebida.

– Porque o odeias tanto? – perguntou Hyacinth. A voz era suave, mas direta.

Ele não respondeu. Não respondeu e logo se tornou claro que não ia responder. Não era assunto dela, mas... oh, como desejava que fosse.

– Devo levar-te ou preferes seguir com a tua criada? – perguntou ele por fim.

Hyacinth espreitou por cima do ombro. Frances ainda estava atrás dela, de pé perto de um enorme olmo. Não parecia nem um pouco entediada.

Hyacinth suspirou. Ia precisar de um monte de pastilhas de hortelã desta vez.

CAPÍTULO 12

Vinte minutos mais tarde, depois de uma caminhada longa e silenciosa.

Era impressionante como bastava um encontro com o barão para arruinar um dia esplêndido, pensou Gareth com certo automenosprezo.

Não era tanto o barão. Era verdade que não suportava o homem, mas isso não era o que o incomodava, o que o mantinha acordado à noite, censurando-se mentalmente pela própria estupidez.

Ele odiava o que o pai fazia com ele, como uma simples conversa era capaz de o transformar num estranho. Ou se não num estranho, pelo menos num fac-símile espantosamente bom de Gareth William St. Clair... com a idade de quinze anos. Pelo amor de Deus, era um adulto agora, um homem de vinte e oito anos. Saíra de casa e crescera, ou assim o esperava. Devia ser capaz de se portar como um adulto quando encontrava o barão. Não devia ficar a sentir-se assim.

Aliás, não devia sentir nada. Nada.

Mas acontecia sempre. Ficava com raiva. Intempestivo. E dizia coisas apenas pelo prazer de provocar. Era grosseiro e imaturo, e não sabia como lhe pôr um fim.

E desta vez, tudo acontecera à frente de Hyacinth.

Acompanhara-a a casa em silêncio. Percebera que ela queria falar. Maldição, mesmo que não lho tivesse visto no rosto, saberia que ela queria falar. Hyacinth queria sempre falar. Mas, aparentemente, ela ocasionalmente sabia quando não insistir num assunto, porque conseguira manter-se em silêncio durante a longa caminhada através de Hyde Park e Mayfair. Agora ali estavam eles, em frente à casa dela, Frances, a criada, ainda uns seis metros atrás.

– Lamento imenso pela cena no parque – disse ele rapidamente, uma vez que a situação exigia algum tipo de pedido de desculpas.

– Acho que ninguém viu – respondeu ela. – Ou, pelo menos, acho que ninguém ouviu. E a culpa não foi tua.

Ele sentiu-se a sorrir. Com ironia, uma vez que era o único tipo de sorriso de que era capaz. A culpa *era* dele. Talvez o pai o tivesse provocado, mas há muito que Gareth devia ter aprendido a ignorar.

– Queres entrar? – convidou Hyacinth.

Ele abanou a cabeça.

– Acho melhor não.

Ela fitou-o com olhos invulgarmente sérios.

– Eu gostaria que entrasses – disse ela.

Era uma simples afirmação, tão desarmada e honesta que ele soube não poder recusar. Aceitou com um aceno de cabeça e juntos subiram os degraus. O resto da família Bridgerton tinha dispersado, de modo que entraram para a agora vazia sala de estar rosa e creme. Hyacinth aguardou junto da porta, até ele chegar à área de sofás e então fechou-a. Completamente.

Gareth ergueu as sobrancelhas inquiridoras. Em alguns círculos, uma porta fechada era o suficiente para exigir casamento.

– Eu costumava pensar – disse Hyacinth um momento depois – que a única coisa capaz de melhorar a minha vida era um pai.

Ele não reagiu.

– Sempre que estava zangada com a minha mãe – continuou ela, ainda junto da porta – ou com um dos meus irmãos ou irmãs, eu costumava pensar: *Se ao menos eu tivesse um pai. Tudo seria perfeito, e ele certamente ficaria do meu lado.* – Levantou o olhar, os lábios curvados num sorriso torto enternecedor. – É claro que não o teria feito, pois tenho a certeza de que a maioria das vezes eu estaria errada, mas sempre me deu um grande conforto pensar assim.

Gareth continuou sem reagir. Só conseguia ficar ali e imaginar-se um Bridgerton. Imaginar-se no meio de todos aqueles irmãos, de toda aquela alegria. Não era capaz de responder, porque era demasiado doloroso pensar que ela tivera tudo isso e ainda queria mais.

– Eu sempre tive ciúmes de pessoas que tinham pai – disse ela –, mas não volto a ter.

Ele virou-se bruscamente, os olhos fixando os dela. Ela correspondeu com igual franqueza, e ele percebeu que não podia desviar o olhar. Não que não devia, mas que não podia.

– É melhor não ter nenhum pai do que ter alguém como o teu, Gareth – disse ela em voz baixa. – Lamento imenso.

E foi nesse momento que ele se foi abaixo. Ali estava uma jovem que tinha tudo, pelo menos tudo o que *ele* julgara sempre desejar, e que de alguma forma ainda era capaz de o compreender.

– Eu, pelo menos, tenho lembranças – continuou ela, com um sorriso melancólico. – Ou, pelo menos, as memórias que os outros partilharam comigo. Eu sei quem foi o meu pai e sei que era um homem bom. Ter-me-ia amado se fosse vivo. Ter-me-ia amado sem reservas e sem condições.

Os lábios dela hesitaram numa expressão que ele nunca vira nela antes. Um pouco bizarra, e com muito de autodepreciativo. Não era de todo típica de Hyacinth e, por essa razão, completamente hipnotizante.

– E eu sei – prosseguiu ela, deixando escapar um sopro curto em *staccato*, do tipo que fazemos quando achamos inacreditável aquilo que dizemos – que muitas vezes amar-me dá muito trabalho.

E então Gareth percebeu que algumas coisas realmente surgem como um relâmpago. Havia coisas que uma pessoa simplesmente sabia, sem ser capaz de as explicar. Porque naquele momento, enquanto a observava, só conseguia pensar... *Não.*

Não.

Seria muito fácil amar Hyacinth Bridgerton.

Não sabia de onde lhe viera o pensamento, ou que bizarro canto do seu cérebro chegara a essa conclusão, porque tinha a certeza de que seria quase impossível *viver* com ela, mas de alguma forma sabia que não seria nada difícil amá-la.

– Eu falo de mais – disse ela.

Ele estava perdido em pensamentos. O que estava ela a dizer?

– E sou muito teimosa.

Isso era verdade, mas o que...

– E consigo ser absolutamente impossível quando as coisas não acontecem como eu quero, embora goste de pensar que a maior parte do tempo sou razoavelmente razoável...

Gareth desatou a rir. Santo Deus, ela estava a catalogar todas as razões pelas quais era tão difícil ser amada. Estava certa, é claro, sobre todas elas, mas nada disso parecia importar. Pelo menos não agora.

– O que foi? – perguntou ela, desconfiada.

– Fica quieta – disse ele, cruzando a distância entre ambos.

– Porquê?

– Fica quieta, peço-te.

– Mas...

Ele pousou um dedo sobre os lábios dela.

– Concede-me um favor – disse ele suavemente – e não digas uma palavra.

Por incrível que pareça, ela obedeceu.

Durante uns instantes ele não fez nada, exceto olhá-la. Era tão raro ela estar perfeitamente sossegada, não haver algo no seu rosto a mexer-se ou a falar ou a expressar uma opinião com um simples franzir de nariz. Apenas olhou para ela, memorizando a forma como as sobrancelhas arqueavam em asas delicadas e os olhos se arregalavam sob o esforço para se manterem quietos. Saboreou-lhe o sopro quente da respiração no dedo encostado aos lábios e o som engraçado que ela fez na parte posterior da garganta sem se dar conta.

E então não conseguiu evitar. Beijou-a.

Tomou-lhe o rosto entre as mãos e desceu a boca para a dela. Da última vez que o fizera estava cheio de raiva, e vira-a como pouco mais do que um fruto proibido, a única mulher que o pai julgava que ele não podia ter.

Mas desta vez ia fazer tudo certo. *Este* seria o primeiro beijo de ambos.

E seria memorável.

Os lábios dele eram suaves, gentis. Ele esperou que ela suspirasse, que o corpo relaxasse contra o dele. Não tomaria nada até ela deixar claro que estava pronta para dar.

Então ele oferecer-se-ia em troca.

Roçou os lábios nos dela, um atrito leve o suficiente para lhe sentir a textura, para lhe sentir o calor do corpo. Acariciou-os com a língua, meigo e doce, até os lábios se separarem.

Saboreou-a. Ela era doce e quente, e retribuía o beijo com a mais diabólica combinação de inocência e experiência que ele poderia imaginar. Inocência, porque era mais do que óbvio que não sabia o que fazia; e experiência, porque, apesar de tudo, era capaz de o levar à loucura.

Aprofundou o beijo, deslizando as mãos pelas costas, até uma descansar na curva das nádegas e a outra ao fundo das costas. Puxou-a contra si, contra a evidência crescente do seu desejo. Aquilo era insano. Era uma loucura. Estavam na sala de estar da mãe, a menos de um metro de uma porta que podia ser aberta a qualquer momento, por um irmão que certamente não sentiria qualquer escrúpulo em estraçalhar Gareth membro por membro.

Mas ainda assim não conseguia parar.

Desejava-a. Desejava-a completamente.

Que Deus o ajudasse, mas desejava-a naquele instante.

– Gostas disto? – murmurou ele, os lábios passeando-se até ao ouvido.

Sentiu-lhe o assentimento, ouviu-lhe o suspiro quando tomou o lóbulo entre os dentes. A reação dela encorajava-o, atiçava-o.

– Gostas disto? – voltou a sussurrar, serpenteando uma mão até ao alto do seio.

Ela voltou a anuir, desta vez soltando um pequeno e ofegante «Sim!»

Ele não pôde deixar de sorrir, nem fazer outra coisa senão deslizar a mão para dentro do casaco dela, até que a única coisa a separar a sua mão do corpo dela fosse o fino tecido do vestido.

– Ainda vais gostar mais disto – disse ele com malícia, deslizando a palma sobre o seio até sentir o mamilo endurecer.

Ela soltou um gemido e ele permitiu-se tomar maiores liberdades, segurando-o entre os dedos e rodando-o suavemente até ela gemer de novo, as mãos agarrando-se freneticamente aos seus ombros.

Ela seria boa na cama, percebeu com uma satisfação primitiva. A princípio não saberia o que estava a fazer, mas não importava. Em breve aprenderia, e ele iria ter o maior prazer em ensiná-la.

E ela seria sua.

Sua.

E quando os seus lábios encontraram novamente os dela e a língua deslizou para encontrar a dela, clamando-a como sua, ele pensou...

Porque não?

Porque não casar-se com ela? Porque n...

Afastou-se, ainda lhe segurando o rosto entre as mãos. Algumas coisas precisavam de ser pensadas com uma mente lúcida, e Deus sabia que a sua cabeça perdia toda a lucidez quando beijava Hyacinth.

– Fiz alguma coisa errada? – sussurrou ela.

Ele abanou a cabeça, incapaz de fazer outra coisa senão olhá-la.

– Então, o que...

Ele silenciou-a com um dedo firme nos lábios.

Porque não casar com ela? Toda a gente parecia querer que o fizessem. A avó insinuava-o há mais de um ano e a família dela era tão subtil como uma marreta. Além disso, ele realmente *gostava* de Hyacinth, o que era mais do que podia dizer da maioria das mulheres que conhecera durante os seus anos de solteiro. Era certo que ela o punha louco com muita frequência, mas mesmo considerando isso, gostava dela.

Além de que se tornava cada vez mais evidente que não seria capaz de manter as mãos longe dela por muito mais tempo. Outra tarde como esta e arruiná-la-ia para sempre.

Podia imaginá-lo, vê-lo na sua mente. Não apenas os dois, mas todos os que faziam parte das suas vidas... a família dela, a sua avó.

O seu pai.

Gareth quase desatou à gargalhada. Que presente dos céus. Podia casar com Hyacinth, o que já se lhe figurava na mente como um objetivo extremamente agradável, e ao mesmo tempo esmagar completamente o barão.

Isso iria derrotá-lo. Completamente.

Mas, pensou, deixando os dedos trilhar a linha do queixo enquanto se afastava, precisava de fazer tudo da maneira correta. Nem sempre tinha vivido a vida do lado certo do decoro, mas havia algumas coisas que um homem tinha de fazer como um cavalheiro.

Hyacinth não merecia menos do que isso.

– Tenho de ir – murmurou ele, levando uma das mãos dela aos lábios e depositando um beijo cortês de despedida.

– Onde? – deixou ela escapar, os olhos ainda atordoados de paixão.

Ele gostava daquilo. Gostava de saber que conseguia deixá-la tão perturbada, sem o seu famoso autodomínio.

– Há algumas coisas em que preciso de pensar – respondeu ele – e algumas coisas que preciso de resolver.

– Mas... o quê?

Ele sorriu-lhe.

– Em breve descobrirás.

– Quando?

Ele caminhou até à porta.

– Hoje não paras de fazer perguntas, não é?

– Não teria de as fazer – retorquiu ela, recuperando claramente a sagacidade – se te decidisses a dizer algo de substância.

– Até à próxima, Miss Bridgerton – murmurou ele, saindo para o corredor.

– Mas *quando*? – ouviu a voz exasperada dela.

Ele riu-se todo o caminho até à rua.

Uma hora depois, no átrio de entrada de Bridgerton House.

O nosso herói, aparentemente, não perdeu tempo.

– O visconde vai recebê-lo agora, Mr. St. Clair.

Gareth seguiu o mordomo de Lord Bridgerton até uma secção privada da casa, uma que ele nunca vira durante o punhado de vezes que entrara como convidado em Bridgerton House.

– O senhor está no gabinete – explicou o mordomo.

Gareth assentiu. Parecia-lhe o lugar certo para a conversa. Lord Bridgerton desejaria aparentar estar no comando, manter o controlo, e isso seria enfatizado pela reunião no seu santuário privado.

Quando Gareth batera à porta de Bridgerton House cinco minutos antes, não fornecera ao mordomo qualquer indicação do seu propósito ali, mas não tinha dúvida nenhuma de que o irmão de Hyacinth, o quase infamemente poderoso visconde Bridgerton, sabia exatamente quais as suas intenções.

Por que outro motivo o visitaria Gareth? Nunca antes tivera uma razão. E depois de conhecer a família de Hyacinth ou, pelo menos, uma parte, não tinha dúvidas de que a mãe já conversara com o irmão dela e discutira a possibilidade da união entre os dois.

– Mr. St. Clair – cumprimentou o visconde, levantando-se de trás da secretária quando Gareth entrou no aposento.

Era promissor. A etiqueta não exigia que um visconde se levantasse e fazê-lo era um sinal de respeito.

– Lord Bridgerton – respondeu Gareth, com um aceno de cabeça, retribuindo o cumprimento.

O irmão de Hyacinth possuía a mesma tonalidade de cabelo castanho que a irmã, embora o dele começasse a ficar grisalho nas têmporas. Contudo, o leve sinal da idade em nada contribuía para o enfraquecer. Era um homem alto, provavelmente uma dúzia de anos mais velho do que Gareth, mas ainda exibia uma forma soberba e um porte poderoso. Gareth não teria gostado de o encontrar num ringue de boxe. Ou num duelo.

O visconde indicou uma grande cadeira de couro, colocada em frente à sua mesa.

– Sente-se, por favor – convidou ele.

Gareth assim fez, esforçando-se ao máximo por se manter quieto e impedir os dedos de tamborilarem nervosamente no braço da cadeira. Nunca antes fizera uma coisa daquelas e dane-se se não era extremamente inquietante. Precisava de parecer calmo, de ter os pensamentos organizados e seguros. Não achava que a sua oferta pudesse ser recusada, mas gostaria de sair daquela experiência com um mínimo de dignidade. Se casasse com Hyacinth, iria conviver com o visconde o resto da vida, e não gostaria que o chefe da família Bridgerton o visse como um imbecil.

– Imagino que saiba porque estou aqui – começou Gareth.

O visconde, que reassumira o seu lugar atrás da grande mesa de mogno, inclinou a cabeça muito ligeiramente para o lado. Tamborilava as pontas dos dedos umas nas outras, as mãos fazendo um triângulo oco.

– Talvez – disse ele –, mas para nos salvar a ambos de possíveis constrangimentos, agradeço que exponha as suas intenções com clareza.

Gareth respirou fundo. O irmão de Hyacinth não lhe ia facilitar a vida. Mas não importava. Tinha jurado fazer tudo como devia e não se deixaria intimidar.

Ergueu o olhar, encarando os olhos escuros do visconde com firme propósito.

– Eu gostaria de me casar com a Hyacinth – anunciou. E então, porque o visconde não disse uma palavra, nem mexeu um músculo que fosse, Gareth acrescentou: – Isto é, se ela me aceitar.

Foi então que cerca de oito coisas aconteceram ao mesmo tempo. Ou talvez tivessem sido apenas duas ou três e parecessem oito, porque fora tudo tão inesperado.

Primeiro, o visconde exalou, apesar de a palavra «exalar» parecer um eufemismo, porque, na verdade foi mais um suspiro, um enorme, exausto e profundo suspiro que fez o homem parecer literalmente esvaziar-se na frente de Gareth. O que era espantoso. Gareth tinha visto o visconde em muitas ocasiões e conhecia bem a sua reputação. Aquele não era homem de se deixar abater ou de soltar lamentos.

Os lábios dele também pareciam mover-se enquanto o fazia, e se Gareth fosse um homem mais desconfiado, teria *pensado* que o visconde dissera: «Obrigado, Senhor.»

Combinado com o virar para o céu dos olhos do visconde, parecia a interpretação mais provável.

Enquanto Gareth absorvia tudo isto, Lord Bridgerton deixou as palmas das mãos caírem na mesa com uma força surpreendente e encarou Gareth dizendo:

– Oh, ela vai aceitar. Claro que ela vai aceitar.

Não era bem o que Gareth estava à espera.

– Como diz? – disse ele, pois, a bem da verdade, não lhe ocorria mais nada.

– Eu preciso de uma bebida – anunciou o visconde, levantando-se. – É ocasião para celebrar, não acha?

– Hum... sim?

Lord Bridgerton atravessou o aposento até uma estante com recesso e tirou uma garrafa de vidro lapidado de uma das prateleiras.

– Não – disse para si mesmo, voltando-o a colocá-la ao acaso no lugar –, deve ser o melhor. – Virou-se para Gareth, os olhos assumindo um brilho estranho, quase frívolo. – O de boa qualidade, não concorda?

– Hã... – Gareth não sabia muito bem como reagir.

– O de boa qualidade – disse o visconde com firmeza. Afastou alguns livros para o lado e foi atrás buscar o que parecia ser uma garrafa muito antiga de conhaque. – Tenho de o manter escondido – explicou, servindo-o generosamente em dois copos.

– Por causa dos criados? – perguntou Gareth.

– Dos irmãos. – Entregou um copo a Gareth. – Bem-vindo à família.

Gareth aceitou a oferta, quase desconcertado com a facilidade de toda a situação. Não teria ficado surpreendido se o visconde tivesse conseguido de alguma maneira desencantar uma licença especial e um vigário ali mesmo.

– Obrigado, Lord Bridgerton, eu...

– Deve passar a tratar-me por Anthony – interrompeu o visconde. – Afinal de contas, vamos ser irmãos.

– Anthony – repetiu Gareth. – Eu só queria...

– Este é um dia sensacional – murmurava Anthony para si. – Um dia maravilhoso. – Olhou bruscamente para Gareth. – Não tem irmãs, pois não?

– Não – confirmou Gareth.

– Eu tenho quatro – disse Anthony, tragando pelo menos um terço do conteúdo do copo. – Quatro. E agora estão todas fora das minhas mãos. O meu trabalho está feito – disse ele, com ar de quem parecia prestes a desatar a dançar. – Estou livre.

– Mas tem filhas, não? – Gareth não conseguiu resistir a lembrá-lo.

– Apenas uma, e ainda só tem três anos. Tenho muitos anos pela frente antes de ter de passar por isto novamente. Com sorte, ela converte-se ao catolicismo e vai para freira.

Gareth engasgou-se com a bebida.

– É bom, não é? – perguntou Anthony, olhando para a garrafa. – Vinte e quatro anos de envelhecimento.

– Acho que nunca bebi nada tão antigo – murmurou Gareth.

– Ora, então – disse Anthony, encostado ao rebordo da secretária –, certamente quer discutir o contrato de casamento.

A verdade era que Gareth ainda nem tinha pensado sobre o contrato, por mais estranho que parecesse a um homem possuidor de tão poucos recursos. Estava tão perplexo com a decisão repentina de casar com Hyacinth que a sua mente ainda não tinha abordado os aspetos práticos de uma tal união.

– É do conhecimento geral que lhe aumentei o dote no ano passado – continuou Anthony, a fisionomia cada vez mais séria. – Mantenho o prometido, embora eu espere que não seja esse o principal motivo para se casar com ela.

– Claro que não – eriçou-se Gareth.

– Também sou da mesma opinião – disse Anthony –, mas é minha obrigação perguntar.

– Certamente nenhum homem o admitiria na sua presença, mesmo se fosse – argumentou Gareth.

Anthony levantou a cabeça bruscamente.

– Gosto de pensar que sou capaz de ler a expressão de um homem e saber se ele está a mentir.

– Claro – concordou Gareth, voltando a sentar-se.

Mas não lhe pareceu que o visconde tivesse ficado ofendido.

– Ora, então – voltou ele a dizer –, a parte dela está em...

Gareth observou com certo aturdimento Anthony abanar a cabeça e deixar as palavras diminuírem de intensidade.

– Lord Bridgerton? – murmurou.

– As minhas desculpas – disse Anthony, recuperando rapidamente a atenção. – Confesso que não estou bem em mim de momento.

– Claro – murmurou Gareth, achando que concordar era a única ação aceitável naquela altura.

– Nunca pensei que este dia iria chegar – confessou o visconde. – Tivemos ofertas, é claro, mas nenhuma que eu estivesse disposto a aceitar, e nenhuma recentemente. – Soltou um longo suspiro. – Já tinha começado a desesperar, pensando que ninguém de mérito desejasse casar-se com ela.

– Parece ter a sua irmã em muito pouca consideração – comentou Gareth friamente.

Anthony olhou para cima e sorriu. Mais ou menos.

– Nada disso – respondeu ele. – Mas também não sou cego às suas... hã... qualidades únicas.

Levantou-se, e Gareth percebeu de imediato que Lord Bridgerton usava a altura como arma de intimidação. Também percebeu que não devia interpretar mal a demonstração inicial de leveza e alívio do visconde. Aquele era um homem perigoso, ou pelo menos podia ser quando assim o decidia, e o melhor que Gareth tinha a fazer era não o esquecer.

– A minha irmã Hyacinth – prosseguiu o visconde em tom vagaroso, caminhando em direção à janela – é de um valor incalculável. Aconselho-o a não esquecer isso nunca, e se preza a sua integridade física, irá tratá-la como o tesouro que ela é.

Gareth calou-se. Não lhe parecia o momento certo de intervir.

– Mas, embora Hyacinth possa ser de um valor incalculável – disse Anthony, virando-se com a passada lenta e deliberada de um homem que conhece bem o próprio poder –, não é uma pessoa fácil. Sou o primeiro a admitir. Não existem muitos homens capazes de a igualar em inteligência e sagacidade, e se ela acabar presa num casamento com alguém que não aprecia a sua... personalidade singular, será infeliz.

Ainda assim, Gareth não falou. Mas também não retirou os olhos do rosto do visconde.

E Anthony devolveu o gesto.

– Vou dar-lhe a minha permissão para se casar com ela – disse ele. – Mas aconselho-o a pensar muito bem antes de a pedir em casamento diretamente.

– Aonde quer chegar? – perguntou Gareth, desconfiado, levantando-se.

– Não vou mencionar esta conversa a ela. Cabe-lhe a si decidir se deseja dar o passo final. E se não... – O visconde encolheu os ombros e ergueu as palmas das mãos, num estranho gesto de quem diz «lavo daí as minhas mãos». – Nesse caso – concluiu, em tom quase perturbadoramente calmo –, ela nunca vai saber.

Quantos homens teria o visconde assustado daquela maneira, interrogou-se Gareth. Meu Deus, seria por isso que Hyacinth tinha ficado solteira tanto tempo? Supôs que devia ficar grato, uma vez que isso permitira que ela estivesse livre para se casar com ele, mas ainda assim, será que ela sabia que o irmão mais velho era *louco*?

– Se não for capaz de fazer a minha irmã feliz – continuou Anthony Bridgerton, com uma intensidade no olhar que só serviu para confirmar as suspeitas de Gareth sobre a sua sanidade mental –, então o *Gareth* não vai ser feliz. Eu mesmo irei certificar-me disso.

Gareth abriu a boca para oferecer ao visconde uma réplica mordaz... que se danasse o tratamento com todo o tato e diplomacia a sua alteza poderosa. Mas então, justamente quando estava prestes a insultar o futuro cunhado, talvez de forma irremediável, uma frase completamente diferente saiu-lhe da boca.

– Ama-a muito, não é?

Anthony bufou impaciente.

– É claro que a amo. Ela é minha irmã.

– Eu amava o meu irmão – disse Gareth calmamente. – Além da minha avó, era a única pessoa que eu tinha neste mundo.

– Depreendo, por essas palavras, que não pretende consertar o rompimento com o seu pai – disse Anthony.

– Não.

Anthony não fez perguntas; apenas assentiu com a cabeça e disse:

– Se se casar com a minha irmã, ter-nos-á a todos.

Gareth tentou falar, mas a voz não saiu. Não tinha palavras. Não havia palavras para o sentimento que o assolava.

– Para o melhor ou para o pior – continuou o visconde, com uma risada ligeira de quem troça de si próprio. – E asseguro-lhe que irá desejar muitas vezes que a Hyacinth fosse uma enjeitada, abandonada numa qualquer porta sem um único parente.

– Não – disse Gareth com suave determinação. – Não desejaria isso a ninguém.

A sala ficou em silêncio um momento, e então o visconde perguntou:

– Existe alguma coisa que deseje partilhar comigo sobre ele?

A inquietação começou a infiltrar-se no sangue de Gareth.

– Sobre quem?

– O seu pai.

– Não.

Anthony pareceu ponderar a resposta e depois perguntou:

– Acha que ele pode causar problemas?

– A mim?

– À Hyacinth.

Gareth não podia mentir.

– É possível.

Essa era a pior parte. Isso era o que iria mantê-lo acordado à noite. Gareth não fazia ideia do que o barão seria capaz de fazer. Ou do que seria capaz de dizer.

Ou de como os Bridgerton se poderiam sentir se soubessem a verdade.

Nesse momento, Gareth percebeu que precisava de fazer duas coisas. Primeiro, tinha de se casar Hyacinth o mais depressa possível. Ela, e a mãe, provavelmente quereriam um daqueles casamentos absurdamente elaborados que demoravam meses a planear, mas ele ia ter de fazer finca-pé e insistir para que se casassem rapidamente.

E, segundo, como uma espécie de seguro, ia ter de fazer algo que tornasse impossível que ela desistisse, mesmo que o seu pai trouxesse a lume provas do parentesco de Gareth.

Ia ter de a comprometer. O mais depressa possível. Havia ainda a questão do diário de Isabella. Ela poderia ter conhecido a verdade, e se tivesse escrito sobre isso, Hyacinth ficaria a saber os seus segredos, mesmo sem a intervenção do barão.

Embora Gareth não se importasse que Hyacinth soubesse a verdade sobre o seu nascimento, era vital que tal acontecesse só depois do casamento.

Ou depois de ele ter garantido essa eventualidade através da sedução.

Gareth não gostava nada de ser encostado à parede. Nem gostava especialmente de *ter* de fazer alguma coisa.

Mas aquilo...

Aquilo, decidiu, seria puro prazer.

CAPÍTULO 13

Uma hora mais tarde, apenas. Como já salientámos, quando o nosso herói põe uma coisa na cabeça...

Ah, e já referimos que é terça-feira?

– O quê? – bradou Lady Danbury. – Não está a falar alto o suficiente!

Hyacinth deixou o livro que lia repousar-lhe no colo, fechado e marcado na página apenas com o dedo indicador.

– Porque será que tenho a sensação de já ter ouvido isso antes? – perguntou ela em voz alta.

– Porque já ouviu – declarou Lady D. – Nunca fala alto o suficiente.

– Curioso, a minha mãe nunca me acusa disso.

– Os ouvidos da sua mãe são de uma geração diferente dos meus – resmungou Lady Danbury. – E onde está a minha bengala?

Desde que vira Gareth em ação, Hyacinth aproveitara para ter a mesma coragem quando se tratava de encontros com a bengala de Lady Danbury.

– Escondi-a – anunciou ela com um sorriso maléfico.

Lady Danbury recuou.

– Hyacinth Bridgerton, sua gata manhosa.

– Gata?

– Eu não gosto de cães – disse Lady D fazendo um gesto de rejeição com a mão. – Ou de raposas, já que estamos a falar nisso.

Hyacinth decidiu tomar isso como um elogio, sempre a melhor atitude a tomar, quando Lady Danbury não fazia nenhum sentido, e voltou a atenção para *Miss Butterworth e o Barão Louco*, capítulo dezassete.

– Continuando – murmurou ela –, onde é que nós íamos...

– Onde é que a escondeu?

– Se eu lhe dissesse, deixaria de estar escondida, não acha? – disse Hyacinth, sem levantar os olhos do livro.

– Fico prisioneira desta cadeira sem ela – argumentou Lady D. – Não gostaria de privar uma velha senhora do seu único meio de transporte, pois não?

– Gostaria, sim – respondeu Hyacinth, ainda a olhar para o livro. – Sem sombra de dúvida.

– Tem passado demasiado tempo com o meu neto – resmungou a condessa.

Hyacinth manteve a atenção diligentemente no livro, mas sabia que não estava a conseguir apresentar uma expressão completamente neutra. Mordiscou o lábio e, em seguida, contraiu-os, como sempre fazia quando tentava não olhar para alguém, porque, se a temperatura das faces servissem de indicador, estava corada.

Santo Deus!

Lição número um nas relações com Lady Danbury: nunca mostrar fraqueza.

Sendo a lição número dois óbvia: em caso de dúvida, consultar a lição número um.

– Hyacinth Bridgerton – disse Lady Danbury, devagar de mais para ser outra coisa senão o tipo mais tortuoso de maldade –, as suas faces estão coradas?

Hyacinth olhou para cima exibindo a sua expressão mais neutra.

– Eu não consigo ver as minhas faces.

– Pois asseguro-lhe que *estão* coradas.

– Se o diz.

Hyacinth virou uma página com um pouco mais de veemência do que o necessário e, logo em seguida, olhou com espanto para o pequeno rasgo perto da encadernação. Oh, céus! Bem, não podia fazer nada sobre isso agora, e Priscila Butterworth tinha certamente sobrevivido a pior.

– Porque está a corar? – perguntou Lady D.

– Eu não estou a corar.

– Pois eu acho que está.

– Eu não est... – Hyacinth conteve-se antes de começarem a peguilhar como duas crianças. – Tenho calor, só isso – afirmou ela, com o que achou ser uma exibição admirável de dignidade e decoro.

– A temperatura está perfeitamente agradável nesta sala – argumentou Lady Danbury de imediato. – Porque está a corar?

Hyacinth atirou-lhe um olhar furioso.

– Quer que eu leia o livro ou não?

– Não – respondeu Lady D prontamente. – Prefiro saber porque está a corar.

– Eu não estou a corar! – quase gritou Hyacinth.

Lady Danbury sorriu, uma expressão que em qualquer outra pessoa poderia ter sido agradável, mas que nela era puramente diabólica.

– Bem, agora está – salientou ela.

– Se as minhas faces estão rosadas – resmoneou Hyacinth – é de estar furiosa.

– Comigo? – perguntou Lady D, pousando uma mão de pura inocência sobre o coração.

– Vou voltar ao livro agora – anunciou Hyacinth.

– Se tem de ser – disse Lady D com um suspiro. Esperou cerca de um segundo antes de acrescentar: – Acho que Miss Butterworth estava a subir a encosta.

Hyacinth voltou resolutamente a atenção para o livro que tinha nas mãos.

– E então? – exigiu Lady Danbury, impaciente.

– Tenho de encontrar o sítio onde estava – resmungou Hyacinth.

Esquadrinhou a página, tentando encontrar Miss Butterworth e a encosta correta (havia mais do que uma e ela subia-as todas), mas as palavras nadavam-lhe diante dos olhos, e tudo o que via era Gareth.

Gareth, com aqueles olhos malandros e lábios perfeitos. Gareth, com uma covinha que certamente negaria que tinha se ela lho apontasse. Gareth...

Que estava a fazê-la parecer tão tola como Miss Butterworth. Porque iria ele negar uma covinha?

Na verdade...

Hyacinth folheou algumas páginas para trás. Sim, de facto, ali estava, bem no meio do capítulo dezasseis:

> «Os olhos dele eram malandros e os lábios perfeitamente moldados. E possuía uma covinha, logo acima do canto esquerdo da boca, que certamente iria negar ter, caso alguma vez reunisse coragem suficiente para lho dizer.»

– Santo Deus – murmurou Hyacinth. Não achava sequer que Gareth *tinha* uma covinha.

– Não estamos assim tão perdidas, não é? – exigiu saber Lady D. – Andou para trás uns três capítulos, pelo menos.

– Estou à procura, estou à procura – disse Hyacinth.

Estava a ficar louca. Só podia ser isso. Claramente perdera a inteligência se já começava inconscientemente a citar *Miss Butterworth.*

Mas, a verdade é que...

Ele a beijara.

Ele beijara-a realmente. Da primeira vez, no corredor de Bridgerton House... aquilo tinha sido algo completamente diferente.

Os lábios tinham-se tocado, é certo, e na verdade muitas outras coisas se tinham tocado também, mas não tinha sido um beijo.

Não como este último.

Hyacinth suspirou.

– *O que* a põe assim a bufar? – exigiu saber Lady Danbury.

– Nada.

A boca de Lady D contraiu-se numa linha firme.

– Não está em si esta tarde, Miss Bridgerton. De todo.

Não era um ponto que Hyacinth desejasse discutir.

– *Miss Butterworth* – leu com mais intensidade do que necessário – *subiu a encosta, os dedos cravando-se mais fundo na terra a cada passo.*

– Os dedos podem dar passos? – perguntou Lady D.

– Neste livro podem. – Hyacinth aclarou a garganta e continuou: – *Podia ouvi-lo atrás dela. Ele aproximava-se cada vez mais e logo iria apanhá-la. Mas, com que propósito? Bom ou mau?*

– Mau, eu espero. Sempre mantém as coisas mais interessantes.

– Concordo plenamente – disse Hyacinth. – *Como poderia ela saber?* – continuou a ler. – *Como poderia ela saber? Como* PODERIA *ela saber?* – Olhou para cima. – A ênfase é minha.

– Permitido – disse Lady D com bonomia.

– *E então ela lembrou-se do conselho que a mãe lhe dera, antes de a bendita senhora ter ido para o seu eterno descanso, depois de bicada até à morte por pombos...*

– Isso não pode ser real!

– É claro que não pode. É um romance. Mas eu juro que está escrito aqui, na página 193.

– Deixe-me ver isso!

Hyacinth arregalou os olhos. Lady Danbury acusava frequentemente Hyacinth de acrescentar floreados à história, mas aquela era a primeira vez que tinha realmente exigido confirmar com os próprios olhos. Levantou-se e mostrou o livro à condessa, apontando para o parágrafo em questão.

– Ora esta! Estou para a minha vida! – exclamou Lady Danbury. – A pobre senhora realmente foi morta por pombos. – Sacudiu a cabeça. – Não era morte que eu gostasse de ter.

– Provavelmente não precisa de se preocupar quanto a isso – disse Hyacinth, retomando o seu lugar.

Lady D esticou a mão para pegar na bengala e fez uma careta quando percebeu que não estava ali.

– Continue – ordenou ela.

– Certo – disse Hyacinth para si mesma, voltando a olhar para o livro. – Deixe-me ver. Ah, sim... *ido para o seu eterno descanso, depois de bicada até à morte por pombos.* – Olhou para cima, perdida de riso. – Peço imensa desculpa, mas não consigo ler isto sem desatar a rir.

– Trate mas é de ler!

Hyacinth pigarreou várias vezes antes de retomar.

– *Ela tinha apenas doze anos, demasiado jovem para tal conversa, mas talvez a mãe tivesse pressentido a sua morte precoce.* Peço desculpa – voltou ela a interromper –, mas como diabo alguém seria capaz de pressentir uma coisa assim?

– Como disse – interveio Lady D secamente –, é um romance.

Hyacinth respirou fundo e continuou a ler:

– *A mãe segurara-lhe a mão, e com olhos tristes e solitários havia dito: «Minha muito querida Priscilla. Não há nada neste mundo mais precioso do que o amor.»*

Hyacinth espreitou Lady Danbury pelo canto do olho, esperando vê-la bufar de repugnância. Mas, em vez disso, ficou abismada quando viu a condessa extasiada, atenta a cada palavra sua.

Retornando rapidamente a atenção ao livro, Hyacinth leu:

– *«Mas há impostores, querida Priscilla, e há homens que irão tentar aproveitar-se de ti sem um sentimento puro e verdadeiro.»*

– Isso é verdade – disse Lady Danbury.

Hyacinth ergueu os olhou e percebeu de imediato que Lady Danbury não se dera conta de que falara em voz alta.

– Homessa, é, pois – disse Lady D na defensiva, quando percebeu que Hyacinth a fitava.

Não querendo constranger mais a condessa, Hyacinth regressou em silêncio ao livro. Pigarreando, continuou:

– *«Terás de confiar nos teus instintos, minha querida Priscilla, mas vou dar-te um conselho. Guarda-o no teu coração e lembra-te sempre dele, pois o que te vou dizer é a verdade.»*

Hyacinth virou a página, um pouco envergonhada ao perceber que estava mais envolvida pelo livro do que nunca.

– *Priscilla inclinou-se para frente, tocando o rosto pálido da mãe. «O que é, mamã?», perguntou.*

«'Se quiseres saber se um cavalheiro te ama», disse a mãe «'só há uma maneira de teres a certeza.'»

Lady Danbury inclinou-se para a frente. Até Hyacinth se inclinou para a frente, e era ela que segurava o livro.

– *«Pelo seu beijo», sussurrou a mãe. «Está tudo lá, no seu beijo.»*

Os lábios de Hyacinth abriram-se ligeiramente, uma mão tocando os próprios lábios, sem ela se dar conta.

– Bem – declarou Lady Danbury –, não era disso que eu estava à espera.

Está no seu beijo. Seria verdade?

– Eu acho que está mais nas suas ações ou nas suas obras – continuou Lady D com presunção –, mas suponho que não teria sido suficientemente romântico para Miss Butterworth.

– E para o Barão Louco – murmurou Hyacinth.

– Exatamente! Quem em sua sã consciência iria querer um louco?

– Está no seu beijo – murmurou Hyacinth para si mesma.

– O quê? – bradou Lady Danbury. – Não consigo ouvi-la.

– Não é nada – apressou-se a dizer Hyacinth, sacudindo ligeiramente a cabeça para voltar à realidade e dar atenção à condessa. – Estava distraída.

– A ponderar sobre os dogmas intelectuais ditos pela mãe Butterworth?

– Claro que não! – Ela tossiu. – Vamos ler mais um pouco?

– É melhor – resmungou Lady D. – Quanto mais cedo terminarmos este, mais cedo podemos seguir para o próximo.

– Não *precisamos* de terminar este – disse Hyacinth, embora se não o fizessem, ela tivesse de o levar para casa às escondidas e terminá-lo sozinha.

– Não seja tonta! Não podemos *não* terminar. Paguei um bom dinheiro por esse absurdo. Além disso... – Lady D pôs o ar mais envergonhado que conseguiu quando disse o que, na verdade, não era vergonha nenhuma – eu quero saber como termina.

Hyacinth sorriu-lhe. Era o mais parecido com uma expressão de ternura de que Lady Danbury era capaz, e Hyacinth achava que devia ser incentivada.

– Muito bem – disse ela. – Se me permite encontrar o sítio onde ia...

– Lady Danbury – ouviu-se a voz profunda e neutra do mordomo, que tinha entrado na sala de estar em passos silenciosos –, Mr. St. Clair pede uma audiência.

– Ele está a pedir? – perguntou Lady D. – Geralmente entra sem pedir licença.

O mordomo ergueu uma sobrancelha, o movimento mais expressivo que Hyacinth alguma vez vira no rosto de um mordomo.

– Ele solicitou uma audiência com Miss Bridgerton – esclareceu ele.

– Comigo? – esganiçou Hyacinth.

Lady Danbury ficou de queixo caído.

– Hyacinth! – soltou ela. – Na *minha* sala de estar?

– Foi o que ele disse, minha senhora.

– Bem – declarou Lady D, olhando em volta, mesmo não havendo mais ninguém presente, exceto Hyacinth e o mordomo. – Bem.

– Devo dizer-lhe para entrar? – perguntou o mordomo.

– É claro – respondeu Lady Danbury –, mas eu não vou sair daqui. Qualquer coisa que tenha a dizer a Miss Bridgerton, pode dizê-lo na minha frente.

– O quê?! – exclamou Hyacinth, finalmente desviando os olhos do mordomo e voltando-se para Lady Danbury. – Eu não acho que...

– É a minha sala de estar – argumentou Lady D – e ele é meu neto. E a menina é... – Calou-se e ficou a observar Hyacinth, a diatribe momentaneamente interrompida. – Bem, a menina é a menina – terminou ela. – Pfff!

– Miss Bridgerton – disse Gareth, aparecendo na porta e preenchendo-a, parafraseando Miss Butterworth, com a sua presença maravilhosa. Virou-se para Lady Danbury. – Avó.

– O que tiveres a dizer a Miss Bridgerton, podes dizê-lo na minha frente – avisou-o ela.

– Estou quase tentado a testar essa teoria – murmurou ele.

– Passa-se alguma coisa? – perguntou Hyacinth, chegando-se à frente na cadeira. Afinal de contas, tinham-se separado apenas há duas horas.

– Não, está tudo bem – respondeu Gareth.

Ele atravessou o aposento até ficar ao seu lado, ou pelo menos o mais próximo que a mobília permitia. A avó olhava-o com interesse indisfarçável e ele começava a duvidar da sabedoria de ter vindo direto para ali depois de sair de Bridgerton House.

Mas assim que pusera um pé no passeio, apercebera-se de que era terça-feira. De alguma forma, parecera-lhe auspicioso. Tudo começara numa terça-feira, Deus do céu, teriam passado apenas duas semanas?

Terça era o dia em que Hyacinth lia para a avó. Todas as terças-feiras, sem falta, à mesma hora, no mesmo local. Gareth tinha percebido, enquanto caminhava pela rua, refletindo sobre o novo rumo da sua vida, que sabia exatamente onde Hyacinth se encontrava naquele momento. E se queria pedi-la em casamento, só tinha de atravessar a breve distância de Mayfair até Danbury House.

Talvez devesse ter esperado. Talvez devesse ter escolhido um momento e um lugar mais românticos, algo que a deixasse arrebatada e ansiosa por mais. Mas já tomara a decisão e não queria esperar mais; além disso, depois de tudo o que a avó fizera por ele ao longo dos anos, merecia ser a primeira a saber.

Contudo, Gareth não tinha previsto ter de fazer o pedido na presença da velha senhora.

Ele lançou-lhe um olhar de esguelha.

– O que foi? – bradou ela.

Devia pedir-lhe para sair. Realmente devia, embora...

Oh, dane-se! Ela não ia sair da sala, mesmo que lhe implorasse de joelhos. Além do mais, Hyacinth teria muito mais dificuldade em recusar o seu pedido na presença de Lady Danbury.

Não que achasse que ela fosse dizer não, mas toda a ajuda era bem-vinda.

– Gareth? – disse Hyacinth em voz suave.

Ele virou-se para ela, perguntando-se há quanto tempo estaria ali de pé, a ponderar as suas opções.

– Hyacinth – disse ele.

Ela olhou-o, expectante.

– Hyacinth – voltou a dizer, desta vez com um pouco mais de certeza. Sorriu, deixando os olhos derreterem-se nos dela. – Hyacinth.

– Nós *sabemos* o nome dela – disse a avó.

Gareth ignorou-a e empurrou uma mesa para o lado para poder pôr um joelho no chão.

– Hyacinth – recomeçou ele, saboreando-lhe o ofegar quando pegou na mão dela –, dar-me-ia a profunda honra de ser minha mulher?

Os olhos dela arregalaram-se, depois ficaram marejados e os lábios, tão deliciosos e que ele beijara poucas horas antes, começaram a tremer.

– Eu... eu...

Nada típico dela ficar assim sem palavras, e como ele gostava daquela demonstração de emoção no seu rosto.

– Eu... eu...

– Sim! – exclamou finalmente a avó. – Sim! Ela casa contigo!

– Ela pode falar por si mesma – avisou ele.

– Não – protestou Lady D –, obviamente não pode.

– Sim – disse Hyacinth, concordando com a cabeça através dos soluços. – Sim, eu caso-me contigo.

Ele levou a mão dela aos lábios.

– Que bom.

– Bem – declarou a avó. – Bem. – Em seguida, murmurou: – Eu preciso da minha bengala.

– Está atrás do relógio – disse Hyacinth, sem tirar os olhos de Gareth.

Lady Danbury pestanejou de surpresa e, pasme-se, levantou-se e foi buscá-la.

– Porquê? – perguntou Hyacinth.

Gareth sorriu.

– Porquê o quê?

– Porque me pediste para casar contigo?

– Eu diria que é óbvio.

– Diz-lhe! – bradou Lady D, batendo a bengala contra o tapete. Olhou para a bengala com carinho óbvio e murmurou: – Assim está muito melhor.

Gareth e Hyacinth viraram-se para ela, Hyacinth um tanto impaciente e Gareth com aquele olhar vago que sugeria uma certa condescendência sem realmente a esfregar na cara do destinatário.

– Oh, muito bem – resmungou Lady Danbury. – Suponho que queiram um pouco de privacidade.

Nem Gareth nem Hyacinth disseram uma palavra.

– Já estou a sair, já estou a sair – disse Lady D, mancando até à porta suspeitosamente com menos agilidade do que demonstrara ao atravessar a sala para recuperar a bengala momentos antes. – Mas não pensem – disse ela, parando na porta – que vos vou deixar sozinhos por muito tempo. Eu conheço-*te* – declarou, apontando a bengala no ar para Gareth –, e se achas que irei confiar-te a virtude dela...

– Eu sou seu neto.

– O que não faz de ti um santo – anunciou ela e saiu da sala, fechando a porta atrás de si.

Gareth comentou com ar incrédulo:

– Posso estar enganado, mas acho que ela quer que eu te comprometa – murmurou. – De outra forma, nunca teria fechado a porta completamente.

– Não sejas tonto – repreendeu Hyacinth, tentando uma certa bravata sob o rubor que sentia espalhar-se por todo o rosto.

– Não, eu acho que tenho razão – disse ele, tomando-lhe as mãos nas suas e levando-as aos lábios. – Ela quer-te como neta, talvez mais do que me quer como neto, e é suficientemente calculista para facilitar a ruína da tua reputação e garantir o resultado.

– Eu não voltaria atrás – murmurou Hyacinth, desconcertada pela proximidade dele. – Dei-te a minha palavra.

Ele pegou num dos dedos dela e colocou a ponta entre os próprios lábios.

– Deste, não deste? – murmurou ele.

Ela anuiu, hipnotizada pela visão do dedo na boca dele.

– Não respondeste à minha pergunta – sussurrou ela.

A língua encontrou o vinco delicado sob a ponta do dedo e deliciou-se em movimentos circulares.

– Fizeste-me uma pergunta?

Ela voltou a assentir com a cabeça. Era difícil raciocinar enquanto ele a seduzia, e incrível pensar que ele era capaz de a reduzir a um estado tão ofegante com apenas um dedo nos lábios.

Ele mudou de posição, sentando-se ao lado dela no sofá, sem nunca lhe largar a mão.

– Tão adorável – murmurou ele. – E em breve minha.

Pegou-lhe na mão e virou-a, de modo que a palma ficasse virada para cima. Hyacinth viu-o observá-la, viu-o inclinar-se sobre ela e encostar os lábios ao interior do pulso. A sua respiração parecia ensurdecedora no silêncio da sala, e perguntou-se qual seria o maior responsável pelo seu estado de alvoroço: a sensação daquela boca na sua pele ou a visão dele, seduzindo-a com apenas um beijo?

– Adoro os teus braços – disse ele, segurando um como se fosse um tesouro precioso, tão carente de um exame minucioso, quanto de proteção. – A pele em primeiro lugar, eu acho – continuou, deixando os dedos deslizarem suavemente ao longo da pele sensível acima do pulso. Tinha sido um dia quente, e ela usava um vestido de verão debaixo do casaco. As mangas só lhe cobriam os ombros e... prendeu a respiração... se ele continuasse aquela exploração até ao ombro, era capaz de se derreter ali mesmo, no sofá.

– Mas também gosto da forma – continuou ele, olhando-a como se ela fosse um objeto prodigioso. – Esbeltos mas com um toque de roliço e de força. – Ergueu o olhar, cheio de humor indolente. – Gostas de praticar desporto, não gostas?

Ela assentiu com a cabeça.

Ele curvou os lábios num meio sorriso.

– Posso vê-lo na maneira como andas, na maneira como te moves. Até... – acariciou o braço uma última vez, até os dedos descansarem perto do pulso – na forma do teu braço.

Inclinou-se, ficando com o rosto bem pertinho do dela, e ela sentiu-se beijada pelo sopro da sua respiração enquanto falava.

– Moves-te de maneira diferente das outras mulheres – disse ele em voz baixa. – Isso faz-me pensar.

– Em quê? – sussurrou ela.

Deu-se conta que a mão dele tinha, sem saber como, ido parar à anca, navegando depois para a perna, descansando na curva da coxa, não propriamente numa carícia, apenas para a recordar da sua presença através do seu calor e do seu peso.

– Acho que sabes – murmurou ele em resposta.

Hyacinth sentiu a temperatura subir em todo o corpo, à medida que imagens espontâneas lhe enchiam a mente. Sabia o que acontecia entre um homem e uma mulher; há muito que atormentara as irmãs mais velhas até lhes arrancar a verdade. E certa vez tinha encontrado um livro escandaloso cheio de imagens eróticas no quarto de Gregory, ilustrações do Oriente que a haviam feito sentir-se muito esquisita por dentro.

Mas nada a havia preparado para a torrente de desejo que sentia ao ouvir as palavras sussurradas de Gareth. Só conseguia imaginá-lo a acariciá-la, a beijá-la.

Deixava-a completamente sem forças.

E fazia-a desejá-lo.

– Não imaginas? – sussurrou ele, as palavras escaldantes no seu ouvido.

Ela assentiu com a cabeça. Não podia mentir. Sentia-se nua, a alma escancarada diante daquele ataque suave.

– Em que estás a pensar? – insistiu ele.

Ela engoliu em seco, tentando não reparar no modo como a sua respiração parecia encher o peito de forma diferente.

– Não sei dizer – conseguiu ela finalmente proferir.

– Pois não – disse ele, sorrindo com ar cúmplice –, como poderias? Mas isso não importa. – Ele inclinou-se e beijou-a, uma vez, lentamente, nos lábios. – Mas em breve saberás.

Gareth levantou-se.

– Acho que devo ir-me embora antes que a minha avó tente espiar-nos a partir da casa do outro lado da rua.

Os olhos de Hyacinth voaram para a janela, horrorizada.

– Não te preocupes – disse Gareth com uma risada. – A visão dela não é assim tão boa.

– Ela tem um telescópio – explicou Hyacinth, ainda olhando para a janela com desconfiança.

– Porque é que isso não me surpreende? – murmurou Gareth, dirigindo-se para a porta.

Hyacinth observou-o atravessar a sala. Ele sempre lhe fizera lembrar um leão. Ainda fazia, só que agora era dela, para o domar.

– Vou visitar-te amanhã – avisou Gareth, honrando-a com uma pequena vénia.

Ela concordou com a cabeça, ficando a vê-lo sair. Depois de ele desaparecer, rodou o torso de maneira a ficar novamente virada para a frente.

– Oh, meu...

– O que é que ele disse? – exigiu saber Lady Danbury, voltando a entrar na sala uns meros trinta segundos depois da saída de Gareth.

Hyacinth ficou a olhar para ela sem entender.

– Perguntou-lhe porque é que ele a pediu em casamento – lembrou-a Lady D. – O que é que ele respondeu?

Hyacinth abriu a boca para falar e só então se deu conta de que ele não chegara a responder à pergunta.

– Ele disse que não podia deixar de se casar comigo – mentiu ela. Era o que desejaria que ele tivesse dito; poderia muito bem ser o que Lady Danbury teria imaginado ter acontecido.

– Oh! – suspirou Lady D, levando a mão ao peito. – Que lindo!

Hyacinth observou-a com um novo olhar.

– É uma romântica – disse.

– Sempre – respondeu Lady D, com um sorriso secreto que Hyacinth sabia que não partilhava muitas vezes. – Sempre.

CAPÍTULO 14

Duas semanas se passaram. Toda a Londres agora sabe que Hyacinth se irá tornar Mrs. St. Clair. Gareth desfruta do seu novo estatuto de Bridgerton honorário, mas ainda assim, não consegue evitar pensar que tudo se pode desmoronar a qualquer momento.

A hora é meia-noite. O lugar, diretamente por baixo da janela do quarto de Hyacinth.

Gareth traçara o plano com todo o cuidado, pensando em todos os pormenores. Elaborara o plano mentalmente, pensara em tudo, menos nas palavras que diria; sabia que essas viriam no calor do momento.

Seria um momento de beleza.

Um momento de paixão.

Seria naquela noite.

Naquela noite iria seduzir Hyacinth, pensou ele, com uma estranha mistura de calculismo e prazer.

Sentiu um certo baque ao pensar no grau a que estava a levar a trama da sua ruína, mas rapidamente o rejeitou. Afinal, não ia arruiná-la e atirá-la aos lobos. Tinha intenções de se casar com ela, pelo amor de Deus!

Ninguém saberia. Ninguém além dele e de Hyacinth.

E da consciência dela, que nunca lhe permitiria terminar um noivado depois de se ter entregado ao noivo.

Eles haviam feito planos para mais uma busca em Clair House naquela noite. Hyacinth tinha querido ir na semana anterior, mas Gareth adiara. Era muito cedo para pôr em prática o seu plano, por isso inventara uma história sobre o pai receber convidados. De mais a mais, o bom senso ditava que seria preferível fazerem a busca numa casa o mais vazia possível.

Hyacinth, prática como era, concordara imediatamente.

Mas hoje seria perfeito. O pai estaria quase de certeza no baile dos Mottram, caso eles realmente conseguissem entrar em Clair House para procurar as joias. E mais importante, Hyacinth estava pronta.

Gareth tinha a certeza de que ela estava pronta.

As duas últimas semanas tinham sido surpreendentemente deliciosas. Ele fora obrigado a ir a um número espantoso de festas e bailes. Tinha ido à ópera e ao teatro. Mas fizera tudo isso com Hyacinth ao seu lado, e se tinha alguma dúvida sobre a sensatez de se casar com ela, essa desaparecera. Ela era, por vezes, irritante, outras vezes levava-o quase à loucura, mas era sempre divertida.

Daria uma excelente esposa. Não para a maioria dos homens, mas para ele, e só isso importava.

Contudo, primeiro tinha de se certificar de que ela não podia voltar atrás. Tinha de tornar o acordo permanente.

Dera início à sedução lentamente, tentando-a com olhares, toques e beijos roubados. Provocara-a, deixando sempre uma pista do que se poderia seguir. Deixava-a sem fôlego; pior, ele ficava sem fôlego.

Começara tudo isso duas semanas antes, quando a pedira em casamento, sabendo de antemão que o noivado teria de ser curto. Começara com um beijo. Apenas um beijo. Só um beijinho.

Hoje à noite iria mostrar-lhe ao que um beijo poderia levar.

*

Bem vistas as coisas, tudo tinha corrido muito bem, pensou Hyacinth enquanto subia a correr as escadas até ao quarto.

Teria preferido ficar em casa naquela noite... sempre lhe daria mais tempo para se preparar para a ida a Clair House, mas Gareth chamara-lhe a atenção para o facto de que, se ele ia enviar um pedido de desculpas por não comparecer ao baile dos Mottram, ela teria de ir. Caso contrário, podia haver especulação quanto ao paradeiro de ambos. Mas depois de passar três horas a conversar, a rir e a dançar, Hyacinth tinha ido ter com a mãe e alegara uma dor de cabeça. Violet estava a divertir-se, tal como Hyacinth previra, e não queria ir-se embora, por isso decidira enviar Hyacinth para casa sozinha na carruagem.

Perfeito, perfeito. Tudo estava perfeito. A carruagem não apanhara trânsito a caminho de casa, por isso devia ser mais ou menos meia-noite, o que significava que Hyacinth tinha quinze minutos para mudar de roupa e descer às escondidas a escada das traseiras para aguardar Gareth.

Mal podia esperar.

Não tinha a certeza se encontrariam as joias naquela noite. Não ficaria admirada se Isabella tivesse apenas deixado mais pistas. Mas seria mais um passo no seu objetivo.

E seria uma aventura.

Teria ela sempre possuído aquela tendência para a audácia, perguntou-se Hyacinth. Ter-se-ia ela extasiado sempre com o perigo? Teria apenas esperado pela oportunidade de ser selvagem?

Atravessou de mansinho o corredor do piso superior até à porta do quarto. A casa estava em silêncio, e não queria nada acordar qualquer um dos criados. Estendeu a mão e virou a maçaneta bem oleada; em seguida, empurrou a porta e entrou.

Finalmente.

Agora, tudo o que tinha a fazer era...

– Hyacinth.

Ela quase gritou.

– Gareth? – perguntou, assustada, os olhos quase esbugalhados. Santo Deus, o homem estava esticado na sua cama.

Ele sorriu.

– Estava à tua espera.

Ela olhou rapidamente em volta do quarto. Como tinha ele entrado?

– O que estás a fazer aqui? – sussurrou, aflita.

– Cheguei cedo – disse ele em voz indolente. Mas o brilho no olhar era agudo e intenso. – Achei por bem esperar por ti.

– *Aqui?*

Ele encolheu os ombros e sorriu.

– Estava frio lá fora.

Não estava. Estava uma noite excecionalmente quente. Toda a gente comentara o facto.

– Como foi que entraste?

Meu Deus, será que os criados sabiam? Será que alguém o *vira*?

– Escalei a parede.

– Escalaste a... o quê? – Correu para a janela, espreitando para fora e para baixo. – Como é que...

Mas ele já tinha saído da cama, aproximando-se dela por trás. Os braços cercaram-na, e ele murmurou em tom baixo e junto ao seu ouvido:

– Eu sou muito, muito inteligente.

Hyacinth soltou uma risada nervosa.

– Ou parte gato.

Sentiu-o sorrir.

– Isso também – murmurou ele. E depois de uma pausa: – Senti a tua falta.

– Eu... – Ela queria dizer que também sentira a falta dele, mas ele estava demasiado perto, e ela sentia demasiado calor, e a voz fugiu-lhe.

Ele inclinou-se, os lábios encontrando o ponto sensível logo abaixo da orelha. Tocou-lhe com tanta suavidade que ela não teve a certeza se era um beijo; depois murmurou:

– Divertiste-te esta noite?

– Sim. Não. Eu estava demasiado... – engoliu em seco, incapaz de resistir ao toque daqueles lábios sem mostrar reação – ansiosa.

Ele tomou-lhe as mãos, beijando uma de cada vez.

– Ansiosa? Porquê?

– As joias – lembrou ela.

Meu Deus, será que todas as mulheres ficavam com tantos problemas em respirar quando estavam tão perto de um homem bonito?

– Ah, sim – a mão desceu para a cintura e ela sentiu-se ser puxada em direção a ele –, as joias.

– Não queres...

– Oh, quero – murmurou ele, segurando-a escandalosamente perto. – Quero. Muitíssimo.

– Gareth – disse ela engasgada; as mãos dele tinham descido para as nádegas e os lábios acariciavam-lhe o pescoço.

Hyacinth não sabia quanto tempo mais conseguiria manter-se em pé.

As coisas que ele lhe fazia... fazia-a sentir coisas que não reconhecia. Fazia-a ofegar e gemer, e tudo o que sabia era que queria mais.

– Eu penso em ti todas as noites – sussurrou ele contra a pele dela.

– Pensas?

– Mm-mm. – A voz dele, quase um ronronar, vibrou contra o pescoço dela. – Fico deitado na cama, a desejar que estivesses ao meu lado.

Ela precisou de cada pedacinho das suas forças só para respirar. Contudo, uma pequena parte dela, algum cantinho diabólico e muito devasso da sua alma, fê-la perguntar:

– O que pensas?

Ele riu-se entre dentes, claramente satisfeito com a pergunta.

– Penso em fazer *isto* – murmurou ele, e a mão, já pousada nas nádegas, apertou-as até lhe pressionar o corpo contra a evidência do seu desejo.

Ela fez um ruído. Poderia ter sido o nome dele.

– E penso *muito* em fazer isto – disse ele, os dedos experientes começando rapidamente a desapertar os botões da parte de trás do vestido.

Hyacinth engoliu em seco. Depois engoliu em seco novamente quando percebeu que ele desabotoara mais três no tempo que ela levara a inspirar.

– Mas, principalmente – continuou ele, a voz baixa e suave –, penso em fazer *isto.*

Tomou-a nos braços, a saia rodopiando em torno das pernas ao mesmo tempo que o corpete do vestido deslizava para baixo, descansando precariamente no cimo dos seios. Ela agarrou-se aos ombros dele, os dedos mal se enterrando nos músculos, e queria dizer alguma coisa, qualquer coisa que a fizesse parecer mais sofisticada do que na verdade era, mas tudo o que conseguiu foi um aturdido «Oh!» ao se sentir leve, como se flutuasse, até ele a deitar na cama.

Gareth deitou-se ao seu lado, o corpo apoiado de lado, uma mão acariciando-lhe indolentemente a pele nua do colo.

– Tão bonita – murmurou ele. – Tão suave.

– O que estás a fazer? – sussurrou ela.

Ele abriu um sorriso lento e felino.

– A ti?

Ela anuiu com a cabeça.

– Isso depende – respondeu ele, inclinando-se e deixando a língua provocar onde os dedos tinham estado. – Como é que isto te faz sentir?

– Não sei – admitiu ela.

Ele riu-se, o som grave e macio, e estranhamente reconfortante.

– Isso é bom – asseverou ele, os dedos encontrando o corpete solto do vestido. – É mesmo muito bom.

Gareth puxou-o e Hyacinth prendeu a respiração ao ver-se nua, exposta ao ar e à noite.

E a ele.

– Tão bonita – voltou ele a sussurrar, sorrindo-lhe; o que a fez pensar se o toque dele poderia deixá-la tão sem fôlego como o olhar. Ele não fizera mais nada, exceto olhar para ela, e ela já se sentia tensa e nervosa.

Ávida.

– És tão linda – murmurou ele, e então, finalmente, tocou-a, a mão deslizando pelo mamilo de forma tão leve que poderia ter sido confundida com o vento.

Oh, sim, o toque dele fez bem mais do que o olhar.

Ela sentiu-o na barriga, sentiu-o entre as pernas. Sentiu-o nas pontas dos dedos dos pés, e não conseguiu evitar arquear o corpo, tentando alcançar mais, procurar uma maior proximidade, mais firmeza.

– Eu pensei que serias perfeita – disse ele, transferindo a tortura para o outro seio –, mas não sabia. Não sabia.

– O quê? – sussurrou ela.

Os olhos dele encontraram os dela.

– Que és ainda mais – terminou ele. – Mais do que perfeita.

– I... isso não é possível – protestou ela –, não podes... oh!

Ele tinha feito algo mais, algo ainda mais perverso, e se aquela era uma batalha pela razão, ela estava a perdê-la inexoravelmente.

– O que é que não posso fazer? – perguntou ele com toda a inocência, os dedos rolando pelo mamilo, sentindo-o endurecer até se concentrar numa protuberância incrivelmente tensa.

– Não podes fazer... não podes fazer...

– Não posso? – Sorriu com malícia, transferindo os seus truques para o outro lado. – Eu acho que posso. Acho que acabei de o fazer.

– Não – disse ela sem ar. – Não podes fazer algo ser mais do que perfeito. Não é bom inglês.

Ele parou. Completamente, deixando-a perplexa. Mas o olhar ainda era ardente, e quando os olhos dele invadiram os dela, ela *sentiu-o*. Não conseguia explicar; só sabia que era assim.

– Foi o que eu pensei – murmurou ele. – A perfeição é absoluta, não é? Uma pessoa não pode ser ligeiramente única, nem pode ser mais do que perfeita. Mas de alguma forma... és.

– Ligeiramente única?

O sorriso espalhou-se-lhe lentamente pelo rosto.

– Mais do que perfeita.

Hyacinth estendeu a mão, tocou-lhe o rosto e afastou-lhe uma madeixa de cabelo, prendendo-a atrás da orelha. O luar fazia refulgir os fios de cabelo, tornando-os mais dourados do que o habitual.

Ela não sabia o que dizer, não sabia o que fazer. Tudo o que sabia era que amava aquele homem.

Não sabia quando acontecera. Não tinha sido como a decisão de se casar com ele, que fora repentina e instantaneamente clara. Isto... este amor... havia-se apoderado dela, avançando de mansinho, ganhando impulso até um dia estar *lá*.

Instalara-se e era verdadeiro, e ela sabia que ficaria dentro dela para sempre.

Agora, deitada na cama, na quietude secreta da noite, queria entregar-se a ele. Queria amá-lo de todas as maneiras que uma mulher podia amar um homem, e queria que ele tomasse dela tudo o que ela era capaz de dar. Não importava que não fossem casados; em breve seriam.

Hoje, ela não podia esperar.

– Beija-me – sussurrou.

Ele sorriu, mais com os olhos do que com os lábios.

– Achei que nunca mais pedias.

Inclinou-se, mas os seus lábios roçaram os dela apenas um segundo. Em seguida, desceram sem a tocar, transmitindo-lhe apenas o calor da respiração e queimando-lhe a pele até encontrarem um seio. E então ele...

– Ohhhh! – gemeu ela.

Ele não podia fazer aquilo. Podia?

Podia. E fez.

Puro prazer disparou-se-lhe pelo corpo, fazendo-a estremecer em cada canto. Ela afundou as mãos no cabelo liso e espesso dele, com tal força que já não sabia se puxava ou se empurrava. Não se achava capaz de aguentar mais, mas, ainda assim, não queria que ele parasse.

– Gareth – arquejou. – Eu... tu...

As mãos dele pareciam estar em toda a parte, tocando-a, acariciando-a, descendo-lhe cada vez mais o vestido... até ele ficar concentrado em torno das ancas, a meros centímetros de revelar a essência da sua feminilidade.

O pânico começou a invadir o peito de Hyacinth. Ela queria. Ela sabia que queria, mas subitamente sentiu-se aterrorizada.

– Eu não sei o que fazer – disse ela.

– Está tudo bem. – Ele endireitou-se, tirando a camisa com tanta força que foi incrível os botões não terem saltado. – Eu sei.

– Eu sei, mas...

Ele encostou um dedo aos lábios dela.

– Chhh! Deixa-me mostrar-te. – Sorriu, a malícia a bailar-lhe nos olhos. – Será que me atrevo? – perguntou em voz alta. – Será... bem... talvez...

Gareth tirou o dedo dos lábios dela.

Ela desatou a falar.

– Mas eu tenho medo de...

Ele voltou a pousar o dedo.

– Eu sabia que isto ia acontecer.

Hyacinth fuzilou-o com o olhar. Ou melhor, tentou. Gareth tinha uma incrível capacidade de a fazer rir de si mesma. Podia sentir os lábios a contrair-se de riso, mesmo com aquele dedo a mantê-los fechados.

– Vais ficar calada? – perguntou ele, sorrindo-lhe.

Ela assentiu com a cabeça.

Ele fingiu considerar a questão.

– Não acredito em ti.

Hyacinth colocou as mãos nas ancas, que deviam encontrar-se numa posição ridícula, nua como estava da cintura para cima.

– Está bem – cedeu ele –, mas as únicas palavras que vou permitir que saiam da tua boca são: «Oh, Gareth» e «Sim, Gareth».

Ele levantou o dedo.

– Que tal «Mais, Gareth»?

Ele quase conseguiu manter uma cara séria.

– Essa expressão também é aceitável.

Hyacinth sentiu o riso borbulhar dentro de si. Não chegou a fazer qualquer ruído, mas sentiu-o... uma sensação estonteante que vibrava e dançava no seu ventre. Ficou maravilhada. Estava tão nervosa... ou melhor, tinha estado.

Gareth afastara tudo isso.

De alguma forma ela soube que tudo iria dar certo. Talvez ele já tivesse feito aquilo antes. Talvez já o tivesse feito uma centena de vezes antes, com mulheres cem vezes mais bonitas do que ela.

Não importava. Ele era o primeiro dela, e ela seria a última dele.

Gareth deitou-se de lado, puxando-a para si e encostando-a a ele para um beijo. As mãos afundaram-se no cabelo dela, soltando-o dos ganchos até cair em ondas de seda pelas costas. Ela sentia-se livre, indomável.

Ousada.

Levou uma mão ao peito dele, explorando-lhe a pele, testando os contornos dos músculos. Deu-se conta de que nunca o tocara. Não daquela maneira. Deslizou os dedos mais para baixo e para o lado até à anca, traçando uma linha na barreira das calças.

Sentiu a reação dele. Os músculos reagiam onde quer que ela tocasse, e quando passou para o abdómen, no ponto entre o umbigo e a barreira da roupa, ele prendeu a respiração.

Hyacinth sorriu, sentindo-se poderosa e tão, tão feminina.

Curvou os dedos para que as unhas lhe raspassem a pele, leves, suaves, apenas o suficiente para provocar. O ventre era plano, com pelos que formavam uma linha e desapareciam abaixo das calças.

– Gostas disto? – sussurrou ela, o dedo indicador contornando-lhe o umbigo.

– Mm-mm.

A voz dele era suave, mas ela ouvia-lhe a respiração tornar-se irregular.

– E disto? – O dedo encontrou a linha de pelos macios e deslizou lentamente para baixo.

Gareth não disse nada, mas os seus olhos disseram que sim.

– Então e...

– Desaperta os botões – pediu ele em voz rouca.

A mão parou.

– Eu?

Não lhe tinha ocorrido que podia ajudá-lo a despir-se. Parecia-lhe ser o trabalho do sedutor.

A mão dele pegou na dela e levou-a até aos botões.

Com dedos trémulos, Hyacinth desapertou-os um a um, mas não afastou o tecido. Ainda não estava preparada para o fazer.

Gareth pareceu entender-lhe a relutância e saltou da cama, demorando-se apenas o tempo suficiente para retirar o resto da roupa. Hyacinth desviou os olhos... a princípio.

– Gareth...

– Não te preocupes – tranquilizou-a ele, reassumindo o lugar ao lado dela. As mãos encontraram o decote do vestido e ele puxou-o todo para baixo. Nunca... – beijou-lhe o ventre – te... – beijou-lhe a anca – preocupes.

Hyacinth queria dizer que não, que confiava nele, mas então os dedos dele deslizaram por entre as suas pernas e passou a ser complicado simplesmente respirar.

– Chhhh! – sussurrou ele, persuadindo-a a abri-las. – Relaxa.

– Eu estou – conseguiu ela dizer quase sem voz.

– Não – disse ele, sorrindo –, não estás.

– Eu *estou* – insistiu ela.

Ele aproximou-se, depositando-lhe um beijo indulgente no nariz.

– Confia em mim – murmurou ele. – Apenas neste momento, confia em mim.

Ela tentou relaxar. Realmente tentou. Mas era quase impossível, com ele a provocar-lhe o corpo daquela maneira e a transformá-lo num inferno ardente. Num momento os dedos dele acariciavam-lhe o interior das coxas e no seguinte já as tinha separado e ele tocava-a onde ela nunca havia sido tocada antes.

– Oh, meu... oh!

As ancas dela arquearam-se e ela ficou sem saber o que fazer. Sem saber o que dizer.

Sem saber o que sentir.

– És perfeita – disse ele, pressionando os lábios no seu ouvido. – Perfeita.

– Gareth – ofegou ela. – O que estás...

– A fazer amor contigo – disse ele. – Estou a fazer amor contigo.

O coração saltou-lhe dentro do peito. Não era exatamente um *eu amo-te*, mas estava terrivelmente perto.

E nesse momento, no último momento em que o cérebro dela ainda funcionou, ele deslizou um dedo para dentro dela.

– Gareth!

Ela agarrou-se aos ombros dele. Com força.

– Chhhh! – Ele fez algo absolutamente perverso. – Olha os criados.

– Não quero saber – arfou ela.

Ele olhou-a como se estivesse tremendamente divertido e então... o que quer que ele tivesse feito... fê-lo outra vez.

– Eu acho que queres.

– Não, não quero. Não quero. Eu...

Ele fez algo mais, algo do lado de fora, e ela sentiu-o no corpo todo.

– Estás tão pronta, que eu mal posso acreditar – disse ele.

Mudou de posição, colocando-se por cima dela. Os dedos não pararam a inebriante tortura, mas o rosto estava sobre o dela, e ela perdeu-se nas profundezas dos seus olhos azuis.

– Gareth – sussurrou, sem fazer ideia do que queria dizer. Não era uma pergunta ou um apelo, nem, na verdade, qualquer outra coisa, exceto o seu nome. Mas tinha de ser dito, porque era ele.

Era *ele*, ali com ela.

E era sagrado.

Ele posicionou as coxas entre as dela, e ela sentiu-o na sua abertura, enorme e exigente. Os dedos dele ainda estavam entre ambos, mantendo-a aberta, preparando-a para a sua masculinidade.

– Por favor – gemeu ela, e desta vez *foi* um apelo. Ela queria aquilo. Precisava dele.

– Por favor – voltou a dizer.

Lentamente, ele entrou, e ela prendeu a respiração, de tão assustada que estava com o tamanho e a sensação.

– Relaxa – disse ele, só que ele não parecia relaxado.

Ela olhou para ele. O rosto estava tenso e a respiração era rápida e superficial.

Gareth manteve-se imóvel, dando-lhe tempo para se adaptar, e então impulsionou-se só um pouco, mas foi o suficiente para a fazer ofegar.

– Relaxa – voltou ele a pedir.

– Estou a *tentar* – rosnou ela.

Gareth quase sorriu. Aquela frase era tão absolutamente única de Hyacinth e ao mesmo tempo era algo quase reconfortante. Naquele momento, em que ela passava talvez por uma das mais surpreendentes e estranhas experiências da sua vida, ela era... igual a si própria.

Era ela mesma.

Muitas pessoas não eram, começava ele a perceber.

Ele impulsionou-se novamente e sentiu-a alargar, estender-se para o acomodar. A última coisa que queria era magoá-la, e tinha a sensação de que não seria capaz de eliminar a dor completamente, mas faria tudo o que pudesse para tornar o momento tão perfeito para ela quanto possível. E se isso significasse quase morrer de desejo por ter de ir devagar, era isso que faria.

Por baixo dele, sentia-a dura como uma tábua, os dentes cerrados antecipando a sua invasão. Gareth quase gemeu de frustração; tivera-a tão perto, tão pronta, e agora ela esforçava-se tanto para *não* estar nervosa que estava tão relaxada como uma cerca de ferro forjado.

Tocou-lhe na perna. Estava rígida como uma vara.

– Hyacinth – murmurou-lhe ao ouvido, tentando não parecer divertido –, acho que estavas a gostar um bocadinho mais há pouco.

Houve um momento de silêncio, e então ela disse:

– Isso é capaz de ser verdade.

Gareth mordeu o lábio para não rir.

– Achas que conseguias encontrar uma maneira de voltares a gostar?

Os lábios de Hyacinth contraíram-se naquela expressão costumeira, que fazia quando sabia que estava a ser gozada e pretendia dar o troco.

– Eu gostaria, sim.

Gareth tinha de a admirar. Era rara mulher a que conseguia manter a compostura numa situação daquelas.

Ele passou-lhe a língua por trás da orelha, distraindo-a enquanto a mão voltava a encontrar o caminho até entre as pernas dela.

– Eu posso ser capaz de te ajudar com isso.

– Com o quê? – perguntou Hyacinth já sem ar, e Gareth soube pelo modo como as ancas dela arquearam que já regressara ao caminho para o esquecimento.

– Oh, com a tal sensação – disse ele, acariciando-a quase sem cerimónia e invadindo-a ainda mais. – A de «*Oh, Gareth; sim, Gareth; mais, Gareth*».

– Oh – disse ela, deixando escapar um gemido agudo quando o dedo dele se começou a mover num delicado círculo. – Essa sensação.

– É uma sensação boa – confirmou ele.

– Mas vai... Oh!

Ela cerrou os dentes e gemeu às sensações que ele provocava dentro dela.

– Vai o quê? – perguntou ele, agora quase todo dentro.

Devia ganhar uma medalha por aquilo, decidiu. Só podia ganhar. Certamente nenhum homem jamais tivera de exercer tal comedimento.

– Meter-me em sarilhos – ofegou ela.

– Espero sinceramente que sim – respondeu ele, e então deu um último impulso, rompendo a última barreira até ficar totalmente preenchido.

Estremeceu quando sentiu o frémito dela em torno dele. Cada músculo do seu corpo lhe gritava, exigindo ação, mas manteve-se quieto. Tinha de se controlar. Se não lhe desse tempo para se ajustar, iria magoá-la, e Gareth não concebia sequer a possibilidade de a sua noiva pensar na sua primeira experiência íntima com sofrimento.

Meu Deus, deixá-la-ia marcada para a vida.

Mas se Hyacinth sentia alguma dor, nem ela sabia, porque as ancas começaram a mover-se por baixo dele, pressionando, agitando-se em círculos, e quando ele olhou para o seu rosto, não viu mais nada, exceto paixão.

E as últimas cordas do seu autodomínio rebentaram.

Gareth começou a mover-se, o corpo deixando-se levar pelo ritmo do desejo. A excitação subiu em espiral, até ele ter quase a certeza de que não seria capaz de aguentar mais tempo, mas então ela fazia um pequeno som, nada mais do que um gemido, e ele queria-a ainda mais.

Parecia impossível.

Era pura magia.

Os dedos afundaram-se nos ombros dela com uma força que era certamente demasiado intensa, mas ele não conseguia largar. Foi tomado por um impulso irresistível de a possuir, de a marcar de alguma forma como sua.

– Gareth – gemeu ela. – Oh, Gareth!

E o som foi de mais. Era tudo de mais... a visão, o cheiro dela, e ele sentiu-se estremecer em direção ao fim.

Cerrou os dentes. Ainda não. Não quando ela estava tão perto.

– Gareth! – arquejou ela.

Ele voltou a deslizar a mão entre os corpos. Encontrou-a, intumescida e húmida, e pressionou, talvez com menos delicadeza do que deveria, mas certamente com tanta quanto era capaz.

E nunca desviou os olhos do rosto dela. Os olhos dela pareceram escurecer, o azul tornando-se quase marinho. Os lábios entreabriram-se, desesperadamente em busca de ar, e o corpo arqueava-se, pressionava, empurrava.

– Oh! – gritou ela, e ele rapidamente a beijou para engolir o som.

Ela estava tensa, fremente e, de repente, convulsou em torno dele. As mãos agarraram-lhe os ombros, o pescoço, os dedos enterrando-se na carne.

Mas ele não se importou. Não sentia, sequer. Para ele não existia mais nada, exceto aquela pressão sublime, agarrando-o, sugando-o até que literalmente explodiu.

E teve de a beijar novamente, desta vez para conter os seus próprios gritos de paixão.

Nunca tinha sido assim. Ele nem sabia que era possível.

– Meu Deus! – suspirou Hyacinth, assim que ele saiu de cima dela e se deitou de costas.

Gareth balançou a cabeça, ainda demasiado exausto para falar. Mas pegou na mão dela. Queria tocá-la ainda. Precisava do contacto.

– Eu não sabia – disse ela.

– Nem eu – conseguiu ele dizer.

– É sempre...

Ele apertou-lhe a mão, e quando a ouviu virar-se para ele, respondeu que não com a cabeça.

– Oh! – Houve um momento de silêncio e então ela disse: – Bem, então é uma coisa boa irmos casar.

Gareth começou a tremer de riso.

– O que foi? – perguntou ela.

Ele não conseguia falar. Limitou-se a ficar ali, o corpo fazendo todo o leito tremer.

– O que é tão engraçado?

Gareth tentou controlar a respiração, virou-se e rolou o corpo até voltar a ficar em cima dela, nariz com nariz.

– Tu – disse ele.

Ela começou por franzir o sobrolho, mas depois derreteu-se num sorriso.

Um sorriso perverso.

Santo Deus, como ia *gostar* de ser casado com esta mulher.

– Acho que talvez tenhamos de antecipar a data do casamento – disse ela.

– Estou disposto a arrastar-te para a Escócia amanhã.

E estava a falar a sério.

– Não posso – disse Hyacinth, mas Gareth percebeu que secretamente ela desejava poder.

– Seria uma aventura – disse ele, deslizando uma mão ao longo da anca dela para a convencer.

– Vou falar com a minha mãe – prometeu ela. – Se eu for suficientemente irritante, tenho a certeza de que consigo reduzir o período de noivado para metade.

– Isso põe-me a pensar – disse ele. – Como teu futuro marido, deverei ficar preocupado com a tua utilização da frase «*se eu for suficientemente irritante*»?

– Não, se realizares todos os meus desejos.

– Uma frase que me preocupa ainda mais – murmurou ele.

Ela limitou-se a sorrir.

Então, justamente quando Gareth começava a sentir-se relaxar em todos os sentidos, Hyacinth soltou um «Oh!» e esgueirou-se de baixo do corpo dele.

– O que foi? – perguntou ele, a frase abafada pela deselegante queda contra os travesseiros.

– As joias! – exclamou ela, segurando o lençol contra o peito e sentando-se. – Esqueci-me completamente delas. Meu Deus, que horas são? Temos de ir.

– Tu consegues *mexer-te*?

Ela pestanejou.

– Tu não?

– Se eu não tivesse de desocupar esta cama antes do amanhecer, ficaria muito feliz por roncar até ao meio-dia.

– Mas as joias! Os nossos planos!

Ele fechou os olhos.

– Podemos ir amanhã.

– Não, não podemos – disse ela, dando-lhe uma palmada no ombro.

– Porque não?

– Porque eu já tenho planos para amanhã, e a minha mãe vai suspeitar se eu continuar a queixar-me de dores de cabeça. Além de que tínhamos tudo planeado para esta noite.

Ele abriu um olho.

– Não é como se alguém estivesse à nossa espera.

– Pois, bem, vou eu – afirmou ela, embrulhando-se no lençol e saindo da cama.

As sobrancelhas de Gareth ergueram-se enquanto olhou para o próprio corpo nu. Depois olhou para Hyacinth com um sorriso másculo que se espalhou ainda mais quando ela corou e se virou.

– Eu... hã... só preciso de me lavar – murmurou ela, fugindo para o quarto de vestir.

Com uma grande demonstração de relutância (mesmo com Hyacinth de costas para ele), Gareth começou a vestir-se. Não podia acreditar que ela punha sequer a hipótese de sair naquela noite. Não era suposto as virgens ficarem doridas após a primeira vez?

Ela espreitou pela porta do quarto de vestir.

– Comprei sapatos melhores – disse com um sussurro teatral –, para o caso de termos de correr.

Gareth sacudiu a cabeça. Hyacinth não era uma virgem qualquer.

– Tens a certeza de que queres fazer isto hoje à noite? – perguntou ele, quando ela ressurgiu vestida com a sua roupa preta masculina.

– Claro – respondeu ela, amarrando os cabelos num rabo de cavalo junto à nuca. Olhou para cima, os olhos brilhantes de emoção. – Tu não?

– Estou exausto.

– A sério? – Ela olhou-o com óbvia curiosidade. – Eu sinto exatamente o contrário. Sinto-me cheia de energia.

– Tu *vais* ser a minha morte, tens noção disso?

Ela sorriu.

– Melhor eu do que outra pessoa.

Ele suspirou e dirigiu-se para a janela.

– Queres que espere por ti lá em baixo – perguntou ela educadamente – ou preferes descer as escadas comigo?

Gareth parou, com um pé no parapeito da janela.

– Ah, a escada parece-me uma excelente opção – disse ele.

E seguiu-a.

CAPÍTULO 15

Dentro da biblioteca de Clair House. Não há grandes razões para narrar a viagem através de Mayfair, além de fazer a ressalva do manancial de energia e entusiasmo de Hyacinth e da falta disso mesmo em Gareth.

– Vês alguma coisa? – sussurrou Hyacinth.

– Só os livros.

Ela atirou-lhe um olhar frustrado, mas decidiu não o castigar pela falta de entusiasmo. Uma discussão só iria distraí-los da tarefa em mãos.

– Vês alguma secção que te pareça ser composta por títulos científicos? – perguntou ela com toda a paciência que conseguiu reunir. Olhou para a prateleira em frente, que continha três romances, duas obras de filosofia, a história em três volumes da Grécia antiga e um livro intitulado *Os Cuidados e a Alimentação de Suínos*. – Ou estão por algum tipo de ordem? – suspirou.

– De certo modo – foi a resposta que veio de cima. Gareth estava de pé num banco, perscrutando as prateleiras superiores. – Não especialmente.

Hyacinth torceu o pescoço, olhando para cima, até obter uma boa visão da parte inferior do queixo dele.

– O que vês?

– Muita coisa acerca do início da Grã-Bretanha. Mas olha o que eu encontrei, escondido na ponta.

Tirou um pequeno livro da prateleira e atirou-lho.

Hyacinth apanhou-o com facilidade e virou-o até a capa ficar na posição correta.

– Não! – exclamou ela.

– Difícil de acreditar, não é?

Ela voltou a olhar para o livro. Ali mesmo, em letras douradas: *Miss Davenport e o Marquês Diabólico.*

– Não acredito nisto – disse com espanto.

– Talvez devas levá-lo para casa, para a minha avó. Ninguém lhe vai sentir a falta aqui.

Hyacinth abriu-o no frontispício.

– Foi escrito pela mesma autora do *Miss Butterworth.*

– Tinha de ser – comentou Gareth, dobrando os joelhos para inspecionar melhor a prateleira de baixo.

– Não conhecíamos este – disse Hyacinth. – Já lemos o *Miss Sainsbury e o Coronel Misterioso*, é claro.

– Um conto militar?

– Passado em Portugal. – Hyacinth voltou a inspecionar a prateleira à sua frente. – Mas não nos pareceu terrivelmente autêntico. Não que eu já tenha estado em Portugal, é claro.

Ele assentiu com a cabeça e, em seguida, desceu do banco e colocou-o em frente ao próximo conjunto de prateleiras.

Hyacinth viu-o subir novamente e recomeçar o trabalho, na prateleira mais alta.

– Lembra-me – disse ele –, do que, exatamente, estamos à procura?

Hyacinth tirou a nota cheia de dobras do bolso.

– *Discorso Intorno alle Cose che stanno in sù l'acqua.*

Ele fitou-a um momento.

– O que significa...?

– Discussão sobre coisas internas que estão na água? – Não o quisera dizer em forma de pergunta.

Ele olhou-a, duvidoso.

– Coisas internas?

– Que estão na água. Ou que se mexem – acrescentou ela. – *Ò che in quella si muovono*. É a última parte.

– E alguém iria querer ler isso porque...?

– Não faço ideia – disse ela, balançando a cabeça. – Tu é que andaste em Cambridge.

Gareth pigarreou.

– Sim, bem, nunca fui muito virado para as ciências.

Hyacinth decidiu não comentar e voltou-se para a prateleira na frente dela, que continha uma série de sete volumes sobre botânica inglesa, duas obras de Shakespeare e um livro volumoso intitulado simplesmente *Flores Silvestres*.

– Eu acho – disse ela, mordiscando o lábio inferior ao olhar de relance para trás para várias das prateleiras que já catalogara – que, talvez, estes livros tenham tido uma ordem em algum momento. Parece haver *alguma* organização. Se olhares para aquela – apontou para uma das primeiras prateleiras que inspecionara –, é quase completamente de obras poéticas. Mas depois no meio encontra-se algo do Platão, e mais para a ponta a *História Ilustrada da Dinamarca*.

– Certo – disse Gareth, soando como se estivesse a fazer uma careta. – Certo.

– Certo? – repetiu ela, olhando para cima.

– Certo. – Agora ele parecia envergonhado. – Isso pode ter sido culpa minha.

Hyacinth pestanejou, incrédula.

– Como assim?

– Foi um dos meus momentos menos maduros – admitiu. – Eu estava furioso.

– Estavas... furioso?

– Eu reorganizei as prateleiras.

– Tu fizeste *o quê*?

Ela teria gostado de gritar e estava francamente orgulhosa de si mesma por não o ter feito.

Ele encolheu os ombros, envergonhado.

– Pareceu-me impressionantemente ardiloso na altura.

Hyacinth apanhou-se a olhar fixamente para a prateleira que estava à sua frente.

– Quem diria que voltaria para te assombrar?

– Quem, de facto. – Gareth passou para outra prateleira, inclinando a cabeça enquanto lia os títulos nas lombadas. – O pior de tudo é que acabou por ser *demasiado* ardiloso. Não incomodou o meu pai nem um pouco.

– Ter-me-ia deixado louca.

– Sim, mas tu lês. O meu pai nunca sequer reparou.

– Mas alguém deve ter estado aqui desde o teu pequeno esforço de reorganização. – Hyacinth olhou para o livro ao seu lado. – Acho que *Miss Davenport* não tem mais de uns poucos de anos.

Gareth sacudiu a cabeça.

– Talvez alguém o tenha deixado aqui. Pode ter sido a mulher do meu irmão. Suponho que um dos criados simplesmente o enfiou numa qualquer prateleira que tivesse mais espaço.

Hyacinth soltou um longo suspiro, tentando descobrir a melhor forma de proceder.

– Consegues lembrar-te de alguma coisa sobre a organização dos títulos? – perguntou ela. – Qualquer coisa? Estavam agrupados por autor? Por tema?

Gareth sacudiu a cabeça.

– Eu estava com alguma pressa. Limitei-me a pegar em livros aleatoriamente e a trocá-los de lugar. – Parou, expirou e colocou as mãos nas ancas, examinando o aposento. – Mas lembro-me de que havia muita coisa sobre o tema de cães de caça. E ali havia...

As palavras sumiram. Hyacinth ergueu os olhos rapidamente e viu que ele olhava para uma prateleira perto da porta.

– O que é? – perguntou ela com urgência, levantando-se.

– Uma secção em italiano – disse ele, virando-se e caminhando para o lado oposto da sala.

Hyacinth imediatamente o seguiu.

– Devem ser livros da tua avó.

– E seriam os últimos que qualquer St. Clair pudesse pensar em abrir – murmurou Gareth.

– Vê-los?

Gareth abanou a cabeça enquanto percorria com o dedo as lombadas dos livros, procurando os em italiano.

– Imagino que não tenhas pensado em deixar o conjunto intacto – murmurou Hyacinth, agachando-se por baixo dele para inspecionar as prateleiras inferiores.

– Não me lembro – admitiu ele. – Mas, certamente, a maioria ainda deverá estar no sítio a que pertence. Fartei-me muito rapidamente da brincadeira para fazer um trabalho realmente bom. Deixei a maioria no lugar. E de facto... – Endireitou-se de repente. – Aqui estão eles.

Hyacinth levantou-se num ápice.

– Há muitos?

– Apenas duas prateleiras – informou-a. – Imagino que fosse um pouco caro importar livros de Itália.

Os livros estavam mesmo ao nível do rosto de Hyacinth, por isso ela pediu a Gareth que segurasse a vela enquanto examinava os títulos à procura de algo que se parecesse com o que Isabella tinha escrito na nota. Vários não tinham o título completo impresso na lombada, e estes ela teve de tirar para ler as palavras na capa. Sempre que o fazia, podia ouvir o inspirar brusco de Gareth, seguido por um suspiro desapontado quando voltava a pôr o livro na prateleira.

Chegou ao fim da prateleira mais baixa e pôs-se em bicos de pés para investigar a de cima. Gareth estava mesmo atrás dela, tão perto que lhe sentia o calor do corpo ondulando pelo ar.

– Vês alguma coisa? – perguntou ele, as palavras sussurradas e quentes junto ao seu ouvido. Não achava que ele estivesse propositadamente a tentar abalá-la com a proximidade, mas o resultado final era esse.

– Ainda não – respondeu ela, abanando a cabeça.

A maioria dos livros de Isabella era de poesia. Alguns pareciam ser de poetas ingleses, traduzidos para o italiano. Quando Hyacinth chegou a meio da prateleira, no entanto, os livros passaram a não-ficção: história, filosofia, história, história...

Hyacinth susteve a respiração.

– O que foi? – perguntou Gareth com urgência na voz.

Com as mãos trémulas, ela tirou um pequeno volume e virou-o até a capa ser visível para os dois.

Galileo Galilei
Discorso intorno alle cose che stanno,
in sù l'acqua, ò che in quella si muovono

– Exatamente o que ela escreveu na pista – murmurou Hyacinth, apressando-se a acrescentar: – Com a exceção da parte sobre o Galileu. Teria sido muito mais fácil encontrar o livro se soubéssemos o autor.

Gareth dispensou as desculpas dela e fez sinal para o texto em mãos.

Devagar, com todo o cuidado, Hyacinth abriu o livro para procurar o papel que certamente estaria metido no meio. Não havia nada logo depois da capa, por isso ela virou uma página, depois outra, depois outra...

Até que Gareth lhe arrancou o livro das mãos.

– Queres ficar aqui até à semana que vem? – sussurrou impaciente.

Sem qualquer delicadeza, agarrou o livro por ambas as capas e manteve-o aberto, virado para baixo de modo que as páginas formaram um leque invertido.

– Gareth, tu...

– Silêncio!

Ele sacudiu o livro, baixou-se e espreitou para dentro dele; em seguida, voltou a sacudi-lo com mais força. Subitamente, um pedaço de papel soltou-se e caiu no tapete.

– Dá-me isso – exigiu Hyacinth, depois de Gareth ter pegado nele. – Não serás capaz de o ler, seja como for.

Obviamente influenciado pela lógica das palavras, ele entregou-lhe a pista, mas manteve-se perto, inclinando-se sobre o ombro dela com a vela enquanto ela abria a única dobra no papel.

– O que diz? – perguntou ele.

Ela sacudiu a cabeça numa negativa.

– Não sei.

– O que queres dizer, não...

– Não sei – repetiu ela, *odiando* ter de admitir a derrota. – Não reconheço nada. Nem tenho a certeza de que seja italiano. Sabes se ela falava outra língua?

– Não faço ideia.

Hyacinth cerrou os dentes, completamente desolada com o rumo dos acontecimentos. Não tinha necessariamente pensado que iriam encontrar as joias naquela noite, mas nunca lhe ocorrera que a pista seguinte os poderia levar direitinhos a um beco sem saída.

– Posso ver? – perguntou Gareth.

Ela entregou-lhe a nota, observando-o abanar a cabeça.

– Eu não sei o que é, mas não é italiano.

– Nem qualquer outra língua parecida – adiantou Hyacinth.

Gareth praguejou baixinho, algo que Hyacinth tinha a impressão de que não devia ouvir.

– Com a tua permissão – disse ela, usando o mesmo tom de voz neutro que há muito aprendera ser necessário ao lidar com um homem truculento –, eu gostaria de o mostrar ao meu irmão Colin. Ele viajou muito e pode reconhecer a língua, mesmo que não tenha a capacidade de o traduzir.

Gareth pareceu hesitar, por isso ela acrescentou:

– Podemos confiar nele. Eu prometo.

Ele assentiu em concordância.

– É melhor irmos embora. Não há mais nada que possamos fazer esta noite.

Pouca arrumação havia a ser feita; eles tinham colocado os livros de volta nas prateleiras logo depois que os retiraram. Hyacinth arrumou um banco no seu lugar junto à parede e Gareth fez o mesmo com uma cadeira. As cortinas tinham permanecido fechadas desta vez; ademais, quase não havia luar.

– Estás pronta? – perguntou ele.

Ela agarrou no livro *Miss Davenport e o Marquês Diabólico.*

– Tens a certeza de que ninguém lhe vai sentir a falta?

Ele meteu a pista de Isabella entre as páginas como segurança.

– Absoluta.

Hyacinth viu-o encostar o ouvido à porta. Não tinham visto ninguém quando entraram sorrateiramente meia hora antes, mas Gareth explicara-lhe que o mordomo nunca se deitava antes do barão. E como o barão ainda estava fora, no baile dos Mottram, isso fazia com que ainda houvesse um homem acordado e, possivelmente, a deambular pela casa, e outro que poderia regressar a qualquer momento.

Gareth pousou um dedo nos lábios e fez-lhe sinal para que o seguisse; girou a maçaneta da porta com todo o cuidado. Abriu apenas uma fresta, o suficiente para espreitar pela abertura e certificar-se de que era seguro avançarem. Juntos, esgueiraram-se até ao corredor, deslocando-se rapidamente para as escadas que levavam ao piso térreo. Estava escuro, mas os olhos de Hyacinth tinham-se ajustado o suficiente para ver onde punha os pés, e em menos de um minuto estavam novamente na sala de estar... a que tinha a janela com defeito no trinco.

Tal como fizeram da última vez, Gareth saiu primeiro e, em seguida, fez um degrau com as mãos para que Hyacinth se equilibrasse ao ter de se esticar para fechar a janela. Ele baixou-a, deu-lhe um beijo rápido na ponta do nariz e disse:

– Precisas de voltar para casa.

Ela não pôde deixar de sorrir.

– Eu já estou irremediavelmente comprometida.

– Sim, mas eu sou o único que sabe.

Hyacinth achou encantadora a preocupação dele com a sua reputação. Afinal de contas, não tinha grande importância se alguém os apanhasse ou não; ela deitara-se com ele, e teria de se casar com ele. Uma mulher da sua estirpe não poderia fazer menos do que isso. Deus do céu, podia já haver um bebé, e mesmo que não houvesse, ela já não era virgem.

Mas soubera bem o que estava a fazer quando se entregara a ele. Sabia quais as consequências.

Juntos, atravessaram de mansinho o beco até Dover Street. Era imperativo que fossem lestos, percebeu Hyacinth. O baile dos Mottram era famoso por se arrastar até às primeiras horas da manhã, mas a sua busca tivera um início tardio e, certamente, todos estariam de regresso a casa não tardaria nada. Haveria carruagens nas ruas de Mayfair, o que significava que ela e Gareth precisavam de passar o mais despercebidos possível.

Brincadeiras de Hyacinth à parte, ela não queria ser apanhada na rua a meio da noite. Era verdade que o casamento deles era agora uma inevitabilidade, mas, mesmo assim, não tinha vontade nenhuma de ser a causa de mexericos escabrosos.

– Espera aqui – disse Gareth, impedindo-a de avançar com o braço.

Hyacinth permaneceu nas sombras, deixando-o entrar em Dover Street, mantendo-se o mais perto da esquina que se atrevia enquanto ele se certificava de que não havia ninguém por perto. Alguns segundos depois, viu a mão de Gareth, chegando-se atrás e fazendo-lhe sinal para que o seguisse.

Ela entrou em Dover Street, mas apenas um segundo mais tarde ouviu a respiração assustada de Gareth e sentiu-se empurrada de volta para as sombras.

Achatando-se contra a parede de trás do edifício da esquina, ela encostou *Miss Davenport*, e dentro do livro, a pista de Isabella, ao peito enquanto esperava que Gareth aparecesse ao seu lado.

Foi então que ela ouviu.

A voz do pai de Gareth.

– Ora, Ora!

*

Gareth teve pouco mais de um segundo para reagir. Não sabia como tinha acontecido, não sabia de onde o barão aparecera, mas, sem saber como, conseguiu empurrar Hyacinth de volta para o beco no exato segundo antes de ser apanhado.

– Saudações – cumprimentou ele, na sua voz mais alegre, dando um passo à frente, para colocar a maior distância possível entre ele e o beco.

O pai já se aproximava, a expressão visivelmente irritada, mesmo na penumbra da noite.

– O que está aqui a fazer? – exigiu saber.

Gareth encolheu os ombros, a mesma expressão que enfurecera o pai tantas vezes antes. Só que desta vez, não estava a tentar provocá-lo, estava apenas a tentar manter a atenção do barão fixa nele.

– A ir para casa – respondeu com indiferença deliberada.

Os olhos do pai mostravam desconfiança.

– Está um pouco longe.

– De vez em quando gosto de passar por aqui e inspecionar a minha herança – disse Gareth, o sorriso exageradamente afável. – Só para ter certeza de que não a reduziram a cinzas.

– Não julgue que não pensei nisso.

– Oh, eu tenho a certeza que sim.

O barão manteve-se em silêncio um momento e então disse:

– Não o vi no baile esta noite.

Gareth não estava certo da melhor forma de responder, por isso limitou-se a erguer ligeiramente as sobrancelhas e a manter a expressão neutra.

– Miss Bridgerton também não estava lá.

– Não? – perguntou Gareth com ligeireza, esperando que a senhora em questão possuísse autocontrolo suficiente para não saltar do beco a gritar: «Estava, sim senhor!»

– Só no começo – admitiu o barão. – Saiu muito cedo.

Gareth encolheu os ombros novamente.

– É prerrogativa de uma mulher.

– Mudar de ideias? – Os lábios do barão formaram a mais ínfima das curvas e os olhos brilharam de troça. – É melhor rezar para que ela seja um pouco mais firme nas suas ideias.

Gareth lançou-lhe um olhar frio. Por mais incrível que fosse, ainda se sentia controlado. Ou, pelo menos, como o adulto que gostava de pensar que era. Não sentia qualquer desejo infantil de atacar ou de dizer algo com o único propósito de o enfurecer. Passara metade da vida a tentar impressionar aquele homem e a outra metade a tentar agravá-lo. Mas agora... finalmente... tudo o que queria era livrar-se dele.

Ainda não sentia o vazio que desejava, mas estava extremamente perto.

Talvez, quem sabe, porque finalmente encontrara alguém para o preencher.

– É certo que não perdeu tempo com ela – disse o barão na sua voz sarcástica.

– Um cavalheiro tem de se casar – retorquiu Gareth.

Não era exatamente a frase que queria dizer em frente a Hyacinth, mas era muito mais importante manter a farsa perante o pai do que alimentar qualquer necessidade que ela pudesse sentir de discursos românticos.

– Sim – murmurou o barão. – É obrigação de um *cavalheiro*.

Gareth começou a sentir um formigueiro na pele. Sabia o que o pai estava a insinuar e apesar de já ter comprometido Hyacinth, preferia que ela não descobrisse a verdade sobre o seu nascimento antes do casamento. Seria mais fácil dessa maneira e talvez...

Bem, talvez ela nunca viesse a saber a verdade, de todo. Parecia improvável, entre o veneno do pai e o diário de Isabella, mas coisas mais estranhas já tinham acontecido.

Precisava de se ir embora. Imediatamente.

– Tenho de ir – anunciou ele bruscamente.

A boca do barão curvou-se num sorriso desagradável.

– Sim, sim – disse ele com ironia. – Precisa de ir arranjar-se antes de ir lamber as botas a Miss Bridgerton.

Gareth respondeu por entre dentes:

– Saia do meu caminho.

Mas o barão ainda não estava satisfeito.

– O que me pergunto é... como conseguiu que ela dissesse que sim?

Uma nuvem vermelha começou a turvar os olhos de Gareth.

– Eu disse...

– Seduziu-a? – perguntou o pai a rir-se. – Certificou-se de que ela não podia dizer não, mesmo se...

Gareth não tinha intenção de o fazer. A intenção dele era manter a calma, e tê-lo-ia conseguido se o barão tivesse limitado os insultos a ele. Mas quando mencionou Hyacinth...

A fúria tomou conta dele e quando se apercebeu tinha o pai encostado à parede.

– Não se atreva a falar-me dela novamente – ameaçou, mal reconhecendo a própria voz.

– O menino não cometeria decerto o erro de tentar matar-me aqui, numa rua pública?

O barão estava ofegante, mas ainda assim, a voz mantinha um grau de ódio impressionante.

– É tentador.

– Ah, mas perderia o título. E então, onde iria parar? Ah, sim – disse ele, praticamente engasgado com as palavras –, na ponta da corda de uma forca.

Gareth afrouxou o aperto. Não por causa das palavras do pai, mas porque finalmente recuperava o domínio das emoções. Hyacinth estava a ouvir, lembrou-se. Estava mesmo ao virar da esquina. Não podia fazer algo de que viesse a arrepender-se.

– Eu sabia que iria fazê-lo – disse o pai, justamente quando Gareth se virava para ir embora depois de o soltar.

Raios. Ele sabia sempre o que dizer, exatamente que botão apertar para impedir Gareth de fazer o que era certo.

– Fazer o quê? – perguntou Gareth, petrificado.

– Pedi-la em casamento.

Gareth virou-se lentamente. O pai sorria, extremamente satisfeito consigo mesmo. Era uma visão que fazia o sangue de Gareth gelar-lhe nas veias.

– É tão previsível – continuou o barão, inclinando muito ligeiramente cabeça.

Era um gesto que Gareth o vira fazer uma centena de vezes antes, talvez mil. Era paternalista e desrespeitador, e conseguia sempre fazer Gareth voltar a sentir-se criança, esforçando-se tanto por ganhar a aprovação do pai.

E falhando sempre.

– Uma palavra minha – ameaçou o barão, rindo-se entre dentes –, basta uma palavra minha.

Gareth escolheu as palavras com muito cuidado. Afinal, tinha audiência. Não se podia esquecer disso. Por essa razão, quando falou, limitou-se a dizer:

– Não faço ideia do que está a falar.

O pai desatou à gargalhada. Atirou a cabeça para trás e rugiu, mostrando um grau de regozijo que chocou Gareth e o deixou sem palavras.

– Ah, poupe-me – disse ele, enxugando os olhos. – Eu disse-lhe que não seria capaz de a conquistar e veja o que fez.

Gareth começou a sentir um aperto enorme no peito. O que estava o pai a dizer? Que *queria* que ele se casasse com Hyacinth?

– Foi direitinho pedi-la em casamento – prosseguiu o barão. – Quanto tempo demorou? Um dia? Dois? Não mais de uma semana, certamente.

– A minha proposta a Miss Bridgerton não teve nada a ver consigo – afirmou Gareth em tom gélido.

– Oh, por favor – retorquiu o barão, com absoluto desprezo. – Tudo o que faz é por minha causa. Ainda não se deu conta disso?

Gareth olhou-o, horrorizado. Seria verdade? Teria algum fundo de verdade?

– Bem, acho que o melhor é ir para a cama – anunciou o barão, com um suspiro afetado. – Foi... divertido, não acha?

Gareth não sabia o que pensar.

– Ah, e antes de se casar com Miss Bridgerton – disse o barão, atirando a observação por cima do ombro, quando colocava o pé no primeiro degrau da entrada para Clair House –, talvez queira tratar de pôr em ordem aquela questão do seu outro noivado.

– *O quê?*

O barão dirigiu-lhe um sorriso sedoso.

– Não sabia? Ainda está prometido em casamento à pobre Mary Winthrop. Ela nunca chegou a casar com mais ninguém.

– Isso não pode ser legal.

– Oh, asseguro-lhe que é. – O barão inclinou-se ligeiramente para a frente. – Eu certifiquei-me disso.

Gareth ficou ali parado, de boca aberta, os braços frouxos pendurados ao lado do corpo. Se o pai tivesse arrancado a lua e lhe batesse com ela na cabeça, ele não teria ficado mais atordoado.

– Vejo-o no casamento! – exclamou o barão. – Oh, que parvoíce a minha. Qual casamento? – Soltou uma gargalhada, dando mais alguns passos em direção à porta de entrada. – Depois avise-me, quando resolver tudo.

Despediu-se com um breve aceno, obviamente satisfeito consigo próprio, e entrou em casa.

– Deus do céu! – disse Gareth para si mesmo. E então, novamente, porque nunca na sua vida tivera um momento mais apropriado a uma blasfémia: – Deus do céu!

Em que tipo de sarilho se tinha ele agora metido? Um homem não podia oferecer casamento a mais de uma mulher ao mesmo tempo. Embora não tivesse sido *ele* a pedir Mary Winthrop em casamento, o barão fizera-o em seu nome e havia assinado documentos para o efeito. Gareth não fazia ideia do que isso significava para os seus planos com Hyacinth, mas não podia ser nada bom.

Oh, raios... Hyacinth.

Deus do céu era uma boa expressão. Ela ouvira cada palavra.

Gareth desatou a correr para o beco, mas parou, espreitando primeiro para a casa, para se certificar de que o pai não estava a vê-lo. As janelas ainda estavam escuras, mas isso não queria dizer...

Oh, inferno! Que importância tinha?

Correu até ao virar da esquina, derrapando até parar à frente do beco, onde a deixara.

Hyacinth desaparecera.

CAPÍTULO 16

Ainda no beco. Gareth está de olhos fixos no local onde Hyacinth deveria estar à espera.

Ele não quer voltar a sentir-se assim nunca mais.

O coração de Gareth parou.

Onde diabo estava Hyacinth?

Estaria em perigo? Era tarde, e mesmo estando numa das zonas mais chiques e exclusivas de Londres, ladrões e assassinos ainda podiam circular por ali e...

Não, ela não podia ter sido vítima de alguma atividade criminosa. Não aqui. Ele teria ouvido alguma coisa. Um tumulto. Um grito. Hyacinth nunca seria levada sem dar luta.

Uma luta muito ruidosa.

O que só podia significar...

Ela devia ter ouvido o pai falar de Mary Winthrop e fugiu. Mulher danada. Devia ter tido mais bom senso.

De mãos nas ancas, Gareth soltou um grunhido exasperado e esquadrinhou a zona. Hyacinth podia ter corrido para casa usando qualquer um dos oito caminhos possíveis, provavelmente mais se considerasse todos os becos e cavalariças, que ele esperava ela ter sido sensata o suficiente para evitar.

Decidiu tentar o caminho mais direto. Levá-la-ia diretamente a Berkeley Street, uma avenida movimentada o suficiente para que houvesse carruagens a circular, vindas do baile dos Mottram, mas Hyacinth devia estar tão irritada que o seu objetivo principal seria chegar a casa o mais rapidamente possível.

Gareth até ficava aliviado. Preferia que ela fosse apanhada por uma qualquer mexeriqueira na avenida principal do que por um ladrão numa rua lateral.

Gareth desatou a correr em direção a Berkeley Square, abrandando a cada cruzamento para espreitar para ambos os lados das ruas transversais.

Nada.

Onde diabo se tinha ela enfiado? Sabia que era extraordinariamente atlética para uma mulher, mas, santo Deus, seria assim tão veloz?

Precipitou-se ao longo de Charles Street até à praça. Uma carruagem passou, mas Gareth nem prestou atenção. Os mexericos do dia seguinte provavelmente seriam preenchidos com histórias da sua louca corrida a meio da noite pelas ruas de Mayfair, mas não era nada que a sua reputação não pudesse aguentar.

Contornou a praça a correr e então, finalmente, chegou a Bruton Street, passando pelos números dezasseis, doze, sete...

Lá estava ela, correndo como o vento e virando a esquina para poder entrar em casa pelas traseiras.

Sentindo o corpo impulsionado por uma energia furiosa e estranha, Gareth correu ainda mais veloz. Os braços ajudavam, sentia os músculos das pernas a queimar, e a camisa devia estar encharcada em suor, mas não queria saber. Ia alcançar Hyacinth antes que ela entrasse em casa, e quando o fizesse...

Que inferno! Não sabia o que ia fazer com ela, mas não ia ser bonito.

Hyacinth derrapou na última curva, desacelerando apenas o suficiente para olhar para trás por cima do ombro. A boca abriu-se quando o viu e então, com o corpo tenso de determinação, precipitou-se para a entrada de serviço.

Os olhos de Gareth estreitaram-se de satisfação. Ela ia ter de andar à procura da chave. Nunca conseguiria entrar antes de ele a apanhar. Abrandou um pouco, apenas o suficiente para tentar recuperar o fôlego, e optou por se aproximar silenciosamente da sua caça.

Agora é que seriam elas.

Mas em vez de ir buscar a chave escondida por trás do tijolo, Hyacinth simplesmente abriu a porta.

Raios! Eles não tinham trancado a porta quando saíram.

Gareth desatou a correr novamente e quase conseguiu apanhá-la.

Quase.

Alcançou a porta no instante em que ela a fechou na sua cara.

E pousou a mão na maçaneta a tempo de ouvir o clique da porta a ser trancada.

A mão de Gareth cerrou-se; toda a vontade dele era bater com o punho contra a porta. Mais do que qualquer outra coisa, queria gritar o nome dela e que se danasse o decoro. O que faria era forçar uma antecipação do casamento e esse, afinal, era o seu objetivo.

Mas algumas coisas estavam demasiado arraigadas num homem e, aparentemente, ele era demasiado cavalheiro para destruir a reputação dela de forma tão pública.

– Ah, não – resmungou para si mesmo, caminhando de volta para a frente da casa –, toda a destruição será estritamente privada.

Colocou as mãos nas ancas e lançou um olhar furioso à janela do quarto dela. Já tinha subido uma vez; podia fazê-lo novamente.

Uma olhadela rápida para um lado e para o outro da rua garantiu-lhe que não havia ninguém por perto; escalou o muro em três tempos, a subida muito mais fácil desta vez, porque já sabia exatamente onde colocar as mãos e os pés. A janela ainda estava ligeiramente aberta, tal como a deixara da última vez, não que na altura pensasse que ia ter de voltar a subir.

Abriu-a mais, entrou com esforço e aterrou no tapete com um baque no momento em que Hyacinth entrava pela porta.

– Tu tens algumas explicações a dar-me – rugiu ele, levantando-se como um gato.

– Eu?! – devolveu Hyacinth, furiosa. – Eu? Julgo que não... – Interrompeu-se, boquiaberta, avaliando tardiamente a situação. – E sai já do meu quarto!

Ele arqueou uma sobrancelha.

– Devo descer pelas escadas da frente?

– Vais sair daqui pela janela, seu canalha miserável.

Gareth percebeu que nunca tinha visto Hyacinth zangada. Irritada, sim; exasperada, certamente. Mas isto...

Isto era algo totalmente diferente.

– Como te atreves! – bufou ela. – Como te *atreves*. – E então, antes que pudesse sequer responder, ela precipitou-se para ele e começou a bater-lhe. – Sai daqui! – rosnou. – Agora!

– Não até que... – começou ele pontuando o discurso com um dedo apontado contra o esterno dela – me prometas que nunca mais voltas a fazer nada tão imprudente como o que fizeste esta noite.

– Unh! Unh! – fez ela; uma espécie de ruído sufocado, do tipo que se faz quando não se consegue já dizer uma única sílaba inteligível. Até que, finalmente, depois de mais alguns tragos de fúria, ela disse, com a voz perigosamente baixa: – Não estás em posição de exigir nada de mim.

– Não? – Ele ergueu uma sobrancelha e olhou-a com um meio sorriso arrogante. – Como teu futuro marido...

– Nem te atrevas a falar disso agora.

Gareth sentiu algo apertar-se e dar voltas dentro do peito.

– Estás a pensar terminar tudo entre nós?

– Não – respondeu ela, fitando-o com uma expressão furiosa –, mas tu tiveste o cuidado de tratar disso esta noite, não foi? Foi esse o teu objetivo? Forçares-me a tomar uma decisão que tornaria impossível o meu casamento com qualquer outro homem?

Tinha sido exatamente esse o objetivo e, por essa razão, Gareth não disse nada. Nem uma só palavra.

– Vais arrepender-te – silvou Hyacinth. – Vais arrepender-te deste dia. Acredita em mim.

– Oh, a sério?

– Como tua futura mulher – disse ela, os olhos faiscando perigosamente – posso transformar a tua vida num inferno.

Disso Gareth não tinha dúvidas, mas decidiu lidar com esse problema a seu tempo.

– Isto não é sobre o que aconteceu entre nós mais cedo – argumentou ele –, nem é sobre o que quer que possas ter ou não ouvido o barão dizer. Isto é sobre...

– Oh, pelo amor de... – Hyacinth interrompeu-se no último instante. – Quem pensas tu que és?

Ele quase encostou o rosto ao dela.

– O homem que se vai casar contigo. E tu, Hyacinth Bridgerton, em breve St. Clair, *jamais* voltarás a passear-te pelas ruas de Londres sem acompanhante, seja qual fora a altura do dia.

Hyacinth ficou um momento sem dizer nada, e Gareth quase se permitiu pensar que ela ficara comovida pela sua preocupação com a segurança dela. Mas logo ela deu um passo atrás e disse:

– Um momento bastante conveniente para desenvolveres senso de decoro.

Gareth resistiu ao impulso de a agarrar pelos ombros e a sacudir, mas precisou de muito esforço.

– Tens alguma ideia de como me senti quando virei a esquina e tinhas desaparecido? Paraste para pensar no que te poderia ter acontecido, antes de desatares a correr como uma louca?

Uma das sobrancelhas de Hyacinth ergueu-se num arco perfeito e arrogante.

– Nada mais do que o que me aconteceu aqui neste quarto.

Foi um ataque com uma mira perfeita e Gareth quase se encolheu. Mas conseguiu manter uma certa dose de calma e a voz era fria quando respondeu:

– Tu não queres dizer isso. Podes pensar que sim, mas eu sei que não, e perdoo-te por isso.

Ela ficou imóvel, total e completamente imóvel, exceto pelo subir e descer da respiração no seu peito. As mãos estavam cerradas em punhos de ambos os lados do corpo e o rosto ia ficando cada vez mais vermelho.

– Não te atrevas a voltar a falar comigo nesse tom – avisou ela por fim, a voz baixa e entrecortada e terrivelmente controlada. – Nem nunca presumas saber o que eu penso.

– Não te preocupes, essa é uma pretensão que decerto terei muito raramente.

Hyacinth engoliu em seco, a única demonstração de nervosismo antes de dizer:

– Eu quero que saias.

– Não até me prometeres.

– Eu não lhe devo nada, Mr. St. Clair. E certamente não está em posição de fazer exigências.

– Promete-me – repetiu ele.

Hyacinth limitou-se a encará-lo. Como ousava ele entrar ali, distorcer tudo e fazer com que o problema fosse com ela? *Ela* era a parte lesada. Tinha sido ele que... ele...

Meu Deus, nem sequer conseguia *pensar* em frases completas.

– Quero que saias – voltou ela a dizer.

A resposta dele veio praticamente sobreposta à sua última sílaba.

– E eu quero que me prometas.

Hyacinth cerrou a boca. Teria sido uma promessa fácil de fazer; certamente não planeava fazer mais passeios a meio da noite. Mas uma promessa teria sido semelhante a um pedido de desculpas e ela não lhe daria essa satisfação.

Podiam chamá-la tola ou infantil, mas recusava-se a fazê-lo. Não depois do que ele lhe fizera.

– Meu Deus – resmungou ele –, como és teimosa.

Ela deu-lhe um sorriso amarelo.

– Vai ser uma alegria estares casado comigo.

– Hyacinth – disse ele, ou melhor, suspirou. – Em nome de tudo o que é... – Passou a mão pelo cabelo e pareceu percorrer o quarto todo com o olhar antes de finalmente se virar para ela. – Eu compreendo que estejas com raiva...

– Não fales comigo como se eu fosse uma criança.

– Não estava.

Ela atirou-lhe um olhar gélido.

– Estavas, sim.

Ele rangeu os dentes e continuou.

– O que o meu pai disse sobre Mary Winthrop...

Hyacinth ficou boquiaberta.

– Achas mesmo que o problema aqui é *esse*?

Gareth fitou-a, piscando duas vezes antes de dizer:

– Não é?

– Claro que não – cuspiu ela. – Meu Deus, achas que sou alguma imbecil?

– Eu... hum... não?

– Espero conhecer-te o suficiente para saber que não irias pedir duas mulheres em casamento. Pelo menos, não intencionalmente.

– Certo – disse ele, parecendo um pouco confuso. – Então o que...

– Sabes porque me pediste em casamento? – perguntou ela.

– De que diabo estás a falar?

– Sabes? – repetiu.

Já lhe fizera a pergunta uma vez antes, e ele não respondera.

– Claro que sei. Foi porque...

Mas interrompeu-se, obviamente sem saber o que dizer.

Hyacinth abanou a cabeça, piscando para conter as lágrimas.

– Eu não quero ver-te agora.

– O que é que se passa contigo?

– Não se passa nada comigo – gritou ela, tão alto quanto ousava. – Eu, pelo menos, sei porque é que aceitei a tua proposta. Mas tu... tu não tens ideia de porque a fizeste.

– Diz-me tu, então – explodiu ele. – Diz-me o que achas ser assim *tão* importante. Pareces sempre saber o que é melhor para tudo e para todos, e agora claramente também conheces os pensamentos de toda a gente. Então diz-me. Diz-me, Hyacinth...

Ela encolheu-se ao ouvir o veneno na sua voz.

– ... diz-me.

Hyacinth engoliu em seco. Não ia recuar. Podia tremer, podia estar o mais perto das lágrimas que alguma vez estivera na vida, mas não ia recuar.

– Tu fizeste-o... – disse, a voz baixa, tentando manter o tremor afastado – tu pediste-me em casamento... por causa *dele*.

Gareth ficou a olhar para ela, fazendo um movimento com a cabeça, como quem diz: *elabora, por favor*.

– O teu pai.

Ela teria gritado se não estivessem a meio da noite.

– Oh, pelo amor de Deus! – praguejou ele. – É isso que pensas? Isto não tem nada a ver com ele.

Hyacinth lançou-lhe um olhar de pena.

– Eu não faço nada por causa dele – silvou Gareth, furioso por ela sequer sugerir tal coisa. – Ele não significa nada para mim.

Ela sacudiu a cabeça.

– Estás a iludir-te, Gareth. Tudo o que fazes é por causa dele. Eu não o percebi até ele o dizer, mas é verdade.

– Acreditas mais na palavra dele do que na minha?

– Isto não é uma questão de *palavra* – disse ela, com ar cansado e frustrado, e talvez um pouco deprimido. – É assim que as coisas são. E tu... pediste-me em casamento porque querias mostrar-lhe que podias. Não teve *nada* a ver comigo.

Gareth manteve-se muito quieto.

– Isso não é verdade.

– Não é? – Hyacinth sorriu, mas a expressão no rosto era triste, quase resignada. – Eu sei que não me pedirias para casar contigo se te soubesses comprometido com outra mulher, mas também sei que farias qualquer coisa para chamar a atenção do teu pai. Incluindo casar comigo.

Gareth sacudiu lentamente a cabeça.

– Percebeste tudo errado – disse ele, mas por dentro, a certeza que sentia começava a escapar-lhe.

Tinha pensado mais de uma vez e com satisfação indecorosa que o pai devia estar a deitar fogo pelas ventas com o sucesso conjugal de Gareth. E regozijara-se por isso. Gostava de saber que no jogo de xadrez que era a sua relação com Lord St. Clair, finalmente tinha feito a jogada derradeira e mortal.

Xeque-mate.

Tinha sido perfeito.

Mas não fora *por isso* que pedira Hyacinth em casamento Pedira porque... bem, por uma centena de razões diferentes. Era complicado.

Ele gostava dela. Não era isso importante? Até gostava da família dela. E ela gostava da sua avó. Ele não poderia nunca casar-se com uma mulher que não fosse capaz de se dar bem com Lady Danbury.

E desejava-a. Desejava-a com uma intensidade que o deixava sem ar.

Tinha feito sentido casar com Hyacinth. Ainda fazia sentido.

Era isso. Era isso que precisava de saber articular. Só precisava de fazê-la entender. E ela ia entender. Ela não era uma donzela tontinha. Era Hyacinth.

Era por isso que gostava tanto dela.

Abriu a boca, fazendo um gesto com a mão antes de qualquer palavra surgir. Tinha de fazer isto bem. Ou se não bem, então, pelo menos, não completamente mal.

– Se vires as coisas de forma sensata – começou ele.

– Eu estou a vê-las de forma sensata – rebateu ela, cortando-o antes que ele pudesse completar o pensamento. – Meu Deus, se eu não fosse tão *sensata*, teria terminado tudo entre nós.

Ela cerrou os maxilares e engoliu em seco.

E ele pensou: *Meu Deus, ela vai chorar.*

– Eu sabia o que estava a fazer esta noite – continuou ela, a voz dolorosamente tranquila. – Eu sabia as implicações e sabia que era irrevogável. – O lábio inferior tremeu e ela desviou o olhar ao dizer: – Só nunca esperei arrepender-me.

Foi como um soco no estômago. Ele magoara-a. Magoara-a a sério. Não tivera intenção de o fazer, e não tinha absoluta certeza se ela não estaria a exagerar, mas a verdade é que a magoara.

Assombrou-o perceber o quanto isso o feria a *ele*.

Por instantes, não fizeram nada, exceto ficar ali, a observarem-se mutuamente com cautela.

Gareth queria dizer alguma coisa, achou que talvez devesse dizer algo, mas não lhe vinha nada à mente. As palavras simplesmente não estavam lá.

– Sabes qual é a sensação de se ser o peão de alguém? – perguntou Hyacinth.

– Sim – sussurrou ele.

Os cantos da boca dela apertaram-se. Não parecia zangada, apenas... triste.

– Então vais entender porque te peço para te ires embora.

Algo vindo das entranhas gritava-lhe para ficar, algo primitivo que tinha vontade de a agarrar e a obrigar a entender. Podia usar as palavras ou o corpo, qual deles não importava. Só queria fazê-la entender.

Mas havia algo mais dentro dele, algo triste e solitário que conhecia bem a dor. E de alguma forma soube que, se ficasse, se tentasse forçá-la a entender, não teria sucesso. Não esta noite.

E perdê-la-ia.

Decidiu então despedir-se com um aceno de cabeça, dizendo:

– Conversamos sobre isso mais tarde.

Ela não reagiu.

Gareth foi até à janela. Parecia um pouco ridículo e frustrante sair daquela forma, mas que diabo de importância teria agora?

– Essa tal Mary – disse Hyacinth nas costas dele –, seja qual for o problema com ela, estou certa de que poderá ser resolvido. A minha família dará uma compensação financeira à dela, se for necessário.

Ela estava a tentar recompor-se, afogar a dor, concentrando-se nos aspetos práticos. Gareth reconheceu a tática; empregara-a nele mesmo inúmeras vezes.

Ele virou-se para trás, encarando-a.

– É a filha do conde de Wrotham.

– Oh! – Ela fez uma pausa. – Bem, isso muda tudo, mas certamente se foi há muito tempo...

– Foi.

Ela engoliu em seco antes de perguntar:

– Foi essa a causa da vossa discórdia? O noivado?

– Estás a fazer um monte de perguntas, para alguém que exigiu que eu saísse.

– Eu vou casar-me contigo – disse ela. – Acabarei por ter de saber.

– Sim, terás – respondeu ele. – Mas não hoje.

Dito isto, ele saiu pela janela.

Olhou para cima quando chegou ao chão, desesperado por um último relance dela. Qualquer coisa teria sido bom, uma silhueta, talvez, ou até mesmo uma sombra movendo-se por trás das cortinas.

Mas nada.

Ela desaparecera.

CAPÍTULO 17

Hora do chá no Número Cinco. Hyacinth está sozinha na sala de estar com a mãe, sempre uma situação perigosa quando se está na posse de um segredo.

– Mr. St. Clair está fora da cidade?

Hyacinth olhou por cima do bordado um tanto ao quanto desleixado apenas o tempo suficiente para responder:

– Acho que não, porquê?

Os lábios da mãe contraíram-se fugazmente antes de dizer:

– Há vários dias que não nos visita.

Hyacinth fixou uma expressão indiferente no rosto e disse:

– Acredito que esteja ocupado com alguma coisa relativa à sua propriedade em Wiltshire.

Era mentira, claro. Hyacinth não achava que ele possuísse sequer uma propriedade, em Wiltshire ou em qualquer outro lugar. Mas com um pouco de sorte, a mãe distrair-se-ia com algum outro tema antes de conseguir fazer perguntas sobre as propriedades inexistentes de Gareth.

– Percebo – murmurou Violet.

Hyacinth espetou a agulha no tecido, talvez com mais vigor do que necessário; depois olhou para a sua obra com um leve resmungo. Era uma péssima bordadeira. Nunca tivera paciência ou olho para o detalhe que era necessário, mas mantinha sempre um bastidor na sala de estar. Nunca se sabia quando seria preciso que ele proporcionasse uma distração adequada à conversa.

O estratagema tinha funcionado muito bem durante anos. Mas agora que Hyacinth era a única filha Bridgerton a viver em casa, a hora do chá era composta muitas vezes apenas por ela e pela mãe. E, infelizmente, o bordado que a mantivera tão eficazmente fora de conversas cruzadas entre três e quatro pessoas não parecia funcionar tão bem com apenas duas.

– Passa-se alguma coisa? – perguntou Violet.

– Claro que não. – Hyacinth não queria levantar os olhos, mas evitar o contacto visual só serviria para fazer a mãe ficar desconfiada, por isso pousou a agulha e ergueu o queixo. Perdido por cem, perdido por mil, decidiu. Se ia mentir, podia muito bem fazê-lo de forma convincente. – Ele está apenas ocupado, só isso. É admirável, na verdade. A mãe com certeza não quer que eu me case com um perdulário, pois não?

– Não, é claro que não – murmurou Violet –, mas, seja como for, parece-me estranho. Estais noivos há tão pouco tempo.

Em qualquer outro dia, Hyacinth teria apenas dito à mãe: «Se tem uma pergunta, faça-a».

O problema é que se o dissesse, a mãe faria uma pergunta.

Uma pergunta a que Hyacinth não queria de todo responder.

Há três dias que sabia a verdade sobre Gareth. Parecia tão dramático, melodramático até: saber a verdade. Era como se tivesse descoberto algum segredo terrível, algum esqueleto ignóbil no armário da família St. Clair.

Mas não havia nenhum segredo. Nada sombrio ou perigoso, ou mesmo ligeiramente embaraçoso. Apenas uma simples verdade que estivera diante dos seus olhos o tempo todo.

E ela fora cega de mais para a ver. O amor fazia isso a uma mulher, supunha.

Não havia dúvidas de que se apaixonara por ele. Isso era-lhe perfeitamente claro. Algures entre o instante em que aceitara casar-se com ele e a noite em que fizeram amor, ela apaixonara-se por ele.

Mas não o conhecia. Ou conhecia? Será que podia realmente dizer que o conhecia, verdadeiramente, quando não tinha sequer compreendido o elemento mais básico do seu carácter?

Gareth usara-a.

Era exatamente isso. Usara-a para vencer a sua batalha interminável com o pai.

E doía muito mais do que alguma vez imaginara.

Tentava convencer-se de que estava a ser uma tonta, de que estava a exagerar. Não devia bastar saber que ele gostava dela, que a achava inteligente e divertida e até, ocasionalmente, sensata? Não devia bastar saber que ele iria protegê-la e honrá-la e que, apesar do seu passado um pouco suspeito, seria um marido bom e fiel?

Que *importância* tinha o porquê de a ter pedido em casamento? Não devia apenas importar que o tinha feito?

A questão é que importava. Ela sentira-se usada, insignificante, como se fosse apenas uma peça de xadrez no meio de um enorme tabuleiro.

E o pior era que... nem sequer conhecia o jogo.

– Isso é que foi um suspiro sentido!

Hyacinth pestanejou para conseguir focar o rosto da mãe. Meu Deus, há quanto tempo estava ali sentada a olhar para o vazio?

– Alguma coisa que queiras partilhar comigo? – perguntou Violet, com carinho.

Hyacinth sacudiu a cabeça. Como partilhar algo como aquilo com a própria mãe?

«Oh, sim, a propósito e no caso de estar interessada, recentemente tomei conhecimento que o meu futuro marido me pediu para casar com ele porque queria enfurecer o pai.

Ah, e mencionei, por acaso, que já não sou virgem? Agora não há volta a dar!»

Não, isso não ia funcionar.

– Suspeito que tenham tido a vossa primeira briga de namorados – propôs Violet, tomando um gole de chá.

Hyacinth tentou com *muita* força não corar. Namorados era um eufemismo. Amantes, seria mais correto.

– Não é motivo de vergonha – disse Violet.

– Eu não tenho vergonha – apressou-se a responder Hyacinth.

Violet ergueu as sobrancelhas e Hyacinth recriminou-se de imediato por cair que nem um patinho na armadilha da mãe.

– Não é nada – resmoneou ela, espetando o bordado até a flor amarela em que tinha estado a trabalhar parecer um pintainho desgrenhado.

Hyacinth encolheu os ombros e pegou em fio cor de laranja. O melhor seria acrescentar-lhe patas e bico.

– Eu sei que é considerado impróprio mostrar emoções – prosseguiu Violet – e, certamente, não estou a sugerir que te deixes levar por emoções dramáticas, mas às vezes ajuda simplesmente contares a alguém como te sentes.

Hyacinth olhou para cima, encarando a mãe.

– Eu não costumo ter dificuldades em dizer às pessoas como me sinto.

– Bem, isso é verdade – concordou Violet, parecendo algo desapontada por ver a sua teoria estilhaçada.

Hyacinth concentrou-se no bordado, franzindo a testa quando percebeu que tinha colocado o bico demasiado acima. Ora, pronto, era um pintainho com um chapéu.

– Talvez – insistiu a mãe – seja Mr. St. Clair que encontra alguma dificuldade em...

– Eu sei como ele se sente – cortou Hyacinth.

– Ah! – Violet contraiu os lábios e soltou uma curta expiração pelo nariz. – Talvez ele tenha dúvidas sobre como proceder. De que modo se aproximar de ti.

– Ele sabe onde eu moro.

Violet suspirou de forma audível.

– Não me estás a facilitar as coisas.

– Eu estou a *tentar* bordar. – Hyacinth ergueu o bordado como prova.

– Tu estás a tentar evitar... – A mãe parou e pestanejou. – Ora essa, porque é que essa flor tem uma orelha?

– Não é uma orelha. – Hyacinth olhou para baixo. – E não é uma flor.

– Não era uma flor ontem?

– Tenho uma mente muito criativa – resmungou Hyacinth, dando à maldita flor outra orelha.

– Isso nunca esteve em questão – disse Violet.

Hyacinth olhou para a trapalhada no tecido.

– É um gato malhado – anunciou. – Só preciso de lhe pôr uma cauda.

Violet manteve-se em silêncio um momento e então disse:

– Por vezes consegues ser implacável com as pessoas.

Hyacinth levantou a cabeça num movimento brusco.

– Eu sou sua filha! – exclamou.

– Pois és – respondeu Violet, mostrando-se algo chocada com a reação violenta de Hyacinth. – Mas...

– Porque parte do princípio que seja o que for que se passe tem de ser culpa minha?

– Não fiz isso!

– Fez, sim. – Hyacinth pensou nas inúmeras brigas entre os irmãos Bridgerton. – Sempre fez.

Violet respondeu com um ruído horrorizado.

– Isso não é verdade, Hyacinth. É só que te conheço melhor do que Mr. St. Clair e...

– ... e, portanto, conhece todos os meus defeitos?

– Bem... sim. – Violet parecia surpreendida pela própria resposta e apressou-se a acrescentar: – O que não quer dizer que Mr. St. Clair não tenha os seus próprios defeitos e fraquezas. É só que... bem, eu só não os conheço.

– São muitos – disse Hyacinth com amargura – e muito possivelmente intransponíveis.

– Oh, Hyacinth! – exclamou a mãe, com tal preocupação na voz que Hyacinth quase desatou a chorar ali mesmo. – Conta-me, por favor, o que se passa?

Hyacinth desviou o olhar. Não devia ter dito nada. Agora a mãe ia ficar morta de preocupação e Hyacinth teria de ficar ali sentada, a sentir-se miserável e a desejar desesperadamente atirar-se nos braços dela e voltar a ser criança.

Quando era pequena, estava convencida de que a mãe era capaz de resolver qualquer problema, de reparar tudo com uma palavra doce e um beijo na testa.

Mas já não era uma criança e aqueles não eram problemas de uma criança.

Não podia partilhá-los com a mãe.

– Queres terminar o noivado? – perguntou Violet, com toda a suavidade e cuidado.

Hyacinth abanou a cabeça. Ela *não podia* desistir do casamento. Mas...

Desviou o olhar, abismada com a direção dos seus pensamentos. Será que *queria* sequer fugir do casamento? Se não se tivesse entregado a Gareth, se não tivessem feito amor e não houvesse nada que a obrigasse a manter o noivado, o que faria?

Havia passado os últimos três dias a pensar obsessivamente sobre aquela noite, sobre o momento horrível em que ouvira o pai de Gareth rir-se e confessar como tinha manipulado o filho, fazendo-o pedi-la em casamento. Revirara cada frase vezes sem conta na sua cabeça, cada palavra de que se lembrava e, no entanto, só agora se fazia aquela que tinha de ser a pergunta mais importante. A única que importava, na verdade. E chegou à conclusão de que...

Ia ficar.

Repetiu a frase na sua mente, precisando de tempo para absorver as palavras.

Ia ficar.

Amava-o. Seria realmente assim tão simples?

– Eu não quero terminar o noivado – disse ela, mesmo já tendo dito que não com o gesto; algumas coisas precisavam de ser ditas em voz alta.

– Então terás de o ajudar – aconselhou Violet. – O que seja que o incomode, ele vai precisar que o ajudes.

Hyacinth anuiu lentamente, demasiado perdida em pensamentos para dar uma resposta mais significativa. Será que podia ajudá-lo? Seria possível? Conhecia-o há cerca de um mês; ele tivera uma vida inteira para acumular aquele ódio que sentia do pai.

Gareth podia não querer ajuda, ou talvez mais provável... podia não perceber que precisava. Os homens eram assim.

– Eu acredito que ele gosta de ti – disse a mãe. – Sinceramente acredito que sim.

– Eu sei que sim – asseverou Hyacinth tristemente.

Mas não tanto quanto odeia o pai, pensou.

Quando ele se tinha posto de joelhos e pedido para que ela passasse o resto da vida ao seu lado, que assumisse o seu nome e lhe desse filhos, não tinha sido por causa *dela*.

O que é que isso dizia *dele?*

Hyacinth suspirou, sentindo-se muito cansada.

– Isto não é típico teu – disse a mãe.

Hyacinth ergueu o olhar.

– Estares tão quieta – esclareceu Violet –, ficares à espera.

– Ficar à espera? – ecoou Hyacinth.

– Dele. Eu suponho que seja o que estás a fazer, à espera que ele apareça e te peça perdão pelo que eventualmente tenha feito.

– Eu... – interrompeu-se.

Era exatamente isso que estava a fazer. Nem se tinha apercebido. Era, provavelmente, parte da razão por que se sentia tão miserável. Tinha colocado o seu destino e a sua felicidade nas mãos de outra pessoa, e odiava isso.

– Porque não lhe escreves? – sugeriu Violet. – Pede-lhe que te venha visitar. Ele é um cavalheiro e tu és a noiva dele. Ele nunca seria capaz de recusar.

– Não, não seria – murmurou Hyacinth. – Mas... – ergueu os olhos que imploravam por conselho – o que é que eu digo?

Era uma pergunta tola. Violet nem conhecia o problema, como poderia saber a solução? No entanto, como sempre, conseguiu dizer exatamente o que ela precisava de ouvir.

– Diz aquilo que te vai no coração – aconselhou Violet. Os lábios retorceram-se em ironia. – E se isso não resultar, sugiro que pegues num livro e lhe dês com ele na cabeça.

Hyacinth pestanejou uma e outra vez.

– Perdão?!

– Eu não disse isto – apressou-se a corrigir Violet.

Hyacinth sentiu-se sorrir.

– Pois eu tenho bastante certeza de que disse.

– Achas? – murmurou Violet, ocultando o próprio sorriso com a chávena de chá.

– Um livro grande ou pequeno? – inquiriu Hyacinth.

– Grande, julgo eu, não te parece?

Hyacinth assentiu.

– Acha que temos o volume *As Obras Completas de Shakespeare* na biblioteca?

Os lábios de Violet contraíram-se de riso.

– Julgo que sim.

Algo começou a borbulhar no peito de Hyacinth. Algo muito parecido com riso. E sabia tão bem voltar a ter essa sensação.

– Amo-a muito, mãe – disse ela, tomada de súbito pela necessidade de o dizer em voz alta. – Só queria que soubesse isso.

– Eu sei, querida – respondeu Violet, com os olhos a brilhar. – Eu também te amo.

Hyacinth assentiu. Nunca tinha parado para pensar o quão precioso era... ter o amor de um pai ou de uma mãe. Era algo que Gareth nunca tinha tido. Só Deus sabia como fora a sua infância. Ele nunca falara sobre isso e Hyacinth sentiu vergonha ao perceber que nunca lhe perguntara.

Nem nunca notara a omissão.

Talvez, quem sabe, Gareth merecesse um pouco de compreensão por parte dela.

Ele ainda teria de lhe pedir desculpa; também não era assim *tão* bondosa e caridosa.

Mas podia tentar compreender, podia amá-lo e talvez, se tentasse com todas as suas forças, pudesse preencher o vazio que existia dentro dele.

Fosse o que fosse de que ele precisasse, talvez ela pudesse ser a solução.

Quem sabe, não seria apenas isso que importava.

Entretanto, Hyacinth ia ter de gastar alguma energia para levar a bom porto o seu final feliz. E tinha a sensação de que uma carta não era suficiente.

Estava na hora de ser descarada e audaz.

Estava na hora de agarrar o touro pelos cornos, de...

– Hyacinth! – ouviu a voz da mãe – Está tudo bem?

Ela assentiu com a cabeça, ao mesmo tempo que disse:

– Estou perfeitamente bem. Só a pensar como uma idiota.

Uma idiota apaixonada.

CAPÍTULO 18

Aproxima-se o final da tarde no minúsculo gabinete do minúsculo apartamento de Gareth. O nosso herói chegou à conclusão de que deve agir.

Não faz ideia de que Hyacinth está prestes a antecipar-se.

Um gesto grandioso.

Era isso, decidiu Gareth, era disso que precisava. De um gesto grandioso.

As mulheres adoravam gestos grandiosos, e embora Hyacinth fosse muito diferente das outras mulheres com quem se relacionara, não deixava de ser mulher e certamente ficaria pelo menos um pouco persuadida por um gesto grandioso.

Ou não?

Bem, era melhor que sim, pensou Gareth, rabugento, porque não sabia mais o que fazer.

Mas o problema dos gestos grandiosos era que a grandiosidade tendia a requerer dinheiro, algo que faltava a Gareth. E os que não requeriam uma grande quantidade de dinheiro geralmente envolviam algum pobre coitado a passar vergonha de maneira bastante pública... recitar poesia ou cantar uma balada, ou fazer algum tipo de declaração sentimental no meio de oitocentas testemunhas.

Nenhuma delas era provável que ele fizesse, concluiu Gareth.

Mas Hyacinth era um género muito invulgar de mulher, como frequentemente observara, o que significava que algum gesto invulgar iria funcionar com ela, pelo menos assim esperava.

Iria mostrar-lhe que ela era importante para ele e isso faria com que ela esquecesse toda aquela história cretina sobre o pai dele e tudo ficaria bem.

Tudo tinha de ficar bem.

– Mr. St. Clair, tem uma visita.

Ele olhou para cima. Estava sentado à secretária há tanto tempo que era um espanto não ter ganhado raízes. O criado pessoal estava parado à porta do gabinete. Como Gareth não podia pagar um mordomo (mas, também, quem é que precisava de um mordomo num apartamento de quatro assoalhadas), Phelps frequentemente assumia também essa função.

– Diga ao cavalheiro para entrar – disse Gareth, algo distraído, colocando alguns livros por cima dos papéis pousados atualmente na sua mesa.

– Hum...

O criado tossicou.

Gareth voltou a olhar para ele.

– Algum problema?

– Bem... não...

O criado parecia atrapalhado. Gareth apiedou-se dele. O pobre Mr. Phelps não tinha percebido que iria ocasionalmente ocupar a função de mordomo quando o entrevistara para o cargo, e claramente nunca lhe tinham ensinado a capacidade mordomiana de manter uma expressão desprovida de qualquer emoção.

– Mr. Phelps? – preocupou-se Gareth.

– O «ele» é uma «ela», Mr. St. Clair.

– Um hermafrodita, Mr. Phelps? – perguntou Gareth, só para ver o pobre homem corar.

Admiravelmente, o criado não esboçou outra reação, para além de um leve cerrar do maxilar.

– Trata-se de Miss Bridgerton.

Gareth levantou-se tão depressa que bateu com ambas as coxas na beira da mesa.

– Aqui?! Agora?!

Phelps assentiu, mostrando-se algo satisfeito com a atrapalhação do patrão.

– Ela entregou-me o cartão de visita. Foi bastante elegante em tudo, como se não fosse nada de extraordinário.

Gareth entrou em pânico, tentando descobrir porque diabo Hyacinth faria algo tão imprudente como visitá-lo em casa a meio do dia. Não é que a meio da noite tivesse sido melhor, mas ainda assim, havia a possibilidade de certos intrometidos a terem visto entrar no edifício.

– Bom, peça-lhe que entre – ordenou ele.

Afinal de contas, não podia mandá-la embora. Estando ela ali, teria obrigatoriamente de a acompanhar a casa. Não esperava que Hyacinth tivesse vindo com uma companhia adequada. Provavelmente viera apenas com aquela criada das pastilhas de hortelã e Deus bem sabia que ela não era proteção adequada para as ruas de Londres.

Cruzou os braços enquanto esperava. A área do seu apartamento era quadrangular, sendo possível aceder ao gabinete a partir da sala de jantar ou do quarto. Infelizmente, a criada tinha escolhido exatamente aquele dia para encerar o chão da sala de jantar, fazendo um tipo de tratamento semestral que ela jurou (de forma vocalmente assertiva e pelo túmulo da sua mãezinha) iria manter o chão limpo *e* afastar doenças. Como resultado, a mesa tinha sido empurrada contra a porta de acesso ao gabinete, o que significava que a única maneira de lá entrar era através do quarto.

Gareth soltou um resmungo e abanou a cabeça. A última coisa de que precisava era de imaginar Hyacinth no seu quarto.

Esperava que ela se sentisse constrangida ao passar pelo quarto. Era o mínimo que merecia por aparecer ali sozinha.

– Gareth – cumprimentou ela, aparecendo na porta.

E todas as boas intenções dele voaram direitinhas pela janela.

– Que diabo estás aqui a fazer? – exigiu ele saber.

– É bom ver-te, também – ironizou ela, com tal compostura que ele se sentiu um idiota.

Mas não deu parte de fraco.

– As pessoas podem ter-te visto. Não te preocupas com a tua reputação?

Ela encolheu os ombros delicadamente, tirando as luvas.

– Estou prestes a casar-me. Tu não podes faltar ao prometido e eu também não pretendo fazê-lo, por isso duvido que fique com a reputação arruinada para sempre se alguém me vir.

Gareth tentou ignorar a onda de alívio que sentiu ao ouvir as palavras dela. É certo que ele tinha envidado grandes esforços para garantir que ela não desistisse, e ela já lhe assegurara que não o faria, mas em todo o caso, era surpreendentemente bom ouvi-lo outra vez.

– Muito bem – disse ele lentamente, escolhendo as palavras com muito cuidado. – Então porque vieste?

– Não estou aqui para falar sobre o teu pai – anunciou ela bruscamente –, se é isso que te preocupa.

– Não estou preocupado – revidou ele.

Hyacinth ergueu uma sobrancelha. Raios, mas *porque* tinha ele escolhido casar-se com a única mulher no mundo capaz de fazer aquilo? Ou, pelo menos, a única que conhecia.

– Não estou – insistiu Gareth com teimosia.

Ela não lhe deu uma resposta direta, mas atirou-lhe um olhar que dizia não acreditar nele nem por um instante.

– Vim para falarmos sobre as joias – disse Hyacinth.

– As joias – repetiu ele.

– Sim – respondeu, ainda naquele tom cerimonioso e pragmático. – Espero que não tenhas esquecido o assunto.

– Como poderia? – murmurou ele.

Hyacinth estava a começar a irritá-lo, percebeu. Ou melhor, o comportamento dela. Ele ainda se sentia agitado, alterado só de a ver, e ela ali, toda dona de si, exibindo uma compostura quase sobrenatural.

– Espero que ainda pretendas procurá-las – continuou ela. – Já fizemos um longo percurso para agora desistir.

– Tens alguma ideia do lugar por onde podemos começar? – perguntou ele, mantendo a voz escrupulosamente neutra. – Se bem me lembro, tínhamos atingido um beco sem saída.

Ela enfiou a mão na bolsa e tirou a mais recente pista de Isabella, que ficara em seu poder desde que se separaram alguns dias antes. Com cuidado, os dedos firmes, ela desdobrou o papel e alisou-o sobre a mesa.

– Tomei a liberdade de mostrar isto ao meu irmão Colin – disse ela. Olhou para cima e recordou-lhe: – Tinhas-me dado permissão para o fazer.

Ele dirigiu-lhe um breve aceno em concordância.

– Como já mencionei, ele viajou muito pelo Continente, e é de opinião que isto se encontra escrito numa língua eslava. Depois de consultar um mapa, supõe que seja esloveno. – Ao notar o olhar vago dele, acrescentou: – É o que se fala na Eslovénia.

Gareth piscou os olhos, confuso.

– Existe um país com esse nome?

Pela primeira vez, Hyacinth sorriu.

– Existe, sim. Devo confessar que eu também não sabia da sua existência. Na verdade, é mais uma região do que um país. Fica a nordeste de Itália.

– Parte do Império Austro-Húngaro, então?

Hyacinth assentiu.

– E parte do Sacro Império Romano-Germânico antes disso. A tua avó era do norte de Itália?

Gareth percebeu de repente que não fazia ideia. A avó Isabella adorava contar-lhe histórias da sua infância em Itália, mas eram histórias sobre comida e férias... o género de coisas que um rapazito pode achar interessante. Se chegou a mencionar a cidade onde nascera, ele era demasiado jovem para ter fixado.

– Não sei – respondeu ele, sentindo-se um pouco ridículo, irrefletido, até, pela sua ignorância. – Acho que pode ter sido. Não era muito morena. O tom de pele dela era mais ou menos como o meu, na verdade.

Hyacinth assentiu.

– Já tinha pensado nisso. Nem tu nem o teu pai têm um ar muito mediterrânico.

Gareth sorriu, tenso. Não podia falar pelo barão, mas havia uma razão muito boa para que *ele*, Gareth, não parecesse ter sangue italiano.

– Bem – disse Hyacinth, voltando a olhar para a folha de papel pousada na mesa –, se ela era do nordeste, é altamente provável que pudesse ter vivido perto da fronteira eslovena e, portanto, conhecer a língua. Ou, pelo menos, conhecer o suficiente para escrever duas frases em esloveno.

– Mas não consigo imaginá-la a pensar que alguém aqui em Inglaterra pudesse ser capaz de traduzir.

– Exatamente – respondeu Hyacinth, com um movimento enérgico de assentimento. Quando se tornou evidente que Gareth não fazia ideia do que ela estava a falar, explicou: – Se quisesses tornar uma pista particularmente difícil, não a escreverias na língua mais obscura possível?

– É realmente uma pena que eu não fale chinês – murmurou ele.

Ela atirou-lhe um olhar, que ele não soube se era de impaciência ou de irritação, e prosseguiu:

– Também estou convencida de que esta deve ser a última pista. Qualquer pessoa que tivesse chegado tão longe seria forçada a despender muito esforço e, muito possivelmente, algum dinheiro para obter uma tradução. Certamente ela não iria obrigar alguém a passar por tudo novamente.

Gareth olhou para as palavras desconhecidas, mordendo o lábio inferior enquanto refletia.

– Não concordas? – pressionou Hyacinth.

Ele olhou para cima, encolhendo os ombros.

– Bem, *tu* obrigarias.

Hyacinth ficou boquiaberta.

– O que queres dizer com isso? Não é essa... – Parou, meditando nas palavras dele. – Está bem, se fosse eu, obrigaria. Mas acho que ambos concordamos que, para o bem ou para o mal, eu sou ligeiramente mais diabólica do que o comum das mulheres. Ou dos homens, já agora – murmurou.

Gareth sorriu com ironia, interrogando-se se devia ficar mais nervoso com a expressão «para o bem ou para o mal».

– Achas que a tua avó seria tão retorcida como... hum... – aclarou a garganta – eu?

Hyacinth pareceu perder um pouco de vigor mais para o final da pergunta e Gareth de repente viu nos seus olhos que ela não estava assim tão controlada como lhe queria fazer parecer.

– Não sei – respondeu honestamente. – Ela morreu quando eu era muito novo. As minhas lembranças e entendimento dela são as de um menino de sete anos.

– Bem – disse Hyacinth, tamborilando os dedos na mesa, num gesto nervoso revelador –, podemos começar por procurar alguém que fale esloveno. – Revirou os olhos ao acrescentar num tom seco: – Deve haver um algures em Londres.

– Pois deve – murmurou Gareth, mais para a provocar.

Não devia fazê-lo; já devia ter mais juízo, mas era tão... divertido observar Hyacinth quando ela punha aquele ar resoluto.

Como de costume, ela não o desapontou.

– Enquanto isso – afirmou ela, o tom extraordinariamente descontraído –, acho que devemos voltar a Clair House.

– Fazer uma busca de cima para baixo? – perguntou ele, num tom tão cortês que era óbvio que achava que ela tinha enlouquecido.

– Claro que não – respondeu ela com ar carrancudo.

Gareth quase sorriu. Agora, sim, uma reação típica de Hyacinth.

– Mas parece-me – acrescentou ela – que as joias devem estar escondidas no quarto dela.

– Porque pensas isso?

– Onde mais iria ela escondê-las?

– No quarto de vestir – sugeriu ele, inclinando a cabeça para o lado –, na sala de estar, no sótão, no armário do mordomo, no quarto de hóspedes, no *outro* quarto de hóspedes...

– Mas onde faria mais sentido? – interrompeu Hyacinth, parecendo irritada com o seu sarcasmo. – Até agora, ela tem mantido tudo nas áreas da casa menos visitadas pelo teu avô. Onde melhor do que no quarto?

Gareth fitou-a, pensativo, e durante tempo suficiente para a fazer corar. Por fim, disse:

– Nós sabemos que ele a visitou lá, pelo menos, duas vezes.

Ela pestanejou, sem perceber.

– Duas vezes?

– O meu pai e o seu irmão mais novo, que morreu na Batalha de Trafalgar – explicou, mesmo ela não tendo perguntado.

– Oh! – Isso pareceu cortar-lhe o entusiasmo. Pelo menos momentaneamente. – Sinto muito.

Gareth encolheu os ombros.

– Foi há muito tempo, mas obrigado.

Ela assentiu com a cabeça lentamente, como se não soubesse bem o que dizer a seguir.

– Certo – disse, por fim. – Enfim.

– Certo – repetiu ele.

– Enfim.

– Enfim – disse ele suavemente.

– Oh, para as urtigas! – explodiu ela. – Não aguento mais isto. Não fui *feita* para ficar de braços cruzados e varrer as coisas para debaixo do tapete.

Gareth abriu a boca para falar, não que tivesse alguma ideia do que dizer, mas Hyacinth não terminara.

– Eu sei que devia ficar calada e sei que não me devia meter no assunto, mas não consigo. Simplesmente, não consigo. – Olhou para ele, parecendo com vontade de o agarrar pelos ombros e o sacudir. – Compreendes?

– Nem uma palavra – admitiu ele.

– Eu tenho de saber! – exasperou-se ela. – Tenho de saber porque me pediste em casamento.

Era um tema a que ele não queria voltar.

– Pensei que tinhas dito que não vieste aqui para falar sobre o meu pai.

– Menti – confessou ela. – Não acreditaste sinceramente em mim, pois não?

– Não – percebeu ele. – Acho que não.

– Eu só... eu não posso...

Hyacinth torceu as mãos, com a expressão mais torturada que já lhe tinha visto. Algumas madeixas de cabelo tinham-se soltado dos ganchos, talvez resultado do gesticular ansioso, e o rosto estava ruborizado.

Mas eram os olhos que pareciam mais alterados. Havia neles uma espécie de desespero, um estranho desconforto que não devia lá estar.

Foi então que percebeu que essa era a característica distintiva de Hyacinth, a que a separava de forma sublime do resto da humanidade. Ela estava sempre à vontade na sua própria pele. Sabia quem era e gostava de ser assim, e imaginou que essa era uma importante razão pela qual ele gostava tanto da companhia dela.

Percebeu que ela tinha, e era, muitas das coisas que ele sempre desejara.

Ela sabia qual o seu lugar no mundo. Sabia onde pertencia.

Sabia com quem queria partilhar o seu mundo.

E ele queria o mesmo. Queria-o com uma intensidade que o perfurava até à alma. Era um ciúme estranho, quase indescritível, mas estava lá. E queimava-o por dentro.

– Se tens algum sentimento por mim que seja – disse ela –, vais entender como é difícil para mim, por isso, pelo amor de Deus, Gareth, *dizes alguma coisa*?

– Eu... – começou ele, mas as palavras pareciam estrangulá-lo.

Porque a *tinha* ele pedido em casamento? Havia uma centena de motivos, milhares, até. Tentou lembrar-se exatamente do que lhe tinha vindo à mente naquele dia que o levou a fazer a proposta. Sabia que a ideia lhe tinha surgido de repente, mas não se lembrava exatamente do porquê, exceto que lhe parecera a coisa certa a fazer.

Não porque era o que devia, não porque era o correto, mas apenas porque era o certo.

E, sim, era verdade que lhe tinha passado pela cabeça que seria a vitória final naquele jogo interminável com o pai, mas não fora *por isso* que o fizera.

Fizera-o porque não podia fazer outra coisa.

Porque não era capaz de se imaginar a não o fazer.

Porque a amava.

Sentiu-se a perder as forças, e graças a Deus que a mesa estava atrás dele ou teria acabado no chão.

Como diabo tinha aquilo acontecido? Ele estava apaixonado por Hyacinth Bridgerton.

Certamente alguém, em algum lugar, se ria da situação.

– Vou-me embora – disse ela, a voz embargada, e foi só quando ela chegou à porta que ele se deu conta de que devia ter ficado em silêncio por um tempo interminável.

– Não! – gritou ele, a voz incrivelmente rouca. – Espera! – E logo depois: – Por favor.

Ela parou, virou-se. Fechou a porta.

Tomou consciência de que tinha de lho dizer. Não que a amava... *isso* ainda não estava preparado para revelar. Mas tinha de lhe contar a verdade sobre o seu nascimento. Não poderia enganá-la para se casar.

– Hyacinth, eu...

As palavras entupiram-lhe a garganta. Nunca o confessara a ninguém. Nem mesmo à avó. Ninguém sabia a verdade, exceto ele e o barão.

Durante dez anos, Gareth tinha guardado aquele segredo, deixara-o crescer e preenchê-lo até, por vezes, sentir como se aquele segredo, aquela mentira, se tivesse transformado nele próprio.

– Preciso de te contar uma coisa – disse ele hesitante, e ela deve ter percebido que era algo fora do comum, porque ficou muito quieta.

E Hyacinth raramente ficava quieta.

– Eu... o meu pai...

Era estranho. Nunca pensara em dizê-lo, por isso nunca ensaiara as palavras. Não sabia como juntá-las, não sabia que frase escolher.

– Ele não é meu pai – deixou finalmente escapar.

Hyacinth piscou. Duas vezes.

– Eu não sei quem é o meu verdadeiro pai.

Ainda assim, ela não disse nada.

– E julgo que nunca saberei.

Gareth observou-lhe o rosto, esperou por algum tipo de reação. Mas ela estava sem expressão, tão completamente desprovida de movimento que nem parecia a mesma pessoa. Quando estava certo de que a tinha perdido para sempre, a boca dela contraiu-se numa linha irascível e disse:

– Bem, isso é um alívio, devo dizer.

Ele ficou boquiaberto.

– Desculpa?!

– Eu não estava particularmente entusiasmada por os meus filhos herdarem o sangue de Lord St. Clair. – Encolheu os ombros, erguendo as sobrancelhas numa expressão particularmente Hyacínthica. – Fico feliz por herdarem o título, afinal é uma coisa útil de se ter, mas o sangue é outra coisa muito diferente. Ele é incrivelmente mal-humorado, sabias?

Gareth concordou com a cabeça, uma bolha de emoção vertiginosa subindo dentro dele.

– Já tinha notado – ouviu-se a dizer.

– Imagino que tenhamos de manter esse facto em segredo – continuou ela, como se estivesse a falar de um qualquer mexerico inútil. – Quem mais sabe?

Ele pestanejou, ainda um pouco atordoado pela abordagem descontraída dela ao problema.

– Apenas o barão e eu, tanto quanto sei.

– E o teu pai verdadeiro.

– Espero que não – disse Gareth, e percebeu que era a primeira vez que realmente se permitia dizer aquelas palavras... ou sequer pensá-las, para ser honesto.

– Ele pode não ter sabido – aventou Hyacinth tranquilamente – ou pode ter achado que ficarias melhor com os St. Clair, como um filho da nobreza.

– Eu sei disso tudo – disse Gareth, cáustico –, mas de alguma forma não me traz consolo.

– A tua avó pode saber mais.

Os olhos dele voaram para o rosto dela.

– A Isabella – esclareceu. – No diário.

– Ela não era realmente minha avó.

– Alguma vez ela agiu dessa forma? Como se não fosses neto dela?

Ele abanou a cabeça.

– Não – articulou ele, perdendo-se nas memórias. – Ela amava-me. Não sei porquê, mas amava-me.

– Talvez seja – propôs Hyacinth, a voz estranhamente embargada – por seres ligeiramente adorável.

O coração dele deu um salto.

– Então não pretendes terminar o noivado – disse ele, um pouco cauteloso.

Ela olhou-o de forma excecionalmente direta.

– Tu queres?

Ele abanou a cabeça.

– Então porque achas que eu o faria? – perguntou ela, os lábios formando o mais leve dos sorrisos.

– A tua família pode opor-se.

– Pfff! Não somos assim tão arrogantes. A mulher do meu irmão é filha ilegítima do conde de Penwood e uma atriz sabe-se lá de que proveniência, e qualquer um de nós daria a vida por ela. – Os olhos estreitaram-se, pensativos. – Mas tu não és ilegítimo.

Ele voltou a abanar a cabeça.

– Para desespero eterno do meu pai.

– Bem, então não vejo onde está o problema – disse ela. – O meu irmão e a Sophie gostam de viver tranquilamente no campo, em parte por causa do passado dela, mas nós não seremos forçados a fazer o mesmo. A menos, claro, que queiras.

– O barão pode provocar um escândalo gigantesco – alertou Gareth.

Ela sorriu.

– Estás a tentar convencer-me a desistir de casar contigo?

– Eu só quero que entendas...

– Porque espero que já tenhas aprendido que é uma tarefa cansativa tentar convencer-me a desistir seja do que for.

Gareth só conseguiu sorrir ao comentário.

– O teu pai não vai dizer uma palavra – afirmou ela. – Que vantagem lhe traria? Tu nasceste dentro do casamento, por isso ele não pode retirar-te o título, e revelar-te como um filho bastardo só iria revelá-lo a *ele* como marido enganado. – Gesticulou com ar de grande autoridade. – E nenhum homem quer isso.

Os lábios dele curvaram-se e ele sentiu algo mudar dentro de si, como se estivesse a tornar-se mais leve, mais livre.

– E podes falar por todos os homens? – murmurou ele, movendo-se lentamente na direção dela.

– *Tu* gostarias de ser conhecido como marido enganado?

Ele abanou a cabeça.

– Mas eu não tenho de me preocupar com isso.

Hyacinth começou a ficar um pouco nervosa, mas também excitada, vendo-o aproximar-se.

– Não se me mantiveres feliz.

– Ora, Hyacinth Bridgerton, isso é uma ameaça?

A expressão dela tornou-se tímida.

– Talvez.

Gareth estava a apenas um passo agora.

– Já posso ver que me vais dar muito trabalho.

Hyacinth ergueu o queixo, e a respiração fez-lhe o peito subir e descer mais acelerado.

– Eu não sou uma mulher particularmente fácil.

Ele encontrou a mão dela e levou-lhe os dedos aos lábios.

– Eu adoro um desafio.

– Então ainda bem que vais...

Ele pegou-lhe num dedo e deslizou-o para a boca; ela prendeu a respiração.

– ... casar comigo – conseguiu ela terminar.

Ele passou para outro dedo.

– Mm-mm.

– Eu... hã... eu... hã...

– Tu gostas mesmo de falar – disse ele com uma risada entre dentes.

– O que é que tu... Oh!

Ele sorriu secretamente quando passou para o interior do pulso.

– ... queres dizer com isso?

Mas a pergunta já perdera a força. Ela estava literalmente a derreter-se contra a parede, fazendo-o sentir-se como o rei mais poderoso do mundo.

– Oh, nada de especial – murmurou, puxando-a para mais perto para poder mover os lábios para o pescoço dela. – Apenas que estou ansioso por casar contigo para que possas fazer tanto barulho quanto quiseres.

Ele não lhe via o rosto, estava muito ocupado com o decote do vestido, que claramente teria de ser descido, mas sabia que ela corara. Sentiu-lho no calor da pele.

– Gareth – reclamou ela, mas foi um protesto débil. – Devíamos parar.

– Não queres dizer isso – disse ele, deslizando a mão sob a barra da saia, quando ficou evidente que o corpete não ia ceder.

– Não – suspirou ela –, não quero.

Ele sorriu.

– Ainda bem.

Ela soltou um gemido quando os dedos dele lhe percorreram a perna, e então deve ter-se agarrado ao último resquício de sanidade, porque disse:

– Mas nós não podemos... Oh!

– Não, não podemos – concordou ele. A mesa não seria confortável, não havia espaço no chão, e só Deus sabia se Phelps tinha fechado a porta para o quarto. Ele afastou-se e deu-lhe um sorriso diabólico. – Mas podemos fazer outras coisas.

Os olhos dela arregalaram-se.

– Que outras coisas? – perguntou, parecendo deliciosamente desconfiada.

Ele entrelaçou os dedos nos dela e puxou-lhe as mãos sobre a cabeça.

– Confias em mim?

– Não – respondeu ela –, mas não quero saber.

Segurando-lhe ainda os braços no ar, ele encostou-a à porta e aproximou-se para um beijo. Ela sabia a chá e a...

Ela.

Ele poderia contar com os dedos de uma só mão as vezes que a beijara e mesmo assim sabia, compreendia, que aquela era a essência dela. Ela era única nos seus braços, no seu beijo e ele soube que nunca mais haveria nenhuma mulher para ele.

Soltou-lhe uma das mãos, acariciando suavemente o caminho pela linha do braço até ao ombro... pescoço... maxilar. Em seguida, a outra mão soltou o outro braço e voltou a descer até à bainha do vestido.

Ela gemeu-lhe o nome, arquejando à medida que os dedos subiam pela perna.

– Relaxa – instruiu ele, os lábios quentes contra o seu ouvido.

– Não consigo.

– Consegues, sim.

– Não – disse ela, pegando-lhe no rosto e forçando-o a olhar para ela. – Não consigo.

Gareth soltou uma gargalhada, encantado com o tom autoritário.

– Muito bem – cedeu ele –, não relaxes.

E antes que ela tivesse hipótese de responder, ele deslizou o dedo para além da barreira das vestes íntimas e tocou-a.

– Oh!

– Acabou-se o relaxamento – declarou ele com uma risada.

– Gareth – sufocou ela.

– Oh, Gareth, não, Gareth ou mais, Gareth? – murmurou ele.

– Mais – gemeu ela. – Por favor.

– Adoro uma mulher que sabe quando implorar – disse ele, redobrando os esforços.

A cabeça, que ela atirara para trás em êxtase, voltou à sua posição normal para poder olhá-lo nos olhos.

– Vais pagar por isso – ameaçou ela.

Ele arqueou uma sobrancelha.

– Vou?

Ela assentiu com a cabeça.

– Mas não agora.

Ele riu-se baixinho.

– É justo.

Com uma fricção suave dos dedos levou-a ao pico mais trémulo do prazer. A respiração dela era errática agora, os lábios entreabertos e os olhos vidrados. Gareth adorava aquele rosto, adorava cada curva dele, a forma como a luz se refletia nas maçãs do rosto e os contornos do maxilar.

Mas agora, vendo-a perdida na própria paixão, havia algo que lhe tomava o fôlego. Hyacinth era linda... não de uma forma que provocasse o lançamento de mil navios ao mar, mas de uma forma mais íntima.

A beleza dela era dele e só dele.

E deixava-o sem palavras.

Inclinou-se para a beijar, com carinho, com todo o amor que sentia. Queria absorver-lhe o suspiro quando ela atingisse o clímax, queria sentir-lhe a respiração e o gemido na própria boca. Os dedos continuaram a provocação, e ela contraiu-se debaixo dele, o corpo preso entre o dele e a parede, agitando-se entre ambos.

– Gareth – suspirou ela, libertando-se do beijo apenas o suficiente para dizer o seu nome.

– Em breve – prometeu ele, sorrindo. – Talvez agora.

E então, capturando-a para um último beijo, ele deslizou um dedo para dentro dela, enquanto outro prosseguia a carícia. Sentiu-a estreitar-se explosiva em torno dele, o corpo praticamente levantando-se do chão com a força da paixão.

Só então ele se apercebeu da verdadeira força do próprio desejo. Ele estava rígido, incendiado e desesperado por ela e, ainda assim, tão concentrado nela que nem tinha notado.

Até agora.

Olhou para ela. Ela estava frouxa, sem fôlego, e mais perto da inconsciência do que alguma vez a vira.

Raios.

Não faz mal, disse a si mesmo, com pouca convicção. Tinham a vida inteira pela frente. Um encontro com uma banheira de água fria não ia matá-lo.

– Feliz? – murmurou ele, olhando-a com complacência.

Hyacinth assentiu com a cabeça, mas foi tudo o que conseguiu.

Gareth beijou-a na ponta do nariz, depois lembrou-se dos papéis que tinha deixado em cima da mesa. Ainda não estavam completos, mas parecia-lhe uma boa altura para lhos mostrar.

– Tenho um presente para ti – anunciou ele.

Os olhos dela iluminaram-se.

– Tens?

– Sim. Mas peço-te que tenhas em consideração que o que conta é a intenção.

Ela sorriu, seguindo-o até à mesa e sentando-se na cadeira em frente.

Gareth afastou alguns livros e, cuidadosamente, pegou num papel.

– Ainda não está pronto.

– Eu não me importo – disse ela em voz baixa.

Mas ele não lho mostrou logo.

– Acho que é bastante óbvio que não vamos encontrar as joias – disse ele.

– Não! – protestou ela. – Nós podemos...

– Chhh! Deixa-me terminar.

Ia contra todos os impulsos dela, mas conseguiu ficar calada.

– Eu não tenho muito dinheiro – disse ele.

– Isso não importa.

Ele abriu um sorriso oblíquo.

– Ainda bem que pensas assim, porque embora não passemos necessidades, também não vamos poder viver como os teus irmãos e irmãs.

– Eu não preciso de nada disso – apressou-se ela a replicar.

Era verdade. Ou, pelo menos, esperava que sim. Mas sabia, com todo o seu ser, que nunca precisaria de nada tanto quanto precisava dele.

Ele pareceu grato e também, talvez, ligeiramente desconfortável.

– Provavelmente vai ser ainda pior quando eu herdar o título – acrescentou. – Acho que o barão está a tentar fazer tudo por tudo para me transformar num mendigo a partir do além-mundo.

– Estás outra vez a tentar convencer-me a não casar contigo?

– Oh, não – respondeu ele. – Agora estás definitivamente presa a mim. Mas quero que saibas que se eu pudesse, dar-te-ia o mundo. – Estendeu o papel. – Começando por isto.

Ela pegou na folha e olhou para baixo. Era um desenho, dela.

Os olhos dela arregalaram-se de surpresa.

– Tu fizeste isto? – perguntou.

Ele acenou com a cabeça.

– Não tenho muita prática, mas consigo...

– É muito bom – disse ela, interrompendo-o.

Ele nunca iria ficar para a história como artista famoso, mas a semelhança era boa e ela reparou que ele capturara algo nos seus olhos, algo que ela nunca vira em nenhum dos retratos dela encomendados pela família.

– Estive a pensar sobre a Isabella – disse ele, encostando-se à secretária. – E lembrei-me de uma história que ela me contou quando eu era pequeno. Havia uma princesa e um príncipe terrível e... – sorriu com pesar – uma pulseira de diamantes.

Hyacinth, que observava o rosto dele, hipnotizada pelo carinho nos seus olhos, voltou a olhar rapidamente para o desenho. Ali, no seu pulso, estava uma pulseira de diamantes.

– Com certeza não é nada parecida com a que ela realmente escondeu – disse ele –, mas é como eu me lembro de ela a descrever e é a que te daria se pudesse.

– Gareth, eu... – Sentiu as lágrimas brotar-lhe dos olhos, ameaçando derramarem-se pelo rosto. – É o presente mais precioso que já recebi.

Ele parecia... não que não acreditava nela, mas como se não tivesse a certeza de que deveria.

– Não tens de dizer...

– É, sim – insistiu ela, levantando-se.

Ele virou-se e pegou noutro papel de cima da mesa.

– Também a desenhei aqui – disse ele –, mas maior, para que pudesses vê-la com mais pormenor.

Hyacinth pegou no segundo papel. Gareth tinha desenhado apenas a pulseira, como se suspensa no ar.

– É lindo – disse ela, tocando a imagem com os dedos.

Ele abriu um sorriso autodepreciativo.

– Se não existe, devia.

Ela assentiu, ainda examinando o desenho. A pulseira era adorável, cada elo como se fosse uma folha. Era delicada e extravagante, e Hyacinth estava ansiosa por colocá-la no pulso.

Mas nunca poderia valorizá-la tanto quanto àqueles dois desenhos. Nunca.

– Eu... – Ergueu o olhar, os lábios abrindo-se de surpresa; quase disse: «Eu amo-te».

– Adoro-os – preferiu dizer, mas quando olhou para ele, imaginou que ele podia ler a verdade nos seus olhos.

Eu amo-te.

Ela sorriu e colocou a mão sobre a dele. Queria dizê-lo, mas ainda não estava completamente preparada. Não sabia porquê, talvez tivesse medo de ser a primeira a dizê-lo. Ela, que não tinha medo de quase nada, não conseguia reunir coragem para proferir três simples palavras.

Era espantoso.

Assustador.

Por isso decidiu mudar o estado de espírito do momento.

– Eu ainda quero procurar as joias – disse ela, aclarando a garganta até a voz voltar a sair com o costumeiro tom eficiente.

Gareth soltou um resmungo frustrado.

– Porque não desistes?

– Porque eu... bem, porque não consigo. – Fechou a boca numa carranca. – E agora é que não quero mesmo que o teu pai as encontre. Oh. – Olhou para ele. – Posso chamá-lo assim?

Ele deu de ombros.

– Eu ainda o faço. É um hábito difícil de perder.

Hyacinth concordou com um aceno de cabeça.

– Eu não quero saber se a Isabella não era a tua avó verdadeira. Tu mereces a pulseira.

Ele dirigiu-lhe um sorriso divertido.

– Porquê?

A interrogativa deixou-a perplexa um momento.

– Porque sim – respondeu finalmente. – Porque alguém tem de a ter, e eu não quero que seja ele. Porque... – lançou um olhar rápido e nostálgico ao desenho que tinha nas mãos – porque isto é *lindo*.

– Não podemos esperar até encontrarmos um tradutor de esloveno?

Ela sacudiu a cabeça, apontando para a nota ainda pousada na mesa.

– E se não estiver em esloveno?

– Julguei que tinhas dito que estava – disse ele, claramente exasperado.

– Eu disse que o meu irmão *pensa* que está – revidou ela. – Sabes quantas línguas existem na Europa Central?

Ele praguejou baixinho.

– Eu sei – disse ela. – É muito frustrante.

Gareth fitou-a, incrédulo.

– Não foi por isso que praguejei.

– Então foi porquê?

– Porque tu vais ser a minha morte – resmungou ele.

Hyacinth sorriu, esticando o dedo indicador e pressionando-o contra o peito dele.

– Agora sabes porque te disse que a minha família estava desesperada para se livrar de mim.

– Que Deus me ajude, agora sei.

Ela inclinou a cabeça para o lado e perguntou:

– Podemos ir amanhã?

– Não?

– No dia seguinte?

– Não!

– Por favor? – tentou ela.

Ele apertou as mãos nos ombros dela e rodou-a até ela ficar virada para a porta.

– Vou levar-te a casa – anunciou.

Ela virou-se, tentando falar por cima do ombro.

– Por f...

– Não!

Hyacinth arrastou os pés, deixando que ele a empurrasse em direção à porta. Quando viu que não o convencia, agarrou a maçaneta da porta, mas, antes de a girar, torceu-se para trás uma última vez, abriu a boca e...

– NÃO!

– Eu não...

– Pronto, está bem – cedeu ele, praticamente atirando os braços ao ar, exasperado. – Ganhaste.

– Oh, *obrigada*.

– Mas tu não vens comigo.

Ela ficou petrificada, a boca aberta.

– O que disseste?!

– Eu vou – declarou ele, com ar de quem preferiria que lhe arrancassem os dentes todos –, mas tu não.

Hyacinth fitou-o, embasbacada, tentando chegar a uma maneira de dizer «Isso não é justo» sem parecer uma criança birrenta. Decidindo que era impossível, começou a tentar congeminar uma maneira de lhe perguntar como podia ter a certeza que ele realmente tinha ido sem parecer que não confiava nele.

Que aborrecimento, essa também era uma causa perdida.

Por isso contentou-se em cruzar os braços e trespassá-lo com o olhar.

Sem qualquer efeito. Ele limitou-se a olhar para ela e dizer:

– Não.

Hyacinth abriu a boca uma última vez, mas acabou por desistir; suspirou e disse:

– Bem, suponho que se conseguisse fazer de ti gato-sapato, não valeria a pena casar-me contigo.

Ele atirou a cabeça para trás numa gargalhada.

– Vais ser uma esposa maravilhosa, Hyacinth Bridgerton – disse ele, empurrando-a para fora do gabinete.

– Pfff!

– Mas não se te transformares na minha avó – resmungou ele.

– É o meu maior sonho – disse ela com picardia.

– Que pena – murmurou ele, puxando-a pelo braço e fazendo-a parar antes de chegarem à sala de estar.

Hyacinth olhou-o com uma expressão inquiridora.

Gareth curvou os lábios, todo ele inocência.

– Bem, eu não posso fazer *isto* à minha avó.
– Oh! – gritou ela em sobressalto.
Como tinha ele enfiado a mão *ali*?
– Ou *isto*.
– Gareth!
– Sim, Gareth ou não, Gareth?
Ela sorriu. Não conseguia evitar.
– *Mais*, Gareth.

CAPÍTULO 19

A terça-feira seguinte.

Tudo de importante parece acontecer a uma terça-feira, não é mesmo?

– Veja o que eu trouxe!

Hyacinth sorriu da porta da sala de estar de Lady Danbury, levantando o livro *Miss Davenport e o Marquês Diabólico.*

– Um livro novo? – perguntou Lady D do outro lado da sala.

Estava sentada na sua cadeira preferida, mas pela pose que mantinha, poderia muito bem ser um trono.

– Não é um livro qualquer – disse Hyacinth com um sorriso malandro, estendendo-lho. – Veja!

Lady Danbury pegou no livro, olhou para a capa e abriu um imenso sorriso.

– Ainda não lemos este – disse ela. Voltou a olhar para Hyacinth. – Espero que seja tão mau como os outros.

– Oh, vá lá, Lady Danbury – protestou Hyacinth, sentando-se ao lado dela –, não devia dizer que são maus.

– Eu não disse que não eram divertidos – adiantou a condessa, folheando ansiosamente as páginas. – Quantos capítulos nos restam da nossa querida Miss Butterworth?

Hyacinth pegou no livro em questão de uma mesa próxima e abriu-o no sítio em que deixara o marcador na terça-feira anterior.

– Três – anunciou, folheando-o para trás e para a frente para confirmar.

– Pfff! Pergunto-me de quantos penhascos a pobre Priscilla pode ficar pendurada durante esse tempo.

– Dois, pelo menos, eu acho – murmurou Hyacinth. – Desde que não seja acometida pela peste.

Lady Danbury tentou espreitar o livro sobre o ombro.

– Acha que é possível? Um pouco de peste bubónica faria maravilhas à prosa.

Hyacinth riu-se entre dentes.

– Talvez devesse ter sido o subtítulo. *Miss Butterworth e o Barão Louco ou* – baixou a voz para um tom dramático – *Um Pouco de Peste Bubónica.*

– Eu cá prefiro *Debicada até à Morte por Pombos.*

– Talvez *devêssemos* mesmo escrever um livro – disse Hyacinth com um sorriso, preparando-se para começar a ler o capítulo dezoito.

Lady Danbury fitou Hyacinth como se lhe quisesse dar um abanão.

– É exatamente isso que tenho andado a dizer-lhe.

Hyacinth franziu o nariz e balançou a cabeça.

– Não – contrariou ela –, deixaria de ser divertido depois dos títulos. Acha que alguém iria querer comprar uma coleção de títulos de livros divertidos?

– Comprariam, se tivesse o meu nome na capa – declarou Lady D com grande autoridade. – Por falar nisso, como vai a sua tradução do diário da outra avó do meu neto?

A cabeça de Hyacinth agitou-se levemente enquanto tentava acompanhar a estrutura frásica complicada de Lady D.

– Desculpe – disse ela finalmente –, mas o que é que isso tem a ver com as pessoas sentirem-se compelidas a comprar um livro com o seu nome na capa?

Lady Danbury agitou a mão com força no ar, como se o comentário de Hyacinth fosse algo físico que ela pudesse afastar.

– Não me contou nada – protestou ela.

– Vou a pouco mais de meio – admitiu Hyacinth. – Lembro-me muito menos de italiano do que julgava, portanto a tarefa está a ser muito mais difícil do que eu imaginava.

Lady D assentiu.

– Ela era uma mulher adorável.

Hyacinth pestanejou de surpresa.

– Conheceu-a? A Isabella?

– É claro que sim. O filho dela casou-se com a minha filha.

– Ah, pois – murmurou Hyacinth.

Não sabia porque isso não lhe ocorrera antes. Será que Lady Danbury sabia alguma coisa sobre as circunstâncias do nascimento de Gareth? Ele tinha-lhe assegurado que não ou, pelo menos, que nunca falara com ela sobre o assunto. Mas, talvez, cada um deles tivesse mantido silêncio, presumindo que o outro não sabia.

Hyacinth abriu a boca, mas fechou-a bruscamente. Não lhe competia a ela dizer fosse o que fosse. *Não.*

Mas...

Não. Cerrou os dentes, como se isso a impedisse de deixar escapar alguma palavra. Não podia revelar o segredo de Gareth. Absoluta e decididamente não podia.

– Comeu alguma coisa estragada? – perguntou Lady D, sem nenhum tipo de delicadeza. – Está com um ar muito doente.

– Estou perfeitamente bem – respondeu Hyacinth, estampando um sorriso alegre no rosto. – Estava apenas a pensar no diário. Trouxe-o comigo, na verdade. Para ler na carruagem.

Tinha andado a trabalhar incansavelmente na tradução desde que soubera do segredo de Gareth no início daquela semana. Não tinha a certeza se iriam ficar a saber a identidade do verdadeiro pai de Gareth, mas o diário de Isabella parecia ser o melhor lugar para iniciar a pesquisa.

– Ai, trouxe? – Lady Danbury recostou-se na cadeira, fechando os olhos. – Porque não me lê um pouco dele, em vez do livro?

– Mas a senhora não percebe italiano – lembrou Hyacinth.

– Eu sei, mas é uma língua adorável, tão melodiosa e suave. E preciso de fazer uma sesta.

– Tem a certeza? – perguntou Hyacinth, baixando-se para tirar o diário da pequena sacola.

– De que preciso de uma sesta? Sim, o que é uma pena. Tudo começou há dois anos. Agora não passo sem uma sesta à tarde.

– Na verdade, eu referia-me à leitura do diário – murmurou Hyacinth. – Se deseja adormecer, existem métodos certamente melhores do que a minha leitura de italiano.

– Porquê, Hyacinth – disse Lady D, com um ruído que desconfiou ser uma casquinada –, está a oferecer-se para me cantar uma canção de embalar?

Hyacinth revirou os olhos.

– É tão travessa como uma criança.

– É de onde viemos, minha querida Miss Bridgerton. É de onde viemos.

Hyacinth sacudiu a cabeça e encontrou o sítio onde ia no diário. Tinha parado na primavera de 1793, quatro anos antes do nascimento de Gareth. De acordo com o que lera na carruagem a caminho dali, a mãe de Gareth estava grávida, do que Hyacinth assumiu ser o irmão mais velho de Gareth, George. Ela tinha sofrido dois abortos antes disso, o que não servira para aumentar a estima do marido.

O que Hyacinth estava a achar mais interessante no relato era a deceção que Isabella expressava sentir pelo filho. Amava-o, sim, mas arrependia-se de ter permitido ao marido moldá-lo. Como resultado, escrevera Isabella, o filho era igual ao pai. Tratava a mãe com desprezo, e a mulher dele não levava melhor tratamento.

Hyacinth achava todo o relato bastante triste. Ela gostava de Isabella. Havia uma inteligência e humor na sua escrita que se destacava, mesmo Hyacinth não sendo capaz de traduzir cada palavra, e gostava de pensar que, se tivessem sido da mesma geração, teriam sido amigas. Entristecia-a perceber o nível a que o marido de Isabella a sufocara e fizera infeliz.

Isto reforçava-lhe a crença de que era realmente importante com quem uma pessoa se casava. Não por riqueza ou estatuto, embora Hyacinth não fosse idealista ao ponto de fingir que isso não tinha importância nenhuma.

Mas só se tem uma vida e, se Deus quisesse, um marido. E como é bom realmente *gostar* do homem com quem se está comprometida. Isabella não tinha sido espancada ou abusada, mas tinha sido ignorada, e os seus pensamentos e opiniões não tinham sido ouvidos. O marido mandara-a para uma remota casa de campo, e ensinara os filhos pelo exemplo. O pai de Gareth tratava a mulher exatamente da mesma maneira. Hyacinth supôs que o tio de Gareth também teria sido igual, se tivesse vivido o suficiente para casar.

– Vai ler para mim ou não? – perguntou Lady D, num tom um pouco estridente.

Hyacinth olhou para a condessa, que nem se tinha dado ao trabalho de abrir os olhos para dar a ordem.

– Peço desculpa – disse ela, usando o dedo para procurar o sítio onde tinha parado. – Preciso de um momento para... ah, aqui está.

Hyacinth aclarou a garganta e começou a ler em italiano.

– Si avvicina il giorno in cui nascerà il mio primo nipote. Prego che sia un maschio...

Ela traduziu mentalmente enquanto continuava a ler em voz alta o italiano:

«Aproxima-se o dia em que vai nascer o meu primeiro neto. Rezo para que seja um menino. Eu adoraria uma menina... provavelmente estaria autorizada a vê-la e a amá-la mais, mas será melhor para todos nós se tivermos um menino. Tenho medo de pensar na rapidez com que Anne será obrigada a suportar as atenções do meu filho se tiver uma menina.

Eu deveria amar mais o meu próprio filho, mas ao invés disso preocupo-me com a mulher dele.»

Hyacinth fez uma pausa, olhando de esguelha para Lady Danbury à procura de algum indício de que ela compreendia alguma coisa de italiano. Afinal era sobre a filha dela que estava a ler. Hyacinth perguntou-se se a condessa fazia alguma ideia de como aquele casamento tinha sido triste. Mas, curiosamente, Lady D começara a ressonar.

Hyacinth piscou de surpresa... e desconfiança. Nunca lhe passara pela cabeça que Lady Danbury pudesse adormecer tão depressa. Manteve-se em silêncio uns momentos, esperando que os olhos da condessa se abrissem com um comando em alta voz para que continuasse.

Contudo, um minuto depois, Hyacinth acreditava que Lady D tinha realmente adormecido. Então continuou a ler para si mesma, esforçando-se por traduzir cada frase na sua cabeça. A entrada seguinte era datada de alguns meses mais tarde; Isabella expressava o seu alívio por Anne ter tido um menino, que fora batizado com o nome de George. O barão não cabia em si de orgulho e até tinha dado à mulher uma pulseira de ouro de presente.

Hyacinth avançou algumas páginas, tentando ver quanto tempo levaria até Isabella chegar a 1797, o ano do nascimento de Gareth. Uma, duas, três... Contou as páginas, passando rapidamente os anos. Sete, oito, nove... Ah, ali estava: 1796. Gareth tinha nascido em março, por isso, se Isabella tinha escrito sobre a sua conceção, teria sido aqui, não em 1797.

Faltam apenas dez páginas.

De repente ocorreu-lhe...

Porque não saltar as páginas? Não havia nenhuma lei que a obrigasse a ler o diário em perfeita ordem cronológica. Ela poderia espreitar à frente, em 1796 e 1797, e ver se havia alguma coisa relacionada com Gareth e a sua ascendência. Se não, voltava para onde se encontrava e reiniciava a leitura.

E não era Lady Danbury que dizia que a paciência não era de todo uma virtude?

Hyacinth olhou com certa tristeza para 1793 e, em seguida, segurando as cinco folhas de papel juntas, passou para 1796.

Para trás... para a frente... para trás...

Para a frente.

Abriu a página em 1796 e pousou a mão esquerda, de modo a acabar com a hesitação e não voltar atrás.

Para a frente, estava decidido.

«24 de junho de 1796», leu em silêncio. «Cheguei à Clair House para uma visita de verão e fui informada de que o meu filho já tinha partido para Londres.»

Hyacinth rapidamente subtraiu os meses mentalmente. Gareth nascera em março de 1797. Três meses levavam-na a dezembro de 1796, e outros seis a...

Junho.

E o pai de Gareth estava fora da cidade.

Mal conseguindo respirar, Hyacinth continuou a ler:

«Anne parece contente por ele estar fora e o pequeno George é um tesouro. Será assim tão terrível admitir que sou mais feliz quando Richard não está? É uma alegria ter todas as pessoas que amo tão perto.»

Hyacinth franziu o sobrolho quando terminou a entrada. Não havia nada fora do comum. Nada sobre um estranho misterioso ou um amigo indevido.

Relanceou para Lady Danbury, cuja cabeça estava agora inclinada para trás, num ângulo estranho. A boca também estava um pouco aberta.

Hyacinth voltou resolutamente ao diário, concentrando-se na entrada seguinte, três meses mais tarde.

O choque deixou-a sem ar.

«Anne está grávida. Todos nós sabemos que não pode ser de Richard. Ele está para fora há dois meses. Dois meses. Eu

receio por ela. Ele está furioso. Mas ela recusa-se a revelar a verdade.»

– Revela – resmungou Hyacinth entre dentes. – Revela.

– Hã?

Hyacinth fechou o diário com um baque e olhou para cima. Lady Danbury ajeitava-se no assento.

– Porque parou de ler? – perguntou Lady D, ensonada.

– Não parei – mentiu Hyacinth, os dedos agarrados ao diário com tanta força que era espantoso não lhe fazer buracos através da capa. – A senhora adormeceu.

– Adormeci? – murmurou Lady Danbury. – Devo estar a ficar velha.

Hyacinth abriu um sorriso forçado.

– Muito bem – disse Lady D com um aceno de mão. Mexeu-se um pouco, primeiro para a esquerda e depois para a direita; em seguida, para a esquerda novamente. – Agora estou acordada. Vamos voltar a Miss Butterworth.

Hyacinth ficou perplexa.

– *Agora?*

– Em oposição a quando?

Hyacinth não tinha uma boa resposta.

– Muito bem – acedeu ela, com tanta paciência quanta conseguiu reunir. Obrigou-se a pôr o diário de lado e pegou em *Miss Butterworth e o Barão Louco*.

– Aham! – Aclarou a garganta, abrindo o livro na primeira página do capítulo dezoito. – Aham!

– Está com problemas na garganta? – perguntou Lady Danbury. – Ainda tenho um pouco de chá no bule.

– Não é nada – disse Hyacinth. Respirou fundo, baixou os olhos e começou a ler com muito menos entusiasmo do que o habitual: – *O barão tinha um segredo. Priscilla estava certa disso. A única questão era: seria a verdade alguma vez revelada?*

– Com efeito – murmurou Hyacinth.

– Hã?

– Acho que algo importante está prestes a acontecer – disse Hyacinth com um suspiro.

– Algo importante está sempre prestes a acontecer, minha querida – revidou Lady Danbury. – E se não está, a menina faria bem em agir como se estivesse. Vai aproveitar mais a vida se o fizer.

Para Lady Danbury, o comentário era atipicamente filosófico. Hyacinth fez uma pausa, refletindo sobre as suas palavras.

– Não tenho paciência para esta nova moda o *ennui* – continuou Lady Danbury, agarrando na bengala e batendo com ela no chão. – Bah! Quando é que se tornou um crime demonstrar interesse pelas coisas?

– Perdão?

– Acabe de ler o livro – disse Lady D. – Acho que estamos a chegar à parte boa. Finalmente.

Hyacinth assentiu. O problema era que ela estava a chegar à parte boa do *outro* livro. Respirou fundo, tentando concentrar-se em *Miss Butterworth*, mas as palavras bailavam-lhe diante dos olhos. Por fim, olhou para Lady Danbury e disse:

– Desculpe-me, mas importar-se-ia muito se encurtasse a nossa visita hoje? Não estou a sentir-me muito bem.

Lady Danbury fitou-a como se tivesse acabado de anunciar que estava grávida de Napoleão.

– Seria um prazer voltar a visitá-la amanhã – acrescentou Hyacinth rapidamente.

Lady D piscou.

– Mas é terça-feira.

– Eu sei disso. Eu... – Hyacinth suspirou. – A senhora *é mesmo* uma criatura de hábitos, não é?

– A principal característica da civilização é a rotina.

– Sim, eu entendo, mas...

– Mas o sinal de uma mente verdadeiramente avançada – cortou Lady D – é a capacidade de se adaptar a circunstâncias mutáveis.

Hyacinth ficou de boca aberta. Nunca, nem nos sonhos mais loucos, teria imaginado Lady Danbury proferir *tal afirmação*.

– Vá, minha querida – disse Lady D, enxotando-a para a porta. – Vá fazer aquilo que a está a deixar tão intrigada.

Por um momento, Hyacinth não conseguiu fazer mais nada, exceto fitá-la. Então, invadida por uma sensação que era tanto de adoração como de carinho, recolheu as suas coisas, levantou-se e atravessou a sala até Lady Danbury.

– Vai ser a minha avó – disse ela, inclinando-se e dando-lhe um beijo na face.

Nunca antes assumira tal familiaridade, mas de alguma forma parecia-lhe a coisa certa a fazer.

– Criança tola – disse Lady Danbury, limpando os olhos quando Hyacinth se dirigia para a porta. – No meu coração, sou sua avó há muitos anos. Só tenho estado à espera que a menina o tornasse oficial.

CAPÍTULO 20

Mais tarde naquela noite. Bem mais tarde, para dizer a verdade. As tentativas de Hyacinth na tradução tiveram de ser adiadas devido a um longo jantar em família, seguido de um interminável jogo de charadas. Finalmente, às dez e meia, ela encontrou a informação que procurava.

A excitação foi mais forte do que a cautela...

Mais dez minutos e Gareth não estaria lá para ouvir a batida. Acabara de vestir uma camisola, uma peça de lã grosseira que a avó teria dito ser terrivelmente ordinária mas que tinha a vantagem de ser negra como a noite. Estava sentado no sofá a calçar as suas botas mais silenciosas quando ouviu.

Uma batida. Suave mas intransigente.

Uma espreitadela ao relógio disse-lhe que era quase meia-noite. Phelps há muito se tinha ido deitar, por isso Gareth foi à porta, colocando-se perto da madeira pesada com um «Sim?»

– Sou eu – veio a resposta insistente.

O quê? Não, não podia ser...

Abriu a porta.

– O que estás aqui a fazer? – silvou ele, puxando Hyacinth para dentro. Ela passou por ele a voar, tropeçando numa cadeira enquanto ele foi espreitar o corredor. – Não trouxeste ninguém contigo?

Ela abanou a cabeça.

– Não há tempo para...

– Estás louca? – sussurrou ele, furioso. – Foi desta que enlouqueceste completamente?

Achou que ficara zangado da última vez que ela tinha atravessado Londres sozinha depois de escurecer; mas, pelo menos, nessa noite, havia a desculpa de ter sido surpreendida pelo pai dele. Desta vez... *desta* vez...

Ele mal conseguiu controlar-se.

– Vou ter de te fechar a sete chaves – disse, mais para si mesmo do que para ela. – É isso. É a única solução. Vou ter de te agarrar e...

– Ouve-m...

– Entra para aqui – rosnou ele, agarrando-a pelo braço e puxando-a para o quarto.

Era o aposento mais distante do quarto de Phelps, que ficava ao lado da sala de estar. O criado geralmente dormia como uma pedra, mas com a sorte de Gareth, esta seria a noite em que decidiria despertar para um lanche a meio da noite.

– Gareth – murmurou Hyacinth, correndo atrás dele –, tenho de te dizer...

Ele virou-se para ela com olhos furiosos.

– Eu não quero ouvir nada que não comece por «eu sou uma idiota».

Ela cruzou os braços.

– Bem, podes esperar sentado, porque não vou certamente dizer *isso.*

Ele flexionou e dobrou os dedos, o movimento cuidadosamente controlado sendo a única coisa que o impedia de se lançar sobre ela. O mundo estava a assumir uma perigosa coloração vermelha, e ele só conseguia pensar na imagem dela a correr através de Mayfair, sozinha, sendo atacada, maltratada...

– Tenho vontade de te matar – grunhiu ele.

Que inferno, se alguém a ia atacar ou maltratar, podia muito bem ser ele.

Mas ela limitava-se a abanar a cabeça, não ouvindo nada do que ele dizia.

– Gareth, eu tenho de...

– Não – disse ele, implacável. – Nem uma palavra. Não digas uma palavra. Fica aí sentada... – piscou, dando-se conta de que ela estava de pé e, em seguida, apontou para a cama. – Senta-te ali *em silêncio* até eu descobrir o que diabo faço contigo – ordenou.

Hyacinth sentou-se e, pela primeira vez, não parecia prestes a abrir a boca para falar. De facto, exibia um ar ligeiramente presunçoso.

O que o fez desconfiar de imediato. Gareth não fazia ideia de como tinha ela descoberto que ele escolhera aquela noite para regressar a Clair House e fazer uma última busca às joias. Devia ter deixado escapar alguma coisa, ter feito alusão à ida durante uma das conversas recentes. Preferiria pensar que tinha sido mais cauteloso, mas Hyacinth era diabolicamente inteligente, e se alguém podia deduzir as suas intenções, essa pessoa era ela.

Era um esforço inútil, na sua opinião; ele não fazia a menor ideia onde poderiam estar os diamantes, exceto a teoria de Hyacinth sobre o quarto da baronesa. Mas tinha-lhe prometido que iria, e devia possuir um sentimento de honra mais apurado do que julgara porque ali estava ele, prestes a ir a Clair House pela terceira vez nesse mês.

Fuzilou-a com o olhar.

Ela sorriu serenamente.

Aquela provocação foi a gota de água. Aquilo era absolutamente...

– Muito bem – começou ele, a voz tão grave que quase tremia. – Vamos ter de definir algumas regras, aqui e agora.

A coluna dela enrijeceu.

– Desculpa?!

– Quando nos casarmos, não vais sair de casa sem a minha permissão...

– *Nunca?* – cortou ela.

– Até que consigas provar ser uma adulta responsável – terminou ele, mal se reconhecendo nas próprias palavras. Mas se servisse para manter aquela maldita inconsequente a salvo de si própria, então que assim fosse.

Hyacinth soltou um suspiro impaciente.

– Quando é que te tornaste tão pomposo?

– Quando me apaixonei por ti! – praticamente gritou.

Ou teria gritado, se não estivessem num edifício de apartamentos, todos habitados por homens solteiros que ficavam acordados até tarde e adoravam mexericos.

– Tu... tu... o quê?

A boca dela abriu-se de forma encantadora, mas Gareth estava demasiado furioso para apreciar o efeito.

– Eu amo-te, minha idiota – disse ele, sacudindo os braços no ar como um louco.

Era impressionante ao que ela era capaz de o reduzir. Não se lembrava da última vez que perdera a cabeça daquela maneira, da última vez que alguém o pusera tão zangado que mal conseguia falar.

Exceto ela, é claro.

Rangeu os dentes.

– És a pessoa mais enlouquecedora, mais frustrante...

– Mas...

– *Nunca* sabes quando parar de falar mas, que Deus me ajude, eu amo-te, de qualquer maneira...

– Mas, Gareth...

– E se eu tiver de te amarrar à maldita cama só para te manter a salvo de ti mesma, Deus é minha testemunha, é isso que farei.

– Mas, Gareth...

– Nem uma palavra. Nem uma maldita palavra – rugiu ele, agitando um dedo na direção dela, de forma extremamente indelicada.

Por fim, a mão pareceu congelar, o dedo indicador apontado, e depois de alguns movimentos bruscos, ele conseguiu aquietar-se e arrastar as mãos para as ancas.

Ela olhava-o, abismada, os grandes olhos azuis cheios de admiração. Gareth não conseguiu desviar o olhar, quando ela se levantou lentamente e eliminou a distância entre eles.

– Tu amas-me? – sussurrou ela.

– Vai ser a minha morte, eu tenho a certeza, mas sim. – Ele suspirou, exausto só pela perspetiva. – Não consigo evitar.

– Oh! – Os lábios dela tremeram, depois hesitaram e, por fim, sorriram. – Isso é bom.

– Bom? – repetiu ele. – É tudo a que tens a dizer?

Ela avançou um passo e tocou-lhe o rosto.

– Eu também te amo. Com todo o meu coração, com tudo o que sou e tudo...

Ele nunca saberia o que ela estava prestes a dizer. Ficou perdido no beijo.

– Gareth – ofegou ela, no breve instante em que ele fez uma pausa para respirar.

– Agora não – disse ele, a boca tomando a dela novamente.

Ele não podia parar. Dissera-lho e agora tinha de lho mostrar. Amava-a. Era tão simples quanto isso.

– Mas, Gareth...

– Chhh...

Segurou a cabeça dela entre as mãos e beijou-a, beijou-a... até cometer o erro de lhe libertar a boca ao descer para o pescoço.

– Gareth, eu tenho de te dizer...

– Agora não – murmurou ele.

Tinha outras coisas em mente.

– Mas é muito importante e...

Ele arrastou-se para longe.

– Meu Deus, mulher – resmungou ele. – O que *é*?

– Tens de me ouvir – disse ela, e ele sentiu-se um pouco vingado por a respiração dela estar tão irregular quanto a dele. – Eu sei que foi uma loucura vir aqui tão tarde.

– Sozinha – achou por bem acrescentar.

– Sozinha – concedeu ela, os lábios torcendo-se com teimosia.

– Mas eu juro que não teria feito algo tão inconsequente se não precisasse de falar contigo imediatamente.

A sua boca inclinou-se em ironia.

– Uma carta não era o bastante?

Hyacinth abanou a cabeça, negando.

– Gareth – disse ela, a expressão tão grave que o deixou sem fôlego – Eu sei quem é o teu pai.

Foi como se o chão desaparecesse debaixo dele, mas, ao mesmo tempo, não conseguia desviar os olhos dos dela. Agarrou-lhe os ombros, os dedos cravando-se certamente com demasiada força na pele, mas não conseguia mexer-se. No futuro, se alguém lhe perguntasse acerca daquele momento, diria que ela era a única coisa a mantê-lo em pé.

– Quem é? – perguntou, quase temendo a resposta.

Desejara aquela resposta durante toda a sua vida adulta, e agora que ela chegara, só conseguia sentir terror.

– O irmão do teu pai – sussurrou Hyacinth.

Foi como se algo lhe tivesse batido no peito.

– O tio Edward?

– Sim – confirmou Hyacinth, os olhos perscrutando-lhe o rosto com uma mistura de amor e preocupação. – Estava no diário da tua avó. Ela também não sabia, a princípio. Ninguém sabia. Eles só sabiam que não podia ser o teu pa... isto é, o barão. Ele passou toda essa primavera e verão em Londres. E a tua mãe... não.

– Como é que ela descobriu? – perguntou ele num sussurro. – Ela tinha a certeza?

– A Isabella percebeu depois de tu nasceres – disse Hyacinth suavemente. – Achava que tu eras demasiado parecido com um St. Clair para seres um bastardo, e o Edward tinha estado a passar um tempo em Clair House. Enquanto o teu pai estava para fora.

Gareth sacudiu a cabeça, tentando desesperadamente compreender.

– Será que ele sabia?

– O teu pai? Ou o teu tio?

– O meu... – Virou-se de costas, um som estranho, vazio de qualquer tipo de humor escapou-lhe da garganta. – Eu não sei o que lhe chamar. Qualquer um deles.

– O teu pai... Lord St. Clair – corrigiu ela –, não sabia. Ou, pelo menos, a Isabella achava que não. Ele não sabia que o Edward tinha estado em Clair House naquele verão. O teu tio acabara de sair de Oxford e... bem, eu não sei exatamente o que aconteceu, mas parece que ele deveria ter ido para a Escócia com uns amigos. Acabou por não o fazer, e foi para Clair House. A tua avó disse... – Hyacinth parou, o rosto assumindo uma expressão de total espanto. – A tua avó – murmurou. – Ela realmente *era* tua avó.

Gareth sentiu a mão de Hyacinth no seu ombro, implorando-lhe para se virar, mas ele ainda não era capaz de olhar para ela. Era de mais. Era tudo de mais.

– Gareth, a Isabella *era* tua avó. Tua verdadeira avó.

Ele fechou os olhos, tentando lembrar-se do rosto de Isabella. Era difícil; a memória era tão antiga.

Mas ela amava-o. Disso lembrava-se. Ela amava-o.

E ela sabia a verdade.

Será que lha teria contado? Se tivesse vivido até ele ser adulto, até conhecer o homem que ele se tinha tornado, ter-lhe-ia dito a verdade?

Nunca iria saber, mas talvez... se ela tivesse visto como o barão o tratava... no que ambos se haviam tornado...

Gostava de pensar que sim.

– O teu tio... – ouviu a voz de Hyacinth.

– Ele sabia – murmurou Gareth com certeza na voz.

– Sabia? Como é que sabes? Ele disse-te alguma coisa?

Gareth abanou a cabeça. Não fazia ideia de como sabia que Edward conhecia a verdade, mas agora tinha a certeza absoluta de que sim. Gareth tinha oito anos quando vira o tio pela última vez. Idade suficiente para já se lembrar de coisas. Idade suficiente para perceber o que era importante.

E Edward amava-o. Edward amava-o de uma maneira que o barão nunca fizera. Fora Edward que o ensinara a andar a cavalo, Edward que lhe dera um cachorrinho no seu sétimo aniversário.

Edward, que conhecia a família suficientemente bem para saber que a verdade os iria destruir a todos. Richard nunca perdoaria Anne por ter de criar um filho que não era seu, mas se tivesse sabido que o seu amante fora o próprio *irmão*...

Gareth sentiu-se afundar contra a parede, precisando de apoio para além das próprias pernas. Talvez tivesse sido uma bênção ter demorado tanto para que a verdade fosse revelada.

– Gareth?

Hyacinth sussurrava-lhe o nome, e ele sentiu-a aproximar-se, a mão entrelaçando-se na sua com um carinho que lhe apertou o coração.

Ele não sabia o que pensar. Não sabia se deveria estar com raiva ou aliviado. Era realmente um St. Clair, mas depois de tantos anos a ver-se como um impostor, era difícil absorver a informação. E, dado o comportamento do barão, seria mesmo algo de que se orgulhar?

Perdera tanto, passara tanto tempo a querer saber quem era, de onde viera e...

– Gareth.

A voz dela de novo, suave, sussurrante.

Ela apertou-lhe a mão.

Então subitamente...

Ele soube.

Não que nada tivesse importância, porque tinha.

Mas soube que não era tão importante quanto ela, que o passado não era tão importante como o futuro e que a família que perdera não lhe era tão cara como a família que iria construir.

– Eu amo-te – disse ele, a voz finalmente elevando-se acima de um sussurro. Virou-se, o coração, a alma nos olhos. – Eu amo-te.

Ela pareceu confusa com a súbita mudança de comportamento, mas acabou por sorrir... parecendo prestes a soltar uma gargalhada.

Era o tipo de expressão de alguém cuja felicidade parece transbordar, demasiada para guardar dentro do peito.

Gareth queria-a assim todos os dias. Todas as horas. Todos os minutos.

– Eu também te amo – disse ela.

Gareth pegou-lhe o rosto entre as mãos e beijou-a, uma vez, profundamente, na boca.

– Eu quero dizer – reiterou ele – que te amo *muito*.

Hyacinth arqueou uma sobrancelha.

– Isto é uma competição?

– É o que tu quiseres – prometeu ele.

Ela abriu um sorriso rasgado, encantador, um sorriso perfeito, tão essencialmente dela.

– Sinto que devo avisar-te, então – disse Hyacinth com um leve inclinar de cabeça –, que quando se trata de competições e jogos, eu ganho sempre.

– Sempre?

Os olhos dela tornaram-se matreiros.

– Sempre que é importante.

Gareth sentiu-se sorrir, sentiu a alma ficar mais leve e as preocupações abandonarem-lhe o corpo.

– E o que é que isso significa, exatamente?

– Significa que te amo mesmo muito *muito* – disse ela, começando a desapertar os botões do casaco.

Ele recuou, cruzando os braços enquanto lhe lançava um olhar apreciativo.

– Conta-me mais.

O casaco caiu no chão.

– Isto é suficiente?

– Oh, nem por sombras!

Ela tentou parecer ousada, mas o rubor já lhe invadia as faces.

– Vou precisar da tua ajuda com o resto – disse, pestanejando.

Num ápice, ele veio até ela.

– Eu vivo para te servir.

– Ai, sim?

Hyacinth parecia intrigada com esta declaração, exibindo uma expressão tão perigosa que Gareth se sentiu compelido a acrescentar:

– No quarto.

Os dedos encontraram as fitas nos ombros dela e, puxando-as com delicadeza, fez com que o corpete do vestido se soltasse, num equilíbrio precário.

– Mais ajuda, *milady*? – murmurou ele.

Ela assentiu com a cabeça.

– Talvez...

Ele passou os dedos pelo decote, preparando-se para baixar o corpete, mas ela colocou uma mão sobre a dele. Gareth olhou para cima. Hyacinth abanava a cabeça.

– Não – disse ela. – Tu.

Ele precisou de um momento para compreender o significado, mas então um sorriso lento estampou-se-lhe no rosto.

– Mas é claro, *milady* – disse ele, tirando a camisola. – Um desejo seu é uma ordem.

– Qualquer um?

– Neste momento – corrigiu ele suavemente –, qualquer um.

Ela sorriu.

– Os botões.

Gareth começou a desabotoar a camisa.

– Como queira.

Num instante, a camisa estava no chão, deixando-o nu da cintura para cima.

Ele ergueu o seu olhar sensual até ao rosto dela. Viu-lhe os olhos arregalados e os lábios entreabertos. Podia ouvir-lhe o som rouco da respiração, em perfeita sintonia com a subida e descida do peito.

Ela estava excitada. Gloriosamente excitada, e ele teve de exercer todo o seu autocontrolo para não a arrastar imediatamente para a cama.

– Mais alguma coisa? – murmurou ele.

Os lábios dela moveram-se e os olhos faiscaram na direção das calças. Ela era muito tímida, percebeu ele, deliciado, ainda demasiado inocente para lhe pedir com palavras que as despisse.

– Isto? – perguntou, enfiando o polegar na cintura das calças.

Ela assentiu com a cabeça.

Gareth tirou as calças, sem nunca desviar o olhar do seu rosto. E sorriu... no exato momento em que os olhos dela se arregalaram.

Hyacinth queria ser sofisticada, mas não era. Ainda não.

– Estás demasiado vestida – disse ele suavemente, aproximando-se devagarinho, até o seu rosto ficar a meros centímetros do dela.

Colocou-lhe dois dedos sob o queixo e inclinou-a para um beijo, enquanto a outra mão encontrava o caminho até ao decote do vestido e o puxava para baixo.

Ela sentiu-se livre, e ele moveu a mão para a pele quente das suas costas, pressionando-a contra si até os seios se achatarem contra o seu peito. Os dedos traçaram ao de leve a depressão delicada da coluna, repousando no fundo das costas, exatamente onde o vestido caía frouxo em torno das ancas.

– Eu amo-te – disse ele, encostando o nariz ao dela.

– Eu também te amo.

– Fico muito feliz – disse ele, sorrindo junto à orelha dela –, porque senão isto seria muito estranho.

Hyacinth riu-se, mas o som transportava uma certa hesitação.

– Estás a dizer que todas as tuas outras mulheres te amavam? – perguntou ela.

Gareth recuou, tomando-lhe o rosto entre as mãos.

– O que estou a dizer – respondeu, certificando-se de que ela o fitava bem no fundo nos olhos enquanto ele encontrava as palavras certas – é que eu nunca as amei. E não sei se aguentaria, amando-te como te amo, se não retornasses o sentimento.

Hyacinth observou-lhe o rosto, perdendo-se no profundo azul dos seus olhos. Acariciou-lhe a testa, depois o cabelo, afastando um caracol dourado antes de lho colocar carinhosamente atrás da orelha.

Parte dela queria ficar assim para sempre, só a olhar para o rosto dele, a memorizar cada superfície e sombra, da curva do lábio inferior ao arco preciso das sobrancelhas. Ia passar a sua vida com este homem, dar-lhe o seu amor, dar-lhe filhos, e sentiu-se preenchida com a mais maravilhosa das sensações de expectativa, como se estivesse no limiar de alguma coisa, a ponto de embarcar numa aventura extraordinária.

E tudo começava agora.

Inclinou a cabeça, aproximou-se e ficou em bicos de pés, para conseguir depositar-lhe um beijo nos lábios.

– Eu amo-te – disse ela.

– Amas, não amas? – murmurou ele, e ela percebeu que ele estava tão maravilhado com aquele milagre como ela.

– Às vezes vou enlouquecer-te – avisou Hyacinth.

O sorriso dele foi tão assimétrico como o encolher de ombros.

– Eu refugio-me no clube.

– E tu vais fazer-me o mesmo – acrescentou ela.

– Tu podes refugiar-te a tomar um chá com a tua mãe. – Uma das mãos encontrou a dela e a outra deslizou até à cintura, até ficarem juntos quase numa posição de valsa. – E mais tarde nesse dia passaremos tempos maravilhosos, a beijarmo-nos e a pedir perdão um ao outro.

– Gareth – disse ela, interrogando-se se aquela deveria ser uma conversa mais séria.

– Ninguém disse que temos de passar todos os minutos juntos – continuou ele –, mas ao fim do dia – inclinou-se e beijou cada uma das sobrancelhas –, e a maior parte do tempo de permeio, não existe mais ninguém que eu prefira ver, ninguém cuja voz eu prefira ouvir, nem mais ninguém cuja mente eu prefira explorar.

Beijou-a. Uma vez, lenta e profundamente.

– Eu amo-te, Hyacinth Bridgerton. E amarei sempre.

– Oh, Gareth.

Ela teria gostado de dizer algo mais eloquente, mas as palavras dele teriam de bastar pelos dois porque, naquele momento, ela sucumbira completamente ao turbilhão de emoções, não conseguindo fazer mais do que suspirar o seu nome.

E quando Gareth a ergueu nos braços e levou para a cama, ela só pôde dizer:

– Sim.

O vestido caiu antes de chegar ao colchão, e quando o corpo dele cobriu o dela, já foi pele contra pele. Estar debaixo dele era uma experiência eletrizante, sentir-lhe o poder, a força. Gareth poderia dominá-la se assim o decidisse, magoá-la até, mas nos seus braços ela sentia-se o mais precioso dos tesouros.

As mãos dele percorreram-lhe o corpo, um caminho escaldante pela sua pele. Hyacinth sentia cada toque no âmago do seu ser. Ele acariciava-lhe o braço e ela sentia-o no ventre; tocava-lhe o ombro e ela sentia o formigueiro nos dedos dos pés.

Beijava-a nos lábios e o coração dela exultava.

Gareth afastou-lhe as pernas com delicadeza, encaixando o corpo no dela. Hyacinth podia senti-lo, rígido e insistente, mas desta vez não havia medo, nenhuma apreensão. Apenas uma enorme necessidade de o ter, de o conduzir para dentro dela e de se entrelaçar nele.

Desejava-o. Desejava cada centímetro dele, cada pedacinho que ele fosse capaz de dar.

– Por favor – implorou, erguendo as ancas em direção às dele. – Por favor.

Ele não disse nada, mas ela podia ouvir-lhe o desejo na aspereza da respiração. Gareth aproximou-se mais, posicionando-se junto à sua abertura, e ela arqueou-se mais para o encontrar.

Agarrou-se aos ombros dele, os dedos enterrando-se na pele. Era como se algo selvagem tivesse tomado conta de si, algo novo e esfomeado. Precisava dele. Precisava daquilo. Agora.

– Gareth – ofegou, tentando desesperadamente pressionar-se contra ele.

Ele moveu-se um pouco, mudando o ângulo, e começou a deslizar para dentro dela.

Era o que ela queria, o que esperava, mas, ainda assim, o primeiro contacto dele foi um choque. Hyacinth estirou-se e puxou-o para si; houve até um instante de dor, mas era uma dor boa, que a fazia sentir bem e com vontade de mais.

– Hy... Hy... Hy... – balbuciava ele, a respiração expelida em rajadas curtas, enquanto se impelia, cada impulso preenchendo-a de forma ainda mais completa. Por fim, o encontro derradeiro, ele tão plenamente dentro dela que os corpos se tocaram.

– Oh, meu Deus – suspirou ela, a cabeça atirada para trás pela carga emotiva do momento.

Ele começou a mover-se, para a frente e para trás, a fricção a atormentá-la até à inconsciência. Ela agarrava, arranhava... qualquer coisa para o trazer para mais perto, para alcançar o cume.

Desta vez sabia para onde caminhava.

– Gareth! – gritou, o ruído capturado pela boca dele quando a arrebatou num beijo.

Algo dentro dela começou a contrair-se, a subir numa espiral tão distendida que se achava capaz de rebentar. E então, quando achava não poder suportar aquela sensação um instante mais, tudo chegou ao seu pico, e algo explodiu dentro dela, algo incrível e verdadeiro.

No momento em que o seu corpo se arqueava e ameaçava partir-se em dois de tanta força, sentiu o corpo de Gareth tornar-se frenético e selvagem; ele enterrou o rosto no pescoço dela, soltando um grito primitivo, e despejou toda a sua essência dentro dela.

Durante um minuto, talvez dois, ambos conseguiram apenas respirar. Até que, finalmente, Gareth rolou o corpo, saindo do dela, mas mantendo-a perto num abraço e aninhando-se ao seu lado.

– Oh, meu Deus! – exclamou Hyacinth, por lhe parecer resumir tudo o que sentia. – Oh, meu Deus!

– Quando é que nos casamos? – perguntou ele, puxando-a suavemente até ficarem encaixados como duas colheres.

– Seis semanas.

– Duas – contrariou ele. – Seja lá o que for que tenhas de dizer à tua mãe, não quero saber. Consegue a alteração para duas ou arrasto-te comigo até Gretna Green.

Hyacinth anuiu, aconchegando-se contra ele, deliciando-se com a sensação dele atrás dela.

– Duas – disse ela, a palavra praticamente um suspiro. – Talvez até só uma.

– Ainda melhor – concordou ele.

Ficaram deitados por alguns minutos, a apreciar o silêncio; depois Hyacinth rodou nos braços dele, esticando o pescoço para poder ver-lhe o rosto e perguntou:

– Estavas de saída para Clair House esta noite?

– Não sabias?

Ela abanou a cabeça.

– Eu não pensei que voltasses lá.

– Eu prometi-te que ia.

– Bem, sim – justificou-se ela –, mas pensei que estavas a mentir só para seres simpático.

Gareth praguejou baixinho.

– Tu vais ser a minha morte. Não posso crer que não estavas a falar a sério quando me pediste que fosse.

– Claro que eu estava a falar a sério – argumentou ela. – Só não achei que o fizesses. – Ela sentou-se tão de repente que a cama tremeu. Os olhos dela arregalaram-se e assumiram um brilho perigoso. – Vamos. Hoje à noite.

Resposta fácil.

– Não.

– Oh, por favor, por favor. Como um presente de casamento para mim.

– Não – repetiu ele.

– Eu entendo a tua relutância...

– Não – voltou ele a dizer, tentando ignorar a sensação de aperto no estômago. A sensação de que ia ceder à vontade dela. – Não me parece que entendas.

– Mas, pensa bem – insistiu ela, os olhos brilhantes e convincentes –, o que temos a perder? Vamo-nos casar daqui a duas semanas...

Ele ergueu uma sobrancelha.

– Na próxima semana – corrigiu ela. – Na próxima semana, eu prometo.

Ele ponderou a questão. *Era* tentador.

– Por favor – implorou ela. – Tu sabes que queres.

– Porque é que me sinto de volta à universidade com o mais degenerado dos meus amigos a tentar convencer-me a beber mais três copos de *gin*? – interrogou-se ele em voz alta.

– Porque quererias tu ser amigo de um degenerado? – perguntou ela. Então sorriu com curiosidade perversa. – E, então, fizeste-o?

Gareth ponderou a sensatez de responder ou não; a verdade é que não queria que ela conhecesse as suas histórias mais terríveis de estudante. Mas isso fá-la-ia esquecer a questão das joias e...

– Vamos – insistiu ela mais uma vez. – *Eu* sei que queres.

– Eu sei o que quero fazer – murmurou ele, curvando uma mão numa das nádegas dela – e não é isso.

– Não queres as joias? – provocou ela.

Ele começou a acariciá-la.

– Hum, hum.

– Gareth! – exclamou ela, tentando esquivar-se.

– Sim, Gareth ou...

– Não – respondeu ela com firmeza, conseguindo iludi-lo e afastando-se para o outro lado da cama. – *Não*, Gareth. Não até irmos a Clair House procurar as joias.

– Santo Deus – murmurou ele. – Saiu-me a *Lisístrata*, vinda até mim em forma humana.

Hyacinth atirou-lhe um sorriso triunfante sobre o ombro enquanto se vestia.

Gareth levantou-se, sabendo que fora derrotado. E, além disso, ela tinha uma certa razão. A sua principal preocupação era a reputação dela; enquanto ela permanecesse ao seu lado, estava plenamente confiante na sua capacidade de a manter em segurança. Se realmente iam casar-se daí a uma semana ou duas, os seus disparates, se descobertos, seriam esquecidos com uma piscadela e um olhar malicioso. Mas, ainda assim, achou que devia fazer pelo menos um último esforço de resistência, por isso disse:

– Não devias estar cansada depois de tanta agitação na cama?

– Pelo contrário, sinto-me cheia de energia.

Ele soltou um suspiro cansado.

– Esta é a última vez – avisou ele severamente.

A resposta foi imediata.

– Eu prometo.

Gareth começou a vestir-se.

– Estou a falar a sério. Se não encontrarmos as joias hoje, só lá voltamos quando eu herdar. Nessa altura podes vasculhar a casa de cima a baixo, levantar pedra por pedra, se quiseres.

– Não será necessário – assegurou ela. – Vamos encontrá-las hoje à noite. Sinto-o cá dentro.

Gareth pensou em várias respostas, nenhuma delas adequada aos ouvidos dela.

Ela olhou para si mesma com uma expressão triste.

– Não estou vestida para isto – comentou, ajeitando as dobras da saia.

O tecido era escuro, mas não eram as calças que vestira nas duas últimas expedições.

Ele nem sequer se preocupou em sugerir um adiamento. Não valia a pena. Não quando a via tão incandescida de entusiasmo.

Logo teve a sua resposta, quando Hyacinth espetou um pé para fora da bainha do vestido, dizendo:

– Mas trago o meu calçado mais confortável, e isso é o mais importante.

– Certamente.

Ela ignorou a impertinência dele.

– Estás pronto?

– Tanto quanto alguma vez estarei – disse ele com um sorriso claramente falso.

Mas a verdade era que Hyacinth já tinha conseguido plantar nele a semente do entusiasmo e a cabeça dele já calculava a rota que iriam seguir até à casa. Se ele não quisesse ir, se não estivesse convencido da sua capacidade de a manter segura, tê-la-ia arrastado para a cama antes de permitir que ela desse um passo e saísse para a noite.

Gareth pegou na mão de Hyacinth, levou-a aos lábios e beijou-a.

– Vamos? – perguntou.

Ela assentiu com a cabeça e avançou pé ante pé à frente dele até ao corredor.

– Vamos encontrá-las – disse ela baixinho. – Eu sei que vamos.

CAPÍTULO 21

Uma meia hora mais tarde.

– Não vamos encontrá-las.

Hyacinth tinha as mãos pousadas nas ancas enquanto observava o quarto da baronesa. Tinham demorado quinze minutos a chegar a Clair House, cinco a esgueirarem-se pela janela com defeito e a subirem até ao quarto e os últimos dez a esquadrinhar cada cantinho do aposento.

As joias não estavam em parte alguma.

Hyacinth não gostava de admitir derrotas. Na verdade, era tão contrário ao seu temperamento que a frase «Não vamos encontrá-las» soara mais em tom de surpresa do que qualquer outra coisa.

Nem lhe ocorrera que podiam não encontrar as joias. Ela imaginara a cena uma centena de vezes na sua cabeça, planeara tudo com muito cuidado, pensara em todo o esquema até à exaustão e nem por uma vez se imaginara a sair da aventura de mãos vazias.

Sentiu-se como se tivesse batido contra uma parede de tijolos.

Talvez tivesse sido tolamente otimista. Talvez tivesse sido cega. Mas desta vez, estava enganada.

– Desistes? – perguntou Gareth, fitando-a.

Ele estava acocorado ao lado da cama, apalpando os painéis na parede atrás da cabeceira. Parecia... não satisfeito, exatamente, mas talvez algo *farto,* se é que fazia sentido.

Ele sabia que não iam encontrar nada. Ou se não sabia, tinha quase a certeza. Viera esta noite mais para lhe fazer a vontade. Hyacinth decidiu que o amava ainda mais por isso.

Mas agora, a expressão dele, o seu aspeto, tudo na sua voz pareciam dizer uma só coisa: *Tentámos, perdemos, será que podemos simplesmente seguir em frente?*

Não havia sorriso satisfeito, não um «eu bem te avisei», apenas um olhar desinteressado e prosaico, talvez com um leve toque de deceção, como se um cantinho dele ainda tivesse esperança de estar errado.

– Hyacinth? – chamou Gareth, quando ela não respondeu.

– Eu... bem... – Ela não sabia o que dizer.

– Não temos muito tempo – interrompeu ele, o rosto assumindo uma expressão inflexível. Era óbvio que ela não tinha mais espaço para reflexão. Ele levantou-se, sacudiu as mãos uma na outra para se livrar do pó. O quarto da baronesa tinha sido fechado e não parecia ser limpo regularmente. – Esta noite é a reunião mensal do barão no seu clube de criação de cães de caça.

– Criação de cães de caça? – ecoou Hyacinth. – Em Londres?

– Reúnem-se na última terça-feira do mês, impreterivelmente – explicou Gareth. – Há muitos anos que o fazem. Para se manterem a par dos conhecimentos pertinentes, enquanto estão em Londres.

– Os conhecimentos pertinentes mudam com muita frequência? – perguntou Hyacinth.

Era exatamente o tipo de petisco aleatório de informações que sempre lhe interessava.

– Não faço ideia – respondeu Gareth bruscamente. – Provavelmente é apenas uma desculpa para se reunirem e beberem. As reuniões terminam sempre às onze e passam as duas horas seguintes a socializar. O que significa que o barão chega a casa... – Tirou o relógio do bolso e praguejou baixinho. – Agora.

Hyacinth assentiu, sorumbática.

– Eu desisto – anunciou ela. – Acho que nunca pronunciei tais palavras, exceto sob coação, mas desisto.

Gareth ergueu-lhe suavemente o queixo.

– Não é o fim do mundo, Hy. E pensa nisto: podes retomar a missão quando o barão finalmente for desta para melhor e eu herdar a casa. À qual – acrescentou, pensativo –, afinal de contas, tenho algum direito. – Sacudiu a cabeça de espanto. – Como é irónico.

– Achas que a Isabella queria que alguém as encontrasse? – perguntou ela.

– Não sei – respondeu Gareth. – Seria de pensar que se queria, podia ter escolhido uma língua mais acessível do que esloveno para a pista final.

– Devemos ir – disse Hyacinth, com um suspiro. – Preciso de voltar para casa, seja como for. Se quero azucrinar a minha mãe para que ela mude a data do casamento, tenho de o fazer agora, enquanto ela está sonolenta e fácil de manipular.

Gareth lançou-lhe uma olhadela por cima do ombro, enquanto colocava a mão na maçaneta da porta.

– Tu *és* diabólica.

– Não acreditavas nisso antes?

Ele sorriu e dirigiu-lhe um aceno de cabeça quando viu que o caminho estava livre para se esgueirarem para o corredor. Juntos, desceram as escadas para a sala de estar que tinha a janela defeituosa. Rápida e silenciosamente, saltaram para o beco lá em baixo.

Gareth seguiu à frente, parando no final do beco e esticando um braço para trás para manter Hyacinth à distância enquanto espreitava para Dover Street.

– Vamos – sussurrou ele, fazendo um gesto de cabeça em direção à rua.

Tinham vindo de cabriolé, uma vez que o apartamento de Gareth não ficava perto o suficiente para poderem vir a pé, e tinham-no deixado à espera a dois cruzamentos de distância. Não era realmente necessário levar Hyacinth a casa de carruagem, que ficava logo do outro lado de Mayfair, mas Gareth tinha decidido que, já que o tinha alugado, bem que podia fazer uso dele. Havia um bom local onde poderiam sair, mesmo na esquina da rua do Número Cinco, que era mais sombrio, havendo poucas janelas com vista para lá.

– Por aqui – indicou Gareth, pegando na mão de Hyacinth e puxando-a. – Anda, nós pode...

Ele parou, tropeçou. Hyacinth estava imóvel.

– O que foi? – sussurrou ele, virando-se para olhar para ela.

Mas ela não olhava para ele, e sim para alguma coisa, alguém, à direita.

O barão.

Gareth estacou. Lord St. Clair (o seu pai, o seu tio, ou o que devesse chamá-lo) encontrava-se ao cimo dos degraus da entrada para Clair House. Tinha a chave na mão e obviamente tinha-os visto quando estava prestes a entrar no edifício.

– Que interessante – disse o barão, os olhos refulgentes.

Gareth sentiu o ar escapar-lhe do peito, e com uma espécie de demonstração instintiva de bravata empurrou Hyacinth para trás dele.

– *Sir* – cumprimentou. Fora o que sempre lhe chamara e alguns hábitos eram difíceis de quebrar.

– Imagine o meu espanto – murmurou o barão. – Esta é a segunda vez que me deparo aqui consigo a meio da noite.

Gareth não disse nada.

– E desta vez – Lord St. Clair apontou para Hyacinth – trouxe a bela noiva consigo. Muito pouco ortodoxo, devo dizer. Será que a família dela sabe que ela anda fora de casa depois da meia-noite?

– O que quer? – perguntou Gareth em tom ríspido.

Mas o barão limitou-se a soltar um riso de satisfação.

– Julgo que a questão mais pertinente é o que *o menino* quer? A menos que pretenda tentar convencer-me de que só está aqui pelo ar fresco da noite.

Gareth olhou-o com desprezo, procurando sinais de semelhança. Estavam todos lá, o nariz, os olhos, a posição dos ombros. Era por isso que Gareth nunca tinha suspeitado ser um bastardo, até àquele dia fatídico no escritório do barão. Ficava tão confuso quando era criança; o pai tratava-o com tal desprezo. Assim que ele atingira idade suficiente para compreender um pouco do que acontecia entre os homens e as mulheres, interrogara-se sobre isso... a infidelidade da mãe parecia-lhe uma explicação lógica para o comportamento do pai em relação a ele.

Mas rejeitara sempre a ideia. Tinha aquele maldito nariz dos St. Clair bem no meio da cara. Então o barão olhara-o nos olhos e dissera-lhe que ele não era seu filho, que não podia ser, que o nariz era mera coincidência.

Gareth tinha acreditado nele. O barão era muitas coisas, mas não era estúpido, e certamente sabia contar até nove.

Nenhum deles sonhara que o nariz podia ser algo mais do que uma coincidência, e que Gareth podia ser um St. Clair, afinal de contas.

Tentou lembrar-se... será que o barão amava o irmão? Será que Richard e Edward St. Clair tinham tido uma relação próxima? Gareth não se lembrava deles juntos, mas a verdade é que, a maioria das vezes, era banido para a ala infantil.

– Então? – perguntou o barão. – O que tem a dizer?

E lá estava, na ponta da língua. Gareth olhou fixamente o homem que tinha sido, durante tantos anos, a força dominante da sua vida e quase respondeu: *Nada, tio Richard.*

Teria sido o golpe perfeito, uma total surpresa, concebida para aturdir e atacar.

Teria valido a pena só para ver o choque na cara do barão.

Teria sido perfeito.

Não fora o facto de Gareth não querer fazê-lo. Não precisava.

E *isso* deixou-o atónito.

Antes, teria tentado adivinhar como o pai se sentiria. Ficaria aliviado por saber que o baronato iria para um verdadeiro St. Clair ou enfurecido, destroçado pelo conhecimento de ter sido traído pelo próprio irmão?

Antes, Gareth teria pesado as suas opções, medindo-as com todo o cuidado, para por fim escolher os seus instintos e desferir o golpe mais esmagador.

Mas agora...

Não queria saber.

Nunca iria amar aquele homem. Que diabo, nem sequer gostava dele. Mas, pela primeira vez na vida, estava a chegar a um ponto em que simplesmente não se importava.

E ficou chocado com a consciência de como isso o fazia sentir bem.

Pegou na mão de Hyacinth, entrelaçando os dedos nos dela.

– Viemos apenas dar um passeio – disse ele sem problemas. Era uma afirmação ridícula, mas Gareth proferiu-a com o seu habitual *savoir-faire,* no mesmo tom que sempre usava com o barão. – Venha, Miss Bridgerton – acrescentou, rodando o corpo para a acompanhar.

Mas Hyacinth não se mexeu. Gareth virou-se para olhar para ela, mas ela parecia petrificada. Olhou-o com ar curioso, e Gareth percebeu-lhe a estupefação por ele ter decidido manter o silêncio.

Gareth olhou para ela, depois para Lord St. Clair e então para dentro de si mesmo. Concluiu que embora a guerra interminável com o barão não tivesse mais importância, a verdade tinha. Não por ter o poder de ferir, mas apenas porque era a verdade, e tinha de ser dita.

Era o segredo que definira a vida de ambos por tanto tempo. Estava na hora de ambos serem libertados.

– Tenho de lhe dizer uma coisa – começou Gareth, encarando o barão.

Não era fácil ser assim tão direto. Não tinha experiência em falar com aquele homem sem malícia. Sentiu-se estranho, como se completamente despido.

Lord St. Clair não reagiu, mas a expressão mudou ligeiramente, ficou mais alerta.

– Tenho na minha posse o diário da avó St. Clair – disse Gareth. Ao ver a expressão de choque do barão, acrescentou: – A Caroline encontrou-o entre os bens do George com uma nota instruindo-a para mo entregar.

– Ele não sabia que não és neto dela – disse o barão bruscamente.

Gareth abriu a boca para revidar com um *«Era, sim»*, mas conseguiu engolir o comentário. Devia fazer aquilo como devia ser. Tinha de fazer aquilo como devia ser. Hyacinth estava ao seu lado, e subitamente a irritação que normalmente sentia parecia-lhe amarga e imatura. Não queria que ela o visse assim. Não queria *ser* assim.

– Miss Bridgerton tem algum conhecimento de italiano – continuou Gareth, mantendo a voz calma – e ajudou-me com a tradução.

O barão olhou para Hyacinth, os olhos penetrantes estudando-a um momento antes de se virar para Gareth.

– A Isabella sabia quem era o meu pai – disse Gareth suavemente. – Era o tio Edward.

O barão não disse nada, nem uma palavra. Com exceção de um ligeiro abrir dos lábios, ficou tão quieto que pôs Gareth a pensar se estaria sequer a respirar.

Será que ele sabia? Teria suspeitado?

Gareth e Hyacinth ficaram em silêncio; o barão virou-se e olhou para o fundo da rua, o olhar focado em algum ponto distante. Quando voltou a olhar para ambos, estava branco como um lençol.

Pigarreou e fez um aceno de cabeça. Só uma vez, uma espécie de reconhecimento.

– Deve casar-se com essa jovem – disse ele, com um gesto de cabeça em direção a Hyacinth. – Deus sabe que irá precisar do dote dela.

E depois subiu o resto dos degraus, entrou em casa e fechou a porta.

– É só *isto*? – disse Hyacinth, após um instante de ficar ali, boquiaberta. – É só isto que ele tem a *dizer*?

Gareth sentiu que começava a tremer. Era riso, percebeu quase como um à parte. Estava a rir-se.

– Ele não pode fazer isto – protestou Hyacinth, os olhos faiscando de indignação. – Tu acabaste de revelar o maior segredo das vossas vidas, e tudo o que ele faz é... estás a *rir-te*?

Gareth abanou a cabeça, embora fosse claro que estava.

– O que é que tem tanta piada? – perguntou Hyacinth, desconfiada.

E a expressão era tão... *ela*. Isso fê-lo rir ainda mais.

– O que é que tem tanta piada? – voltou a perguntar, só que desta vez também ela parecia prestes a sorrir. – *Gareth* – insistiu ela, puxando-lhe a manga –, diz-me!

Ele encolheu os ombros, impotente.

– Estou feliz – disse, percebendo a verdade das palavras. Tinha-se divertido muito na vida, e certamente teve muitos momentos felizes, mas há muito, muito tempo que não sentia aquela... felicidade, completa e integral. Quase se esquecera da sensação.

Ela pousou a mão abruptamente na testa dele.

– Estás com febre? – murmurou.

– Eu estou bem. – Puxou-a para os seus braços. – Estou mais do que bem.

– Gareth! – exasperou-se ela, desviando-se quando ele se aproximou para um beijo. – Enlouqueceste? Estamos no meio de Dover Street e...

Gareth calou-a com um beijo.

– Estamos a meio da noite – balbuciou ela.

Gareth abriu um sorriso malandro.

– Mas eu vou casar-me contigo na próxima semana, lembras-te?

– Sim, mas...

– Falando nisso – murmurou ele.

Hyacinth ficou de boca aberta quando o viu ajoelhar-se.

– O que estás a fazer? – esganiçou ela, olhando freneticamente para todos os lados. Lord St. Clair estava certamente a espreitá-los, e só Deus sabia quem mais. – Alguém vai ver – sussurrou ela.

Ele parecia despreocupado.

– As pessoas vão dizer que estamos apaixonados.

– Eu...

Meu Deus, como é que uma mulher argumentava contra aquilo?

– Hyacinth Bridgerton – disse ele, tomando-lhe a mão –, dás-me a honra de seres minha mulher?

Ela pestanejou, confusa.

– Eu já disse que sim.

– Sim, mas tal como disseste, eu não te pedi em casamento pelas razões certas. Quase todas eram certas, mas não todas.

– Eu... eu...

Hyacinth tropeçou nas palavras, engasgada pela emoção.

Gareth estava de olhos erguidos para ela, de um azul claro e brilhante à luz ténue dos postes de iluminação pública.

– Estou a pedir-te para casares comigo porque te amo – disse ele –, porque não consigo imaginar a minha vida sem ti. Quero ver o teu rosto pela manhã e à noite, e uma centena de vezes de permeio. Quero envelhecer contigo, quero rir-me contigo e quero queixar-me aos meus amigos de como é difícil lidar contigo, sabendo o tempo todo secretamente que sou o homem mais sortudo da cidade.

– Como?! – espantou-se ela.

Ele encolheu os ombros.

– Um homem tem de manter as aparências. Serei universalmente detestado se todos perceberem a perfeição que tu és.

– Oh!

Mais uma vez, como é que uma mulher argumentava contra *aquilo*?

Então o olhar dele tornou-se sério.

– Eu quero que sejas a minha família. Quero que sejas a minha mulher.

Hyacinth fitou-o e viu como ele a olhava, com um amor e devoção tão óbvios, que ela mal soube o que fazer. Gareth parecia envolvê-la, abraçá-la, e ela soube que *isto* era poesia, isto era música.

Isto era amor.

Ele sorriu-lhe, e ela só conseguiu retribuir o sorriso, vagamente consciente de que as faces estavam a ficar molhadas.

– Hyacinth – disse ele. – Hyacinth.

Ela assentiu. Ou pelo menos pareceu-lhe que sim.

Ele apertou as mãos dela nas suas ao levantar-se.

– Nunca pensei ter de dizer isto, logo a ti, mas pelo amor de Deus, *diz* alguma coisa, mulher!

– Sim – disse ela, atirando-se para os braços dele. – Sim!

EPÍLOGO

Alguns momentos para nos trazer à atualidade...

Quatro dias após o final da nossa história, Gareth visitou Lord Wrotham e descobriu que o conde de modo algum considerava que o noivado era vinculativo, especialmente depois de lhe transmitir a promessa de Lady Bridgerton de tomar uma das filhas mais novas de Wrotham sob a sua proteção e apresentá-la à sociedade na temporada seguinte.

Quatro dias depois disso, Gareth foi informado por Lady Bridgerton, de modo bem assertivo, de que a sua filha mais nova não se iria casar às pressas, e ele foi obrigado a esperar dois meses para casar com Hyacinth, numa cerimónia luxuosa mas de bom gosto na igreja de St. George, em Londres.

Onze meses depois, Hyacinth deu à luz um menino saudável, batizado com o nome de George.

Dois anos depois, foram abençoados com uma filha, batizada com o nome de Isabella.

Quatro anos depois, Lord St. Clair caiu do cavalo durante uma caçada à raposa e morreu instantaneamente. Gareth assumiu o título, e ele e Hyacinth mudaram-se para a sua nova residência na cidade, Clair House.

Isto foi há seis anos. Hyacinth tem procurado as joias desde então...

– Não procuraste já nesta divisão?

Hyacinth olhou para cima da sua posição no chão da casa de banho da baronesa. Gareth estava de pé junto à porta, olhando-a com uma expressão indulgente.

– Não, há pelo menos um mês – respondeu ela, à procura de tábuas soltas nos rodapés, como se não os tivesse já arrancado e esquadrinhado inúmeras vezes.

– Querida – disse Gareth, e pelo tom de voz ela já sabia o que ele estava a pensar.

Hyacinth atirou-lhe um olhar contundente.

– Não comeces.

– Querida – voltou ele a dizer.

– Não. – Ela virou-se para os rodapés. – Eu não quero ouvir. Hei de encontrar as malditas joias, nem que precise de toda a vida para o fazer.

– Hyacinth.

Ela ignorou-o, fazendo pressão ao longo do vão onde o rodapé encostava ao chão.

Gareth observou-a alguns segundos antes de observar:

– Tenho quase a certeza de que já fizeste isso antes.

Ela dispensou-lhe o mais breve dos relances antes de se levantar para inspecionar o caixilho da janela.

– Hyacinth – disse ele.

Ela virou-se tão de repente que quase perdeu o equilíbrio.

– O bilhete dizia «A limpeza é próxima da divindade, e sem dúvida o Reino dos Céus é rico».

– Em esloveno – retorquiu ele com ironia.

– Três eslovenos – lembrou ela. – Três eslovenos leram a pista, e todos eles chegaram à mesma tradução.

E certamente não tinha sido fácil encontrar três eslovenos.

– Hyacinth – disse Gareth, como se já não tivesse pronunciado o nome dela duas vezes... e inúmeras vezes antes disso, sempre no mesmo tom ligeiramente resignado.

– Têm de estar aqui – disse ela. – Têm de estar.

Gareth encolheu os ombros.

– Muito bem – respondeu –, mas a Isabella traduziu uma passagem do italiano e quer que vás verificar o trabalho dela.

Hyacinth fez uma pausa, suspirou e, em seguida, tirou os dedos do peitoril da janela. Com a idade de oito anos, a filha havia anunciado que desejava aprender a língua da sua homónima, por isso Hyacinth e Gareth tinham contratado um tutor para lhe dar aulas três manhãs por semana. No espaço de um ano, a fluência de Isabella havia superado a da mãe, e Hyacinth foi obrigada a contratar o tutor as outras duas manhãs para si, só para a conseguir acompanhar.

– Porque é que tu nunca estudaste italiano? – perguntou ela, quando ambos atravessavam o quarto para o corredor.

– Eu não tenho cabeça para línguas – respondeu Gareth alegremente –, e não há necessidade, com as minhas duas senhoras ao lado.

Hyacinth revirou os olhos.

– Olha que não te volto a ensinar mais palavras picantes – ameaçou ela.

Ele riu-se.

– Sendo assim, eu não preciso de passar discretamente para as mãos da *signorina* Orsini mais notas de libra com instruções para te *ensinar* as palavras picantes.

Hyacinth virou-se para ele, horrorizada.

– Não fizeste isso!

– Fiz, pois.

Ela franziu os lábios.

– E não pareces minimamente arrependido por isso.

– Arrependido?

Ele soltou um riso profundo, gutural, e depois inclinou-se para encostar os lábios ao ouvido dela. Havia algumas palavras em italiano que ele se dera ao trabalho de memorizar; sussurrou-lhe cada uma delas.

– Gareth! – repreendeu-o.

– Sim, Gareth? Ou não, Gareth?

Ela suspirou. Não podia evitar.

– *Mais*, Gareth.

Isabella St. Clair batia com o lápis no lado da cabeça enquanto analisava as palavras que acabara de escrever. Era um desafio, traduzir de uma língua para outra. O significado literal nunca batia certo, por isso era necessário escolher as expressões idiomáticas com o máximo de cuidado. Mas esta... olhou para a página que tinha aberta do livro de Galileu, *Discorso intorno alle cose che stanno, in sù l'acqua, ò che in quella si muovono...* esta era perfeita.

Perfeita perfeita perfeita.

As suas três palavras favoritas.

Espreitou para a porta, esperando que a mãe aparecesse. Isabella adorava traduzir textos científicos porque a mãe parecia sempre tropeçar nas palavras técnicas, e claro, era imensamente divertido ver a mãe fingir que realmente sabia mais italiano do que a filha.

Não que Isabella fosse mesquinha. Franziu os lábios, refletindo sobre aquilo. Ela não era mesquinha; a única pessoa que adorava mais do que a mãe era a bisavó Danbury, que, embora confinada a uma cadeira de rodas, ainda conseguia empunhar a bengala com quase tanta precisão como a língua.

Isabella sorriu. Quando fosse grande, queria ser, primeiro, exatamente como a mãe e, depois quando se fartasse, queria ser exatamente como a bisavó.

Suspirou. Seria uma vida maravilhosa.

Mas o que estaria a fazê-la *demorar* tanto? Há séculos que pedira ao pai para a ir buscar... devia acrescentar que o amava com igual fervor; era só que ele era apenas um homem, e ela não podia aspirar vir a ser como *ele*.

Fez uma careta. A mãe e o pai deviam estar aos risinhos e cochichos, escondendo-se em algum canto escuro. Deus do céu, era mesmo embaraçoso!

Isabella levantou-se, resignando-se a uma longa espera. Mais lhe valia ir agora à casa de banho. Pousou o lápis com todo o cuidado, olhou uma última vez para a porta e atravessou a sala para a casa de banho da ala infantil. Escondido no alto do beiral da antiga mansão, aquele espaço era, de forma inesperada, o seu preferido na casa. Alguém, em anos idos, tinha obviamente tido um carinho especial na decoração do pequeno aposento, que se encontrava revestido de azulejos de cores muito festivas no que imaginava só poder ser algum tipo de moda oriental. Adoráveis azuis, luminosos verde-água e amarelos que pareciam verdadeiros raios de sol.

Se fosse grande o suficiente para Isabella arrastar para ali uma cama e chamá-lo de quarto, tê-lo-ia feito. Pensou ser particularmente engraçado que o aposento mais bonito da casa (na sua opinião, pelo menos) fosse o mais humilde.

A casa de banho da ala infantil? Apenas os quartos dos criados eram considerados de menor prestígio.

Isabella fez o que tinha a fazer, colocou o pote no devido lugar, ao canto, e dirigiu-se para a porta. Mas antes de lá chegar, algo lhe chamou a atenção.

Uma rachadela. Entre dois azulejos.

– Isto não estava aqui antes – murmurou.

Acocorou-se, mas por fim decidiu sentar-se no chão para poder inspecionar a fenda, que atravessava o primeiro azulejo do chão ao cimo, uns quinze centímetros. Não era o tipo de coisa que a maioria das pessoas notasse, mas Isabella não era a maioria das pessoas. Ela reparava em tudo.

E aquilo era novo.

Frustrada por não conseguir ver tão perto como desejava, pôs-se de gatas e encostou a cara ao chão.

– Hum... – Deu uma pancadinha no azulejo, à direita da rachadela, e depois outra à esquerda. – Hum...

Porque se abriria uma fenda de repente na parede da sua casa de banho? Seria de esperar que Clair House, com bem mais de cem anos, já tivesse parado de se deslocar e assentar. Embora tivesse ouvido dizer que havia zonas distantes onde a terra se movia e tremia, isso não acontecia num sítio tão civilizado como *Londres*.

Será que ela tinha dado um pontapé na parede sem querer? Ou deixado cair alguma coisa?

Deu mais uma pancadinha. E mais uma.

Recuou o braço, preparando-se para bater com mais força, mas depois parou. A casa de banho da mãe era logo por baixo. Se fizesse muito barulho, a mamã viria certamente procurar saber o que ela estava a fazer. Embora ela tivesse pedido ao pai para ir lá a baixo buscar a mãe há imenso tempo, apostava que a mamã ainda estava na casa de banho.

É que quando a mamã ia à casa de banho... bem, ou saía num minuto, ou ficava lá dentro uma hora. Era a coisa mais bizarra.

Por essa razão, Isabella não queria fazer muito barulho. Certamente os pais desaprovariam, se ela decidisse destruir a casa.

Mas talvez mais uma palmadinha...

Disse mentalmente uma lengalenga para decidir que azulejo atacar, escolheu o da esquerda e deu-lhe uma pancada mais forte. Nada aconteceu.

Enfiou a unha na ponta da frincha e raspou. Um pequeno pedaço de gesso ficou-lhe debaixo da unha.

– Hum... – Talvez pudesse alargar a rachadela...

Espreitou para a mesinha do toucador até que os olhos recaíram num pente de prata. Aquilo podia funcionar. Foi buscá-lo e posicionou o último dente com todo o cuidado na ponta da rachadela. Então, com movimentos precisos, bateu com ele no gesso que unia os azulejos.

A frincha abriu-se até cima! Mesmo diante dos seus olhos!

Voltou a fazer o mesmo movimento, desta vez colocando o pente por cima do azulejo da esquerda. Nada. Tentou por cima do da direita.

E então, bateu com mais força.

Isabella ofegou quando a fenda literalmente se abriu ao longo do gesso até percorrer toda a parte superior do azulejo. Continuou a dar pancadas até ela se abrir para o outro lado.

Com a respiração suspensa, cravou as unhas em cada lado do azulejo e puxou. Sacudiu-o para um lado e para o outro, para cima e para baixo, com toda a sua força, tentando libertá-lo.

Com um rangido e um chiar que lhe fez lembrar a maneira como a bisavó andava quando conseguia içar-se da cadeira de rodas até à cama, o azulejo cedeu.

Isabella pousou-o com todo o cuidado e espreitou para o que restava. Onde deveria haver apenas parede, havia um pequeno compartimento de apenas alguns centímetros quadrados. Isabella esticou a mão fechada para a tornar mais fina e enfiou-a no espaço.

Sentiu algo macio. Como veludo.

Tirou-o. Era um saquinho, atado com um cordão macio e sedoso.

Isabella endireitou-se num ápice, cruzando as pernas à indiana. Deslizou um dedo para o interior do saco, alargando o cordão que tinha sido bem apertado.

Depois, com a mão direita, segurou-o pelo fundo, deixando cair o conteúdo na palma da mão esquerda.

– *Oh, meu D...*

Isabella engoliu o grito que estava prestes a dar. Uma verdadeira chuva de diamantes espalhava-se na sua mão.

Era um colar. E uma pulseira. E embora não se achasse o tipo de menina que perdia a cabeça com bugigangas e roupas, *OH, MEU DEUS,* aquelas eram as joias mais bonitas já vira.

– Isabella?

A mãe. Oh, não... oh não... oh, não.

– Isabella? Onde estás?

– Aq... – Parou para aclarar a garganta porque a voz lhe saíra como um guincho. – Na casa de banho, mamã. Saio já.

O que devia fazer? O que devia fazer?

Oh, francamente, ela sabia muito bem o que devia fazer. Mas o que é que ela *queria* fazer?

– É esta a tua tradução, a que está aqui na mesa? – ouviu a voz da mãe.

– Hum, sim! – Tossiu. – É do livro do Galileu. O original está mesmo ao lado.

– Oh. – A mãe fez uma pausa. A voz dela soou esquisita. – Porque é que tu... deixa lá!

Isabella olhou desesperada para as joias. Tinha apenas um momento para decidir.

– Isabella! – chamou a mãe. – Não te esqueceste de estudar matemática esta manhã, pois não? As tuas aulas de dança começam esta tarde, lembras-te?

Aulas de dança? O rosto de Isabella contorceu-se em desagrado, como se tivesse engolido soda cáustica.

– Monsieur Larouche chega às duas. Em ponto. Por isso vais precisar...

Isabella olhou para os diamantes. Com atenção. Com tanta concentração que a sua visão periférica desapareceu, assim como o ruído à sua volta. Extinguiram-se os sons da rua, que entravam pela janela aberta. Sumiu-se a voz da mãe, a matraquear sobre aulas de dança e a importância da pontualidade. Tudo deixou de existir, exceto o pulsar violento do sangue nas veias e o som acelerado e irregular da própria respiração.

Isabella olhou para os diamantes.

Sorriu.

E voltou a guardá-los no mesmo sítio.